선생님도 헷갈리는 수학

-이렇게 공부해요-

선생님도 헷갈리는 수학

-이렇게 공부해요-

박태호 ｜ 공희자 ｜ 권현선 ｜ 김종진 ｜ 노은혜 ｜ 오순이 ｜ 윤경란
윤은선 ｜ 이경헌 ｜ 이진희 ｜ 이효경 ｜ 전소영 ｜ 조윤록 지음

아카데미프레스

서문

2000년대 중반에 한국교육과정평가원이 주축이 되어 내용교수법 혹은 내용교수지식이라는 이름으로 PCK(Pedagogical Content Knowledge)를 교육 현장에 소개하였다. 더불어 영어, 수학, 사회, 과학 등 교과별 PCK 사례집을 발간하고, PCK 수업 컨설팅 전문가 양성 프로그램도 운영을 하였다. 당시에는 전통적 수업 장학 의 영향으로 활동중심의 수업, 방법중심의 수업, 평가자에 초점을 맞춘 보여주는 수업 등이 유행할 때였다. 이때에 특정 교과 내용을 특정 학생에게 가르치는 교수법을 교사의 수업 전문성으로 표방한 PCK의 등장은 신선함 그 자체였다.

잘 가르치는 교사를 표방하고 등장한 PCK에 대한 교육 현장의 반응은 긍정적이었다. 지역 교육청별로 PCK 수업 컨설팅 연구회가 만들어지고, 교과별 워크숍이 개최되었다. 일부 교육청에서는 PCK를 해당 교육청의 장학 이론이나 수업 컨설팅 이론으로 삼았고, PCK 교수 · 학습 과정(안) 작성법 대회를 개최하기도 하였다. 그러나 PCK에 대한 교육 정책 담당자나 교사들의 관심이 높아질수록 이론과 실제 혹은 총론과 각론 사이의 괴리도 점점 커져갔고, 그 부담은 전적으로 현장 교사의 몫이 되었다.

PCK의 핵심 요소는 맥락 지식(Context Knowledge)과 교수 변환(눈높이 교수법)이다. 맥락 지식은 지금 이 자리에 있는 학생이 해당 교과의 내용에 대해 지니고 있는 선개념(기능), 오개념(기능), 난개념(기능)을 파악하는 지식이다. 교수 변환은 지금 이 자리에 있는 학생들이 해당 내용에 대해 지니고 있는 선개념(기능), 오개념(기능), 난개념(기능)을 학생의 눈높이에 맞게 변환하여 가르치는 지식이다. PCK를 창시한 Shulman(1986, 1987)을 비롯한 후속 연구자들은 교수 변환 도구의 유형으로 설명, 시범, 발문, 연습, 서사, 과제, 매체 등을 들었고, 우리는 수업 모형중심의 큰 교수법과 대비되는 개념으로 사용하기 위해 이것을 작은 교수법으로 명명하였다. PCK의 핵심 요소인 맥락 지식과 교수 변환에 따르면 똑똑하지만 못 가르치는 교수 부진아, 열심히 가르치지만 학생 배움과 관계없이 가르치는 교수 부진아가 존재한다.

그러나 잘 가르치는 교사의 교수법을 중시하는 PCK 수업 설계는 교사주도의 수업으로 진행될 가능성이 높다. 아울러 교사의 가르침이 항상 학생의 배움으로 이어지는 것은 아니므로 PCK 역시 한계를 지닌다. 이에 우리는 구성주의 이론에 기초한 학생 공부법을 보완하였다. 여기에는 관찰, 추론, 조작, 메모, 요약, 토의와 토론, 발표 등이 해당되고, 우리는 이것을 학생 배움중심의 수업이라고 명명한다.

그동안 PCK 수업 이론을 교실 수업 현장에 적용하기 위해 'PCK 수업 설계 시리즈'를 기획하였고, 이를 위해 'PCK 수업설계 전문가 학습공동체'를 운영하였다. 2014년에는 경상남도교육청 소속의 초등 수석 교사와 더불어 국어, 수학, 사회, 과학 교과의 PCK 수업 설계를 다룬 〈PCK 수업 설계 I〉을, 2015년에는 경기도교육청 소속의 초등 수석 교사와 더불어 영어, 도덕, 음악, 미술, 실과, 통합 교과의 PCK 수업 설계를 다룬 〈PCK 수업 설계 II〉를 출간하였다. 이어서 2016년에는 부산광역시교육청 소속의 중등 수석 교사와 더불어 〈중등 PCK 수업 설계 I〉을 출간하였다.

이러한 노력의 결과 많은 현장 교사들이 PCK 수업 설계의 필요성을 공감하게 되었다. 그러나 그것이 곧 교사의 교과별 수업 전문성 신장과 학생 배움으로 이어지지는 않았다. 교과별 PCK 수업 사례 중 일부만을 제시하였기 때문이다. 이에 우리는 새로운 시리즈를 기획하였다. '국어, 수학, 사회, 과학 교과의 핵심 성취기준별 오개념 및 난개념 교수 자료'를 개발하기로 한 것이다. 2016년에 첫 번째 기획물로 〈CoRe 질문을 활용한 배움중심의 사회 수업〉을 발간하였고, 2017년에는 두 번째 기획물로 〈CoRe 질문을 활용한 배움중심의 과학 수업〉을 발간하였다. 그리고 2019년에는 세 번째 기획물로 〈CoRe 질문을 활용한 배움중심의 수학 수업〉을 발간하고자 하였다. 그러나 최종 마무리 단계에서 독자에게 책의 내용을 보다 더 잘 드러낼 수 있도록 〈선생님도 헷갈리는 수학, 이렇게 공부해요〉라고 제목을 변경하기로 하였다.

이 책은 총 2부로 구성된다. 제1부의 제목은 CoRe 질문을 활용한 배움중심 PCK 수업 이해이다. 1부에서는 PCK 개념과 유래 및 요소, CoRe 질문을 활용한 수업 설계, 배움중심 수업 모형과 요소 등을 다룬다. 제2부의 제목은 학생 진단을 통한 개념이해 학습 과정이다. 2부에서는 수학과 핵심 성취기준별 오개념 및 난개념을 반영한 학년군별 수업 설계와 사례를 살펴본다.

이 책이 나오기까지 많은 분의 도움이 있었다. 그 중에서도 이 책의 편집을 맡아 열과 성을 다한 아카데미프레스의 편집 위원과 어려운 출판 상황에서도 이 책이 세상에 나올 수 있도록 도움을 주신 아카데미프레스 대표님께도 감사의 마음을 전한다.

차례

제2부
CoRe 질문을 활용한 배움중심의 PCK 수업 이해

제2부
학생 진단을 통한 개념이해학습 설계과정

🏹 학년별 성취기준 목록

2부 ı 학생 진단을 통한 개념이해학습 설계과정

● 1학년

(2수01-01) 0과 100까지의 수 개념을 이해하고, 수를 세고 읽고 쓸 수 있다.

(2수03-01) 구체물의 길이, 들이, 무게, 넓이를 비교하여 각각 '길다, 짧다', '많다, 적다', '무겁다, 가볍다', '넓다, 좁다' 등을 구별하여 말할 수 있다.

(2수03-02) 시계를 보고 시각을 '몇 시 몇 분'까지 읽을 수 있다.

(2수01-06) 두 자리 수의 범위에서 덧셈과 뺄셈의 계산 원리를 이해하고 그 계산을 할 수 있다.

● 2학년

(2수01-06) 두 자리 수의 범위 내에서 덧셈과 뺄셈의 계산 원리를 이해하고 그 계산을 할 수 있다.

(2수05-01) 교실 및 생활 주변에 있는 사물들을 정해진 기준 또는 자신이 정한 기준으로 분류하여 개수를 세어 보고, 기준에 따른 결과를 말할 수 있다.

(2수03-07) 여러 가지 길이를 어림하여 보고, 길이에 대한 양감을 기른다.

(2수04-01) 물체, 무늬, 수 등의 배열에서 규칙을 찾아 여러 가지 방법으로 나타낼 수 있다.

● 3학년

(4수01-03) 세 자리 수의 덧셈과 뺄셈의 계산 원리를 이해하고 그 계산을 할 수 있다.

(4수01-12) 분모가 같은 분수끼리, 단위분수끼리 크기를 비교할 수 있다.

(4수01-05) 곱하는 수가 한 자리 수 또는 두 자리 수인 곱셈의 계산 원리를 이해하고 그 계산을 할 수 있다.

(4수01-10) 양의 등분할을 통하여 분수를 이해하고 읽고 쓸 수 있다.

○ 4학년

[4수03-12] 각의 크기의 단위인 1도(°)를 알고, 각도기를 이용하여 각의 크기를 측정하고 어림할 수 있다.

[4수02-05] 구체물이나 평면도형의 밀기, 뒤집기, 돌리기 활동을 통하여 그 변화를 이해한다.

[4수01-16] 분모가 같은 분수의 덧셈과 뺄셈의 계산 원리를 이해하고 그 계산을 할 수 있다.

[4수01-17] 소수 두 자리 수의 범위에서 소수의 덧셈과 뺄셈의 계산 원리를 이해하고 그 계산을 할 수 있다.

○ 5학년

[6수02-03] 선대칭도형과 점대칭도형을 이해하고 그릴 수 있다.

[6수01-13] 소수의 곱셈의 계산 원리를 이해한다.

[6수02-05] 직육면체와 정육면체의 겨냥도와 전개도를 그릴 수 있다.

[6수05-01] 평균의 의미를 알고, 주어진 자료의 평균을 구할 수 있으며, 이를 활용할 수 있다.

○ 6학년

[6수02-07] 각기둥의 전개도를 그릴 수 있다.

[6수04-02] 두 양의 크기를 비교하는 상황을 통해 비의 개념을 이해하고, 그 관계를 비로 나타낼 수 있다.

[6수01-11] 분수의 나눗셈의 계산 원리를 이해하고 그 계산을 할 수 있다.

[6수02-10] 쌓기나무로 만든 입체도형을 보고 사용된 쌓기나무의 개수를 구할 수 있다.

제1부

CoRe 질문을 활용한
배움중심의 PCK 수업 이해

CoRe 질문을 활용한
PCK 수업 설계

제1절 | PCK의 유래와 개념

PCK는 교원의 수업 능력을 향상시키고, 교직을 전문직의 반열에 올려놓기 위한 노력의 산물이었다. 1980년대 미국의 학부모들과 교육계의 일부 인사들은 공립학교 교육 수준의 질적 저하 문제에 대해 심각한 우려를 표명했다. 당시에 교원의 학력 수준은 낮았고, 교원 양성 프로그램에서는 교과 내용을 중시했던 과거의 교육 방식과는 달리 교수법을 중시했다(Shulman, 2004: 199). 교직의 전문성에 대한 회의적 시각은 교육 개혁으로이어질 수밖에 없었다. 교육 개혁을 지지하던 홈즈 그룹(Holmes Group, 1986)[1]이나 카네기 태스크 포스(Carnegie Task Force, 1986)는 우수 교사만이 지닌 실천적 지식을 토대로 새로운 교사 평가 체제를 구축했고, 이것을 기반으로 교직의 전문직화를 추구했다. 흔히 말하는 전문 직종의 의사나 변호사처럼 교사의 사회적 지위를 높이고, 학생과 학부모로부터 존경받는 풍토를 조성하는 것이 목표였다.

스탠포드 대학의 Shulman(1986)은 교직의 전문직화를 목적으로 카네기 프로젝트를 수행했다. 교사의 지식 기반을 교원 전문성 평가의 지표로 삼아 교사의 교과 내용에 대한 이해와 그것이 수업 현상에 미치는 효과에 초점을 둔 연구를 진행했다. 그런 다음 교사의 지식 기반 요소로 교과 내용 지식, 교육과정 지식, PCK(pedagogical content knowledge)[2]

---

1. 1986년에 주요 교육대학 학장들이 교사교육의 질을 높이기 위해 만든 모임이다. 홈즈 그룹의 주도하에 교사 교육 프로그램에 따른 입학기준을 높이고, 교원양성 기간도 연장했다. 미국 일부 주에서는 이들의 영향을 받아 학부 양성제가 아닌 대학원 양성제(5~6년)를 도입하기도 했다.

2. PCK는 'Pedagogical Content Knowledge'의 약자로 이에 대한 우리말 번역은 교수 내용 지식(김민희 2003; 민윤 2003), 교수학적 내용 지식(김용대, 2001; 박경민, 2001), 교수법적 내용 지식(방정숙, 2002), 내용 교수법(이화진 외, 2005) 등으로 다양하다. 2007년 한국교육과정평가원에서 PCK를 내용교수지식으로 명명한 이후 대다수의 연구자들이 이에 호응하고 있다. 그러나 내용교수지식이라는 용어는 PCK가 지닌 원어의 맥락적 의미를 온전하게 표상하지 못한다. Shulman(1986, 1987)은 PCK를 '특정 내용을 특정 학생들이 효과적으로 이해할

를 들었다(양윤정, 2007: 28-30). 교과 내용 지식(subject matter content knowledge)은 교과의 기본 개념이나 원리를 조직하는 여러 가지 방법에 관한 지식(실체론적 지식)과 참이나 거짓, 타당성이나 비타당성을 결정하는 방법에 대한 지식(구문론적 지식)이다. 교육과정 지식(curricular knowledge)은 특정 수준의 특정 교과와 주제를 가르치기 위해 개발한 다양한 유형의 프로그램, 교수·학습 자료 등이다. PCK는 교과 내용을 가르치는 방법에 대한 지식으로 교과 내용 지식과 교수법 지식의 특별한 결합체이다.

Shulman(1986, 1987)이 PCK를 소개하기 이전에도 교사 지식 기반에 대한 연구는 있었다. 1960년대 이전에는 주로 교과 내용 지식과 교수법 지식을 상호 독립적 영역으로 인식했고, 그 이후부터는 교과 내용 지식과 교수법 지식을 교사 지식의 영역에 포함시켰다. 이때에는 교과 내용 지식과 교수법 지식의 관계, 교사 지식과 교육 경험의 관계, 교사 지식이 학업 성취에 미치는 영향 등을 주로 연구했다(Abell, 2007). 그러다가 Shulman(1986, 1987) 이후부터 PCK가 새로운 교수 지식 요소로 설정된 것이다.

PCK 개념이 소개된 이후에 교수 방법이나 학습자 측면에만 초점을 맞추었던 교사 전문성 관련 연구들이 교육 내용이나 교사 측면에 초점을 맞추기 시작했다. 교사의 교육 내용은 무엇이고, 교육 내용을 학생들에게 어떤 방식으로 표현할 것이며, 교육 내용과 관련하여 학생들에게 어떤 질문을 해야 하고, 학생들이 지닌 오개념이나 난개념에 대해 어떻게 대처할 것인가의 문제가 교사 교육 연구의 핵심 과제로 떠올랐다.

◎ PCK의 구성 요소

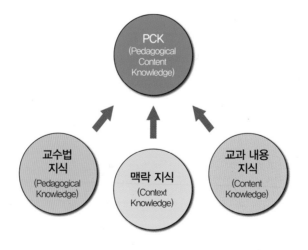

수 있도록 가르치는 방법에 대한 교사의 지식'으로 정의했다. 이후 진행된 후속 연구에서도 PCK의 구성 요소로 교과 내용 지식(Subject Knowledge), 교수법 지식(Pedagogical Knowledge), 맥락 지식(Context Knowledge)을 들고 있다. 이러한 관점에 따르면 탈맥락적 특성을 지니는 '내용교수지식'이라는 용어로는 맥락적 특성을 지닌 PCK를 온전히 표상할 수가 없으므로 원어인 PCK를 그대로 사용하고자 한다.

제2절 | PCK 위계

　미국의 교육학자 William R. Veal과 James G. MaKinster(1999)는 대부분의 PCK 연구가 교사의 전문성 신장에 초점을 맞춘 것에 치중하여 교사의 PCK가 어떠한 역할을 하는지에 대해 정밀하게 설명하지 못하는 것에 주목했다. 그들은 Bloom 외의 '교육목표 분류학'의 방법을 차용해 다양한 학문, 교과 그리고 교과 내의 영역마다 가지고 있는 주제들 사이에서 PCK를 특수성의 수준에 따라 분류하는 연구를 했다. William R. Veal과 James G. MaKinster(1999)는 이전 연구에서 소개된 PCK 속성들을 모두 목록화한 다음 그 목록으로부터 가장 중요한 속성이 무엇인지 도출해 냈다. 그리고 선행 연구에서 다루어진 PCK의 유형들을 구분하고, 여기에 범주를 추가하여 다음 그림과 같은 PCK 분류 체계를 만들었다.

◎ PCK의 위계와 분류(William R. Veal & James G. MaKinster, 1999 수정)

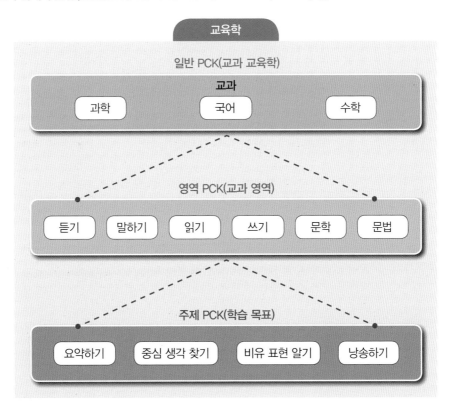

그림을 보면 PCK는 교육학의 하위 영역에 속하고, 다시 교과 PCK, 영역 PCK, 주제 PCK로 세분할 수 있다. 교과 PCK에서는 교과 수업 일반적인 또는 수업의 보편성에 해당하는 PCK를 다루고, 영역 PCK에서는 교과 영역과 관련된 PCK를 다루며, 주제 PCK에서는 단원이나 차시 관련 PCK를 다룬다.

이 분류를 바탕으로 교실 수업 장면을 분석하면, 대부분의 교사들이 주제 PCK보다는 일반 PCK나 영역 PCK에 의존하고 있음을 알 수 있다. 학생들에게 해당 차시 내용을 잘 가르치려면 해당 수업 내용과 직결되는 주제 PCK를 많이 활용해야 한다.

하지만 학교 현장에서 차시 수업의 중심에 있는 교수 · 학습 모형과 같은 큰 교수법은 이러한 주제 특정적인 PCK를 반영하기에는 한계가 있다. 국어과 교수 · 학습 모형은 위의 분류에 따르면 교과목 일반 PCK로 이것이 쓰기 수업의 주제 또는 교육 내용과 직접적으로 관련을 맺기는 어렵다. 과정 중심의 쓰기 지도 역시 쓰기의 과정을 분절적으로 나누고 각 단계에서 필요한 전략만을 지도하는 데 치중하여 구체적인 쓰기 주제를 효과적으로 다루지 못한다. 예를 들면, '문단 쓰기'가 수업의 주제라면 주로 문단에 담아야 할 내용을 생성하고 그것을 조직하고 초고를 만들어 내는 데 필요한 전략들을 과정별로 지도할 뿐, 문단의 개념이나 문단 쓰기의 원리 등은 직접적으로 다루지 않는다.

이러한 문제점을 비판하면서 박태호(2011)는 『국어 수업에 나타난 PCK 교수 변환 사례』에서 잘 가르치는 국어 수업을 위해서는 큰 교수법을 보완하는 작은 교수법 즉 교수 변환이 매우 중요함을 강조했다. 간단하게 말하면 차시 수업 내용과 관련된 학생들의 이해(선개념, 오개념, 난개념, 학습 흥미와 태도)를 진단하여 설명, 시범, 기억, 서사와 같은 작은 교수법을 통해 교수적 처방을 내리는 것이 PCK 중심의 국어과 수업의 핵심이라는 것이다. 여기서 말하는 작은 교수법은 그림에서 주제 PCK에 해당한다. 그러므로 쓰기 수업의 전문성은 교육학 지식이나 교과 일반 수준의 PCK를 통해 발휘되는 것이 아니라 적어도 영역 PCK, 나아가 주제 PCK를 많이 활용할 때에 구체화된다고 정리할 수 있겠다.

제3절 | PCK 요소

Grossman(1990)은 교사의 지식 기반 요소로 일반 교육학 지식, 교과 내용 지식, PCK, 상황 지식의 네 가지를 들고, 그 중에서 PCK가 교사의 교실 수업에 가장 큰 영향력을 미친다고 했다(Gess-Newsome, 1999). 그 다음 PCK의 구성 요소로 '교과 내용의 교수 목적에 대한 지식과 신념', '학생 이해에 대한 지식'(특정 교과의 특정 주제에 대한 학생의 이해와 그들이 지니고 있는 개념 및 오개념에 대한 지식), '교육과정 지식', '특정 주제에 대한 교수 전략 및 표상에 대한 지식'의 네 가지를 들었다(Lee, 2007 재인용).

Marks(1990)는 교사 지식과 PCK의 관계 규명에 초점을 맞추었던 Shulman(1987)과 Grossman(1990) 등과는 달리 PCK의 구성 요소 규명에 초점을 맞추었다. 이 연구자는 Shulman(1987)이 제시한 PCK 요소의 모호성을 비판하면서 교과 내용 지식과 수업 매체를 추가했다. 이 연구자에 따르면 PCK는 두 가지 지식으로 구성된다. 하나는 특정 교과의 내용 지식을 수업 상황에 맞게 변환시키는 지식이고, 다른 하나는 특정 상황의 특정 교과 내용 교수에 알맞게 교수법을 변환시키는 지식이다. Marks(1990)는 PCK가 교수법을 거의 모르는 교과 내용 전문가나 교과 내용을 거의 모르는 교수법 전문가에게서는 나타날 수 없는 실천적 차원의 지식이라면서 일명 '내용 의존적 교수 지식(content-specific pedagogical knowledge)'이라고 명명했다.

Cochran 외(1993)는 구성주의 이론에 기초하여 PCK의 개념을 수정했다(이연숙, 2006: 13~14; 이경은, 2007: 11). 지식을 고정적이고 폐쇄적 존재가 아닌 행위나 실천 속에서 역동적으로 구성되는 개방적인 존재로 파악하여 PCK와 구별되는 PCKg(pedagogical content knowledge knowing)라는 용어를 사용했다. PCKg는 교수법 지식, 교과 지식, 학습자 지식, 학습 환경 맥락에 대한 지식의 네 가지가 통합적으로 작용한다. Shulman(1987)의 PCK가 교수를 위한 교과 내용의 변환에만 초점을 두었다면, Cochran 외(1993)의 PCKg에서는 활성화된 과정으로서의 앎과 이해를 강조한다. 위의 연구자들은 PCKg가 특정 학습 맥락 내에서만 만들어지므로 맥락중심 교사 교육을 해야 한다고 주장했다.

Magnusson 외(1999)는 교과 교육과 관련 PCK 요소를 제안했다는 점에서 선행 연구와는 구별된다. 과학 수업 관련 PCK 구성 요소로 과학 수업에 대한 지향, 과학 교육과정에 대한 지식, 과학 평가에 대한 지식, 교수 전략에 대한 지식, 학생의 교과 내용 이해도에 대한 지식의 다섯 가지를 제시했다. 이것을 '펜타곤 모형'이라고 하는데, 대다수의 후속 연구자들은 이 모형을 지지한다.

지금까지의 논의를 정리하면 다음과 같다.

◎ 선행 연구에 제시된 PCK 구성 요소

연구자 \ PCK 요소	교육 목적	학생 이해	교육과정	표상 (교수 전략 포함)	평가
Shulman(1987)	D	O	D	O	
Grossman(1990)	O	O	O	O	
Marks(1990)		O		O	
Cochran et al(1993)		O		N	
Magnusson et al(1999)	O	O	O	O	O

D: 교수 지식 기반 요소이나 PCK 외부 요소
N: 명시적으로 밝히지는 않았지만 강조하기 위해 사용
O: PCK의 구성 요소로 제시

박성혜(2003), 문공주(2009: 20)는 PCK 구성 요소를 보다 구체적으로 설명했다. 교육 목적은 교사의 신념과 가치관에 따른 교육의 방향을 의미한다. 여기에는 과정중심 수업, 강의중심 수업, 개념중심 수업, 활동중심 수업, 발견학습, 과제기반 학습, 탐구학습, 안내된 탐구학습이 해당된다. 학생 이해는 학생의 개념 이해에 대한 지식이다. 학생이 특정 교과의 특정 내용에 대해 지닌 선개념, 오개념, 학습 곤란도, 학습 동기, 지적ㆍ신체적 발달 수준, 학습 전략, 학습자의 흥미와 관심 및 필요성 등에 대한 이해가 여기에 해당된다. 교수법 및 표상 전략은 특정 교과 내용을 효과적으로 가르치는 교수법과 학생 눈높이를 고려하여 내용을 변환시키는 것을 의미한다. 여기에는 다양한 교수법과 예시, 삽화, 시범, 실물, 일화와 전기, 그림, 발문, 설명 등이 해당된다. 교육과정은 학년별, 영역별 성취기준의 범주와 수준이 여기에 해당된다. 여기에는 교육과정 구성 원리, 교육과정 내의 내용 연계 원리, 범교과 내용 통합 원리, 교육과정 자료 활용 원리, 학년별 내용 전개 원리 등이 해당된다. 평가는 평가의 대상, 방법, 도구, 원리, 실행을 의미한다. 여기에는 교과 내용에 대한 평가 도구의 적합성, 학생 이해도 평가의 적절성, 평가 도구의 다양성(진단평가, 형성평가, 총괄평가) 등이 해당된다.

제4절 | PCK 펜타곤 모형

PCK 펜타곤 모형은 우수 교사가 구비해야 할 PCK 구성 요소 파악에는 도움이 되나 보다 구체적인 하위 요소 파악에는 여전히 미흡한 실정이다. 이 부분에 대해서는 과학 과 PCK 측정 도구를 개발한 박성혜(2003)와 Park과 Oliver(2008)의 연구가 도움이 된다. 비록 과학과 PCK를 평가하는 도구이나 일부 내용을 수정·보완하면 교과 PCK 평가 요 소로도 활용할 수 있다.

◎ PCK 펜타곤 모형

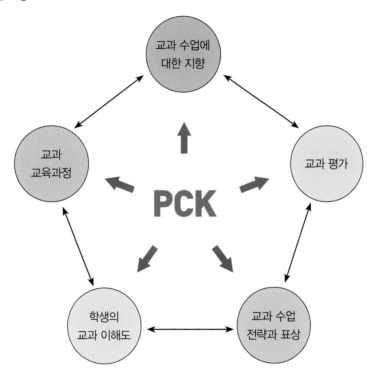

1. 교과 수업에 대한 지향

교과 수업에 대한 지향은 교과 수업을 바라보는 관점 혹은 인식에 해당된다. 교과 수 업에 대한 교사의 지식과 신념이 해당 차시의 학습 목표 및 내용 선정과 학생 이해 수준 파악, 학생의 배움을 위한 교수 유형 및 자료 선정, 학습 결과 평가에 대한 교사의 의사 결정을 안내하는 '개념 지도'의 역할을 한다.

교과 수업 지향과 관련된 PCK 요소는 다음과 같다. ① 교과 목표 도달을 위해 과정중심 수업을 한다, ② 교과의 목표 도달을 위해 학문중심 수업을 한다, ③ 교과의 목표 도달을 위해 강의중심 수업을 한다, ④ 교과의 목표 도달을 위해 개념중심 수업을 한다, ⑤ 교과의 목표 도달을 위해 활동중심 수업을 한다, ⑥ 교과의 목표 도달을 위해 발견학습을 한다, ⑦ 교과의 목표 도달을 위해 과제 기반 학습을 한다, ⑧ 교과의 목표 도달을 위해 탐구학습을 한다, ⑨ 교과의 목표 도달을 위해 안내된 탐구학습을 한다.

2. 교과 교육과정에 대한 지식

교과 교육과정에 대한 지식은 교과에 대한 지식을 포함한다. 교과의 배경 학문은 무엇이고, 그것을 구성하는 철학이나 이론, 원리와 모형 및 전략의 실체는 무엇인지에 대해 지식을 바탕으로 교과 교육과정의 목표, 학년별 학습 내용의 수준과 범위, 교육과정을 반영한 교과서 구성 원리와 단원 전개 방식 등에 대한 지식을 추가하는 것이다.

교육과정 관련 PCK 요소는 다음과 같다. ① 교과 내용을 충분히 안다, ② 교과의 이론이나 법칙, 원리가 어떻게 개발되었는지를 안다, ③ 교과 내용에 대한 학생들의 예상 질문과 그에 대한 답변 내용을 안다, ④ 교과 내용을 구성하는 개념이나 원리, 이론을 안다, ⑤ 교과 교육과정 구성 원리를 안다, ⑥ 교과 교육과정 내의 내용이 어떻게 연계되는지를 안다, ⑦ 교과 교육과정 내의 주제들을 다른 개념에 적용할 수 있는지를 안다, ⑧ 교과서와 관련된 교육과정 자료를 다루는 방법을 잘 안다, ⑨ 교과 교육과정과 다른 교과와의 연계성을 잘 안다, ⑩ 교과 교육과정의 학년별 위계를 잘 안다, ⑪ 교과 교육과정의 실행 과정을 잘 안다.

3. 교과 평가에 대한 지식[3]

교사는 학생의 교과 학습 능력을 체계적이고 명확하게 평가한 결과를 바탕으로 자신의 수업 능력과 학생의 학습 능력을 개선할 수 있다. 이를 위해서 교사는 바람직한 평가관, 다양한 평가 방법과 도구를 구비해야 한다. 교과 학습 내용의 수준과 범위를 바탕으

---

3. 수업 목표 또는 교육과정에 명시된 수업 목표에 따라 그리고 교사가 해당 수업에서 지향하는 바에 따라 평가의 관점과 방법은 달라져야 한다.

로 평가 목표와 평가 도구를 결정해야 한다. 여기에는 선택형 평가, 서술형 평가, 논술형 평가, 포트폴리오 평가, 관찰 평가 등이 있다.

평가 관련 PCK 요소는 다음과 같다. ① 평가 도구가 특정 단원의 평가에 적합하다, ② 평가 방법은 특정 단원에 대한 학생 이해도 평가에 적합하다, ③ 평가 문항은 특정 단원에 대한 학생 이해도 평가에 적합하다, ④ 다양한 평가 방법을 활용하여 특정 단원에 대한 학생 이해도를 평가한다, ⑤ 진단평가, 형성평가, 총괄평가를 활용하여 특정 단원에 대한 학생 이해도를 평가한다, ⑥ 학생들은 특정 단원에 대한 특정 평가 방법을 이해한다.

4. 학생의 교과 내용 이해도에 대한 지식

학생들의 교과 이해도에 대한 지식은 특정 학생이 특정 단원의 지식을 습득할 때에 도움을 주기 위한 교사 지식이다. 여기에는 특정 단원의 지식에 대한 특정 학생의 흥미 파악, 선수학습 요소 파악, 오개념과 난개념 파악 등이 해당된다.

학생들의 교과 이해에 대한 지식 관련 PCK 요소는 다음과 같다. ① 학생들이 특정 단원에 대해 지니고 있는 배경과 경험의 차이를 이해한다, ② 학생들이 특정 단원에 대해 지니고 있는 선개념을 이해한다, ③ 학생들이 특정 단원을 학습하면서 무엇을 어려워하는지 안다, ④ 학생들이 특정 단원을 학습하면서 무엇을 잘 하는지 안다, ⑤ 학생들이 특정 단원을 학습하면서 무엇을 잘못 알고 있는지 안다, ⑥ 학생들이 특정 단원에 대해 지닌 태도와 습관을 안다, ⑦ 학생들이 특정 단원에 대해 지닌 적성과 흥미를 안다, ⑧ 학생들이 특정 단원에 대해 지닌 인지 발달 차이를 안다.

5. 교과 수업 전략과 표상에 대한 지식

교과 수업 전략은 특정 단원의 특정 내용 교수에 적합한 교수법을 의미한다. 여기에는 교사용 지도서에 제시된 문제해결 모형, 반응중심 수업 모형, 지식탐구 모형, 직접교수 모형 등이 해당된다. 국어 수업 표상으로는 특정 내용을 특정 학생의 발달 수준에 맞게 변환하여 가르치는 설명, 시범, 유추, 증명, 비유 등이 있다.

교과 수업 전략 및 표상에 관한 PCK 구성 요소는 다음과 같다. ① 학생들이 특정 단원의 특정 내용 학습에 흥미를 보이도록 다양한 교수법을 활용한다, ② 학생들에게 특정 단원의 특정 내용을 가르치기 위해 재미있는 교수법을 활용한다, ③ 학생들의 특정 단원의 특정 내용에 적합한 교수법을 활용한다, ④ 특정 단원의 내용에 대한 이해를 돕기 위해 예(관련된, 유사한, 낯선)를 든다, ⑤ 특정 단원의 내용에 대한 이해를 돕기 위해 삽화를 활용한다, ⑥ 특정 단원의 내용에 대한 이해를 돕기 위해 시범을 보인다, ⑦ 특정 단원의 내용에 대한 이해를 돕기 위해 실물을 활용한다, ⑧ 특정 단원의 내용에 대한 이해를 돕기 위해 일화나 전기를 활용한다, ⑨ 특정 단원의 내용에 대한 이해를 돕기 위해 발문(회상, 기억, 주의집중, 문제 상황 제시, 활동 유발, 추론, 비교와 대조)을 활용한다, ⑩ 특정 단원에 대한 이해를 돕기 위해 적합한 설명(은유, 유추, 비유)을 한다.

제5절 │ 교과 내용에 따른 교수 변환(눈높이 교수법)

모든 학습자는 학습 활동 상황마다 독자적으로 과제를 해결하는 '실제 발달 수준'과 교사나 유능한 동료의 도움을 받으면서 과제를 해결하는 '잠정적 발달 수준'을 갖는다. 그리고 이 두 수준 사이에는 약간의 틈이 발생하는데 그 사이의 거리를 '근접 발달 영역'이라고 한다(Vygotsky, 1978). 근접 발달 영역은 학습과 인지 발달이 일어나는 역동적인 영역이다. 근접 발달은 학습이 발생하는 곳이면 어디에나 존재하며, 학습자에 따라 다르게 나타나고 심지어는 동일한 학습자라도 과제 수준과 과제 구조에 따라 여러 수준에 걸쳐 다양하게 나타날 수 있다(Tharp & Gallimore, 1988). 근접 발달 영역 내에서의 효과적인 교수·학습 활동을 촉진할 수 있는 방안 중의 하나가 비계설정(scaffolding)[4]이다. 비계는 건축 분야에서 사용되는 용어로 우리말 번역은 '비계' 혹은 '발판'이 된다.

Shulman(1987)은 근접 발달 영역 내의 비계설정과 유사한 개념으로 '변환'이라는 용어를 사용했다. 실제 발달 수준에 해당되는 학생은 나름대로 배경지식('아는 지식')을 갖고 있고, 이러한 배경지식은 교사가 제공하는 교수학적 변환의 과정을 거쳐야 잠정적 발달 수준에 해당되는 '알게 된 지식'을 가질 수 있다. 변환은 ① 준비, ② 표상, ③ 선택, ④ 조정의 네 요소로 구성된다(Shulman, 1987). ① 준비는 학생 발달 단계를 고려한 교과

---

4. 한순미(1999: 140~146)는 비계설정의 구성 요소와 목표에 대해 다음과 같이 이야기하고 있다. 비계설정의 구성 요소에는 공동의 문제 해결, 상호 주관성, 따뜻함과 반응, 언어의 매개가 포함되며, 비계설정의 목표에는 아동을 근접 발달 영역 내에 머무르게 하기, 자기 조절 능력을 증진시키기가 포함된다.

내용의 구조화와 배열을, ② 표상은 유추, 은유, 예증, 예시, 설명, 시뮬레이션을 활용한 학생 이해의 인도를, ③ 선택은 표상된 내용에 알맞은 교수법 선정을, ④ 조정은 표상된 내용을 학생의 선개념, 오개념, 난개념을 고려하여 조정하는 것이다.

◎ 근접 발달 영역(ZPD)과 교수 변환

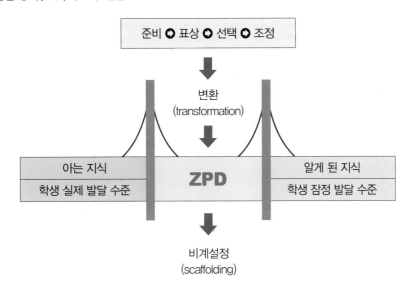

Shulman(1987) 이후 많은 연구자들이 교수 변환의 핵심 도구인 표상(representation)을 집중적으로 연구했다(한희정, 2010: 18~21).[5] Wilson(1988)은 교수법 지식의 핵심을 표상으로 파악하고, 수업에서 표상의 중요성을 강조했다. 그에 따르면 교사는 특정 학생과 특정 내용에 대해 소통할 때에 표상을 도구로 활용하는데, 여기에는 삽화, 설명, 발문, 과제 등이 포함된다. 한편, 교과 내용에 대한 표상 방식을 PCK의 핵심으로 보았던 Ball(1988)도 표상의 언어적 도구 유형으로 교과서, 교수 자료, 시범, 그래픽, 은유, 활동, 설명 등을 들었다. PCK를 어떻게 가르칠 것인가에 대한 지식으로 규정한 Chen과 Ennis(1995) 역시 표상의 언어적 도구 유형으로 유추, 예증, 예시, 설명, 시연, 학습 단서, 연습 등을 제시했고, Delaney(1997)는 자기이야기(self-stories)를 들었다. 자기이야기는 언어적 표상임과 동시에 시간과 공간을 넘나드는 특성이 있기 때문에 텍스트 중심 PCK가 지닌 단점을 보완해 줄 수 있다(박태호, 2011: 110~111).

---

5. 한희정(2010: 21)은 본문에서 논의하지 않은 일부 연구자들의 언어적 표상 도구 유형을 표에 제시했지만, 이 연구에서는 제외했다.

지금까지 Shulman(1987), Wilson(1988), Ball(1988), Chen과 Ennis(1995), Delaney(1997) 등이 제시한 PCK 표상 도구에 대해서 알아보았다. 이것을 정리하면 다음과 같다.

◎ 선행 연구자의 PCK 표상 도구 유형

연구자	PCK 표상 도구																			
	은유	유추	예증	비유	예시	시연	교실활동	숙제	이야기	삽화	설명	발문	과제	교과서	교수자료	모델링	단서	연습	시뮬레이션	그래픽
Shulman(1987)[6]	V	V	V		V						V								V	
Wilson(1988)					V			V		V	V	V	V							
Ball(1988)	V				V						V			V	V	V				V
Chen과 Ennis(1995)		V	V		V	V					V						V	V		
Delaney(1997)									V											

한편 Park과 Oliver(2008)는 과학 수업을 대상으로 한 PCK 수업 사례 연구에서 표상의 언어적 도구 유형으로 설명(은유, 유추, 비유), 예시(관련된 예시, 유사한 예시, 관련성이 떨어지는 예시), 서사(이야기/일화, 전기), 삽화, 기억, 발문(사실/회상, 주의 집중, 문제 상황, 행동 유발, 추론, 비교), 논증(논리, 연역, 귀납)을 들었다. Park과 Oliver(2008)가 제안한 표상의 언어적 도구 유형은 유관항목을 중심으로 범주화하고, 실제 교실 수업에서 발생할 수 있는 수업 대화 유형을 구체적으로 반영한 점에서 한희정(2010)보다 더 체계적이다.

이 연구에서는 Park과 Oliver(2008), 한희정(2010)의 의견을 주축으로 삼되, 일부 항목을 수정·보완하고자 한다. 우선, Park과 Oliver(2008)가 제시한 설명의 하위 요소에 예증, 예시, 실물, 정의를 포함시킨다. 한희정(2010)이 제시한 숙제와 과제는 굳이 구분할 이유가 없으므로 과제로 통일하고, 교과서와 교수 자료는 그림 자료, 설명 자료, 연습 자료 등과 중복되므로 제외한다. 이 경우에 표상의 언어적 도구 유형으로 설명(은유, 유추, 비유, 예시, 실물, 그림, 정의), 시범, 기억, 서사, 삽화, 발문, 논증, 단서, 연습, 과제, 매체, 그래픽을 설정할 수 있다.

---

6. 한희정(2010: 21)은 Shulman(1987)이 제안한 표상의 언어적 도구로 은유, 유추, 예증, 예시, 교실활동, 숙제를 들고 있으나 필자가 조사한 문헌에서는 은유, 유추, 예증, 예시, 설명으로 제시되어 있어 수정했다.

Park과 Oliver(2008), 한희정(2010)은 선행 연구자들이 제시한 언어적 표상의 도구 유형을 체계적으로 제시했으나 개선해야 할 부분도 있다. 두 연구자 모두 '표상'을 변환의 일환으로 파악하지 않고, 표상의 언어적 도구 유형 파악 자체만을 중시했다. 때문에 표상된 내용에 적합한 교수법을 선정한 다음에 학생이 지닌 오개념과 선개념, 학습 곤란도 등을 고려하여 표상된 내용을 학생 발달 수준에 맞게 조정하는 활동이 생략되었다. 표상은 의사의 처방전과 같다. 환자를 진단하지 않고 처방을 하면 의료 사고로 이어질 개연성이 높은 것처럼, 학생을 진단하지 않고 처방을 하면 학습 결손으로 이어질 가능성이 높다. 이에 학생의 배경지식, 오개념, 곤란 유형, 학습 흥미와 태도 등을 진단하는 항목을 추가하고자 한다. 이것을 정리하여 표로 제시하면 아래와 같다.

◎ **PCK 표상 도구 유형**

개념	처방 전략(✓)									
	설명	시범	단서	연습	실습	발문	과제	서사	매체	기타
오개념										
난개념										

제6절 | CoRe를 활용한 PCK 수업 설계

1. 일반 수업 설계의 문제

수업 설계의 형식과 관련된 딜레마 중 가장 대표적인 것이 관습에 기초한 형식적 수업 설계이다. 학교에서는 수업 설계라는 용어 대신에 '세안'이나 '약안' 또는 '교수 학습 과정(안)'이라는 용어를 사용한다. 세안은 '단원 수업 설계'에 해당되고, 약안은 '차시 수업 설계'에 해당한다. 초등 교육 현장에서 관습적으로 사용되는 수업 설계(안)은 '1. 단원명 → 2. 단원 개관 → 3. 단원 목표 → 4. 단원 학습 계통 → 5. 단원 과제 분석 → 6. 실태 분석→ 7. 지도 방안 → 8. 지도 유의점 → 9. 평가 계획 → 10. 참고 자료'이다. 교사들은 이러한 관습적 수업 설계를 하면서 딜레마에 빠진다.

"수업 공개를 준비하면서 가장 힘들었던 것 중 하나가 세안 작성이다. 관리자들이 세안에 집착하는 이유를 생각하고, 그럴 때마다 관리자 입맛에 맞는 수업 설계를 할 것인지 아니면 내가 원하는 방식으로 수업 설계를 할 것인지를 고민한다. 그분들이 원하는 세안은 우수 연구대회 우수작 유형이다. 그러나 화려한 이론과 자료로 치장하고, 마치 수업자의 수업 기술을 뽐내는 듯한 느낌을 주기에 거부감이 들고, 그럴 때마다 선택의 기로에서 갈등한다.

　6년 전 쯤에 장학지도 시에 공개수업을 했다. 교장 선생님의 체면과 관계있으니 공개 수업을 잘해야 한다는 부장 선생님의 말씀을 따라 정말 열심히 준비했다. 교감 선생님과 교무 선생님을 비롯한 여덟 분이 수업 연구대회 우수 교사의 수업 세안을 주시면서 수업 설계 시에 적극 반영하기를 원하셨다. 그분들의 말씀대로 추천 자료를 참고하여 세안을 작성한 다음에 학년 선생님과 협의를 했다. 학년 부장 선생님은 앞부분에 장학사가 잘 모르는 첨단 이론을 넣어서 수업을 설계하라고 했다. 그래야 열심히 한 것처럼 보인다는 것이다. 내가 하고 싶은 수업과 화려한 이론이 도대체 어떤 관계인지 궁금했다."(H 교사의 일화)

　H 교사는 자신이 원하지 않는 관습적인 세안 작성법을 그대로 따라야 하는 현실에서 고민한다. 이러한 고민은 비단 H 교사 개인의 고민만은 아니다. 대부분의 교사들이 ① 설정, ② 분석, ③ 설계, ④ 개발, ⑤ 실행으로 진행되는 관습적 수업 설계의 일반 절차에 따라(김인식 외, 2000), 단원을 개관하고, 단원 학습 계통도를 작성하며, 단원 과제를 분석하고, 실태 분석에 기초한 지도 계획을 수립한다. 그리고 이러한 관습은 예비 교사에게도 암묵적으로 전수된다. 그러나 예비 교사는 교재관, 학생관, 사회관 부분을 피아제나 비고츠키, 콜버그나 에릭슨 등과 같은 교육학자들의 이론으로 도배하는 것에 대해 회의적인 반응을 보인다. 아울러 단원 학습 계통도 및 학습 과제 분석을 그래픽 조직자를 사용하여 깔끔하고 멋지게 처리하도록 요구하는 현장 관행이나 특정 단원과 무관한 교과 일반 선호도나 학생 흥미도를 형식적으로 파악하는 탈맥락적인 실태 분석에 대해서도 회의적인 반응을 보인다.

　이제 수업 열정에 기댄 관습적 수업 설계 경향을 탈피해서 수업 전문성에 기초한 수업 설계를 고민할 때이다. 이 연구에서는 PCK 수업 설계에서 그 해결 방안을 찾고자 한다.

2. CoRe를 활용한 PCK 수업 설계

내용 표상(CoRe: Content Representation)은 Laughran 외(2001)가 수업 전문성이 우수한 과학 교사의 PCK를 표상하기 위해 개발한 도구이다. 이들은 우수 교사의 PCK를 표상하기 위해 여덟 개의 질문 목록을 개발했고, 이것을 내용 표상(CoRe)이라고 한다. 내용 표상(CoRe)은 무엇을 어떻게, 왜 가르치는가에 대한 진술문 형태로 제시된다. 교사는 이러한 질문에 대한 해결 방안을 모색하면서 학습(단원) 내용, 학습 필요, 관련 지식, 관련 교과에 대한 학생 이해, 상황 이해, 교수 방법, 학생 평가 등에 대한 정보를 수집, 분석, 평가하게 되고, 이것이 바로 우수 교사가 PCK를 획득하는 과정과 유사하다. 때문에 내용 표상(CoRe)을 활용하여 수업을 설계하면 우수 교사가 특정 교과의 특정 주제에 대한 PCK를 기반으로 수업을 설계하는 것처럼, 일반 교사도 과학적이고, 체계적으로 수업을 설계할 수 있고, 수업 능력이 부족한 교사의 교과 수업 전문성을 향상시킬 수 있다.

이에 CORE를 활용한 여덟 가지 질문 목록과 PCK 5대 요소를 결합하여 PCK 수업 설계 요소를 추출하고자 한다 '① 학생들에게 가르치려고 하는 내용은 무엇인가?', '② 이 내용(개념)을 학생들이 학습하는 까닭은 무엇인가?', '③ 이 내용(개념)과 관련하여 교사만 알고 있고 학생에게는 아직 가르치지 않은 내용은 무엇인가?'라는 CORE 요소는 교육과정 PCK와 연계된다. '④ 이 내용(개념)을 지도할 때 고려해야 할 핵심 지식은 무엇인가?(선개념, 오개념, 난개념)'는 학생 이해 PCK와 연계된다. '⑤ 이 내용(개념)을 지도할 때에 사용하는 교수 방법과 이유는 무엇인가?', '⑥ 이 내용을 지도할 때에 고려해야 할 유의점은 무엇인가?', '⑦ 이 내용(개념)을 지도할 때에 영향을 미칠 수 있는 요인들은 무엇인가?'는 수업 방향 및 수업 전략 PCK와 연계된다. '⑧ 이 내용(개념)에 대한 학생들의 이해도나 어려움을 평가하는 방법은 무엇인가?'는 학생 평가 PCK에 해당된다. 이 중에서 ⑥과 ⑦은 개념이 중복되어 혼란스럽다는 현장 의견을 반영하여 ⑥으로 통일했다.

이것을 일반 수업 설계 요소와 비교하여 제시하면 다음과 같다.

PCK 요소	CoRe(내용 표상) 요소	PCK 수업 설계 요소	일반 수업 설계 요소
교과 교육과정	① 학생들에게 가르치려고 하는 내용은 무엇인가?	㉮ 학습 내용	1. 단원명 3. 단원 목표 4. 단원 학습 계통 5. 단원 과제 분석
	② 이 내용(개념)을 학생들이 학습해야 하는 까닭은 무엇인가?	㉯ 학습 필요	2. 단원 개관
	③ 이 내용(개념)과 관련하여 학생에게 아직 지도하지는 않았으나 교사가 알아야 할 내용은 무엇인가?	㉰ 교수 자료	10. 참고 자료
학생 교과 이해	④ 이 내용(개념)을 지도할 때 고려해야 할 핵심 요소는 무엇인가?	㉱ 학생 이해 선개념(선수 학습 내용) 난개념(학습 곤란 내용) 오개념(학습 오류 내용)	6. 실태 분석
교과 수업 전략 및 표상 & 교과 수업 방향	⑤ 이 내용(개념)을 지도할 때에 사용하는 교수법과 이유는 무엇인가?	㉲ 교수 방법(큰 담론) 수업 모형	7. 지도 실제
		㉳ 표상(작은 담론) 설명, 시범, 연습, 단서, 서사, 발문, 매체, 과제	
	⑥ 이 내용을 지도할 때에 고려해야 할 유의점은 무엇인가?	㉴ 지도 유의점 학생 발달 수준 수업 전문성 수준	8. 지도 유의점
학생 평가	⑦ 이 내용(개념)에 대한 학생들의 이해도나 어려움을 평가하는 방법은 무엇인가?	㉵ 학생 평가	9. 차시 평가

PCK 수업 설계 요소와 일반 수업 설계 요소를 비교하면, ④번과 '6'번, ⑤번과 '7'번의 두 항목만 크게 차이가 난다. 일반 수업 설계의 '6'번이 해당 교과에 대한 선호도나 학생 반응 등처럼 차시 목표와 관계없는 수업 관련 일반 실태를 분석한다면, PCK 수업 설계의 ④는 해당 단원이나 차시와 관련된 오개념(기능), 난개념(기능), 선개념(기능)에 대한 실태를 분석한다. 일반 수업 설계의 '7'번이 수업 모형처럼 큰 교수법을 바탕으로 교수 학습을 설계했다면, PCK 수업 설계의 ⑤는 설명, 시범, 연습, 관찰, 추론, 요약, 발표, 토론 등의 작은 교수법을 활용하여 수업을 설계한다.

학생 배움중심의 수업 모형과 요소

제1절 | 학생 배움중심의 수업 개념

학생 배움중심 수업은 '학생중심', '배움중심', '수업'의 세 요소로 구성된다.

학생중심 수업에서는 학생이 학습 활동의 주체가 되어 학습 내용을 선정하고, 자신의 경험을 바탕으로 새로운 내용을 배우기 위해 도전하며, 배우고 익힌 내용을 말과 글로 표현하고, 자신의 학습 과정을 평가하고 조정하는 활동을 중시한다.

배움중심은 학습 활동의 초점을 학생의 배움에 맞춘 것이다. 그렇다면 학생은 언제 배움이 일어났다고 할까? 아마 자신이 모르는 것을 새로 알게 되었을 때(개념이나 기능), 어려워하던 것을 완전하게 알게 되었을 때(난개념이나 난기능), 잘못 알고 있는 것을 정확하게 알게 되었을 때(오개념이나 오기능)에 배웠다고 할 것이다. 여기서 새로운 개념(기능), 난개념(기능), 오개념(기능)이 학생 배움의 내용이 된다.

수업은 전략과 원리로 구별할 수 있다. 수업 전략은 다시 '자기주도 학습'과 '타자주도 학습'으로 대별할 수 있다. 자기주도 학습 능력이 우수한 학생은 경청, 관찰, 조사, 탐구, 추론, 해석, 요약, 토의, 발표 등의 활동을 하면서 스스로 학습을 한다. 이에 비해 자기주도 학습 능력이 떨어지는 학생은 교사나 동료의 도움에 기초한 안내된 타자주도 학습을 한다. 이때에 교사나 유능한 동료는 학생이 배움의 과정 중에 주춤하거나 멈칫할 때에 스스로 도전하여 문제를 해결하고 한 단계 도약할 수 있도록 설명, 시범, 힌트, 서사, 연습, 발문 등의 도움을 제공한다. 자기주도 학습과 타자주도 학습이 활발하게 이루어지고, 매끄럽게 진행될 수 있도록 촉매제와 윤활유의 역할을 하는 수업 원리는 '공감'과 '지원'으로 구분할 수 있다. 자기주도 학습 능력이 우수한 학생에게는 스스로 공부할

수 있도록 수용하기, 칭찬하기, 신뢰하기, 존중하기, 표현하기와 같은 공감 활동을 주로
하고, 자기주도 학습 능력이 부족한 학생에게는 타인의 도움을 받아 스스로 공부할 수
있도록 개발하기, 연결하기, 협동하기, 참여하기, 도전하기, 반성하기와 같은 지원 활동
을 주로 한다.

제2절 | 학생 배움중심의 수업 모형과 설계 맵

1. 학생 배움중심의 수업 모형

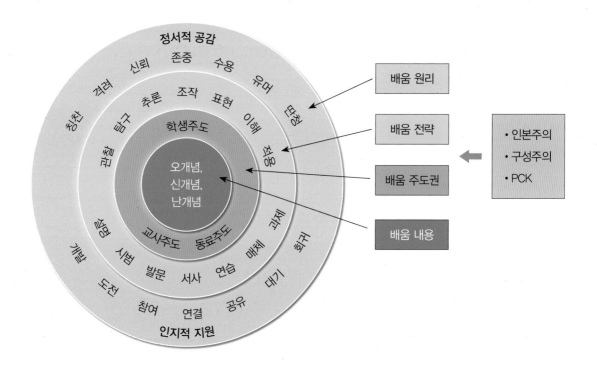

2. 학생 배움중심의 수업 설계 맵

교과		학년-학기		단원	

배움 이유					

배움 내용	학습 목표				
	학습 내용(신개념/신기능)				
	학생 배움 저해 요소	오개념(기능)			
		난개념(기능)			

배움 전략	자기주도	항목	활동	항목	활동
		▢ 관찰		▢ 조사	
		▢ 가설		▢ 탐구	
		▢ 경청		▢ 추론	
		▢ 해석		▢ 요약	
		▢ 조작		▢ 발표	
		▢ 독해		▢ 토의	
		▢ 예상		▢ 변환	
		▢ 측정		▢ 결론	
		▢ 표현		▢ 기타	
	타자주도	▢ 설명		▢ 과제	
		▢ 시범		▢ 매체	
		▢ 연습		▢ 서사	
		▢ 발문		▢ 그림	
		▢ 단서		▢ 기타	

배움 주도권	교사주도 학생 참관	
	교사주도 학생 부분 참여	
	학생주도 교사 부분 참여	
	학생주도 교사 참관	

배움 원리	공감	▢ 신뢰하기		▢ 칭찬하기	
		▢ 수용하기		▢ 존중하기	
		▢ 격려하기		▢ 딴청부리기	
		▢ 유머 활용하기		▢ 기타	
	지원	▢ 연결하기		▢ 참여하기	
		▢ 개발하기		▢ 되돌리기	
		▢ 도전하기		▢ 표현하기	
		▢ 나누기		▢ 기타	

제3절 | 학생 배움중심의 수업 요소

1. 학생 배움중심의 수업 주도권

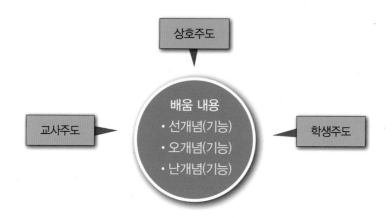

Florio-Ruane과 Lensmire, Timothy(1989)에 따르면 교수(가르침)와 학습(배움)의 주도권 양상을 교사주도, 상호주도, 학생주도의 세 유형으로 구분할 수 있다. Spiro 외(1988)는 교실 수업 측면에서 볼 때에 교사주도, 상호주도, 학생주도 배움을 상호배타적 관점이 아닌 상호보완이나 상호교섭의 관점에서 파악하는 것이 효과적이라고 했다.

◎ 수업 현상과 배움의 주도권

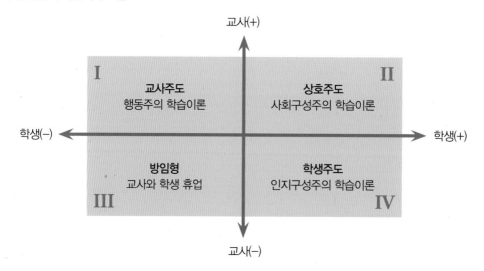

이 그림을 보면 교수(가르침)·학습(배움) 현상의 탐구 범주는 네 구역으로 이루어져 있다. 교사의 높은 참여와 학습자의 낮은 참여(I), 교사의 높은 참여와 학습자의 높은 참여(II), 교사의 낮은 참여와 학습자의 낮은 참여(III), 교사의 낮은 참여와 학습자의 높은 참여(IV) 구역이다. 일반적으로 (I) 구역을 전통적인 객관주의 수업, (II)와 (IV) 구역을 구성주의 수업으로 명명하고, (III) 구역은 가르침과 배움이 발생하지 않는 방임형 수업이라는 점에서 제외한다.

1) 행동주의 학습과 교사주도 배움

현대 수업 이론가들은 (I) 구역을 전달식 수업, 암죽식 수업, 은행 적금식 수업이라면서 강력히 비판한다. 행동주의 학습에 따르면 지식은 학생 외부에 객관적으로 존재하는 진리이고, 학생은 그러한 진리를 마치 백지가 먹물을 빨아들이듯이 무비판적으로 수용하는 존재이며, 수업은 객관적으로 존재하는 진리를 반복 훈련에 따라 교사가 학생에게 가르치고 배우는 활동이 된다. 여기서 교사는 객관적 지식을 학생의 머릿속에 주입하는 전달자의 역할, 부모가 암죽을 만들어 아기에게 이유식을 먹이는 것처럼 학생에게 지식을 세분화하고 가공하여 떠먹이는 역할, 고객의 돈을 예치하여 저축을 하는 은행원처럼 학생의 머릿속에 지식을 차곡차곡 쌓는 역할을 한다. 이러한 수업에서는 교사 지시에 의한 강의와 일제 학습, 부분에서 전체로의 교수·학습, 교과서와 연습장 중심의 교수·학습, 수업 참여의 수동성, 학습 목표 도달 확인을 위한 정답 확인 질문의 사용 등이 우세하다(최현섭·박태호·이정숙, 2000).

2) 사회구성주의 학습과 상호주도 배움

(II) 구역인 사회구성주의 학습에서는 담화 공동체의 사회적 중재에 따른 개인의 능동적 지식 구성을 중시한다. 학습의 사회·문화적 관점을 주장하는 사회구성주의자들은 지식이 학습자에 의해서 능동적으로 구성되는 것이 아니라, 사회·문화적 실행에 참여하는 가운데 구성된다는 입장을 갖는다(Vygotsky, 1978; Wertsch, 1992; 강인애, 1997). 이들은 인지, 즉 사고를 개인의 주관적인 심리 과정으로만 한정하여 파악하는 인지구성주의를 비판한다. 그리하여 학습을 사회·문화적 실행 속에서 이루어지는 전문가와 초보자의 도제 관계로 파악한다. 여기서 초보자인 학습자는 도제 과정을 통해 전문가로부터 문화적 의미를 전수받게 된다. 결국 인지구성주의에서는 학습을 자기주도적 조절과 상호작용으로 파악하는 반면에 사회구성주의에서는 인지적 도제에 의한 전수의 과정으로

파악하고 있음을 알 수 있다.

사회구성주의 학습 이론에서는 학습을 지적으로 우수한 공동체 구성원들 간의 사회적 상호작용을 통한 내면화 과정으로 파악한다(박태호, 1996). 인지 발달의 측면에서 볼 때에 학습은 사회적 수준에서 개인적 수준으로 진행된다. 사회적 수준의 학습은 전문가인 교사나 유능한 학습자들과의 대화적 상호작용을 통해 이루어지며, 이들은 사회적 중재 활동을 통해 자기주도 학습 능력을 신장시킨다. 교사주도로 이루어지는 사회적 수준의 학습은 교사와 학습자의 협동학습의 단계를 거쳐 개인적 수준의 학습으로 나아간다. 이때에 학습자는 사회적 대화를 통해 습득했던 '사회적인 말'을 개인적 수준으로 내면화하게 된다. 여기서 내면화된 사회적인 말을 '사고' 혹은 '내적 대화'라고 한다. 학습자는 책임 이양의 틀 속에서 이루어진 학습 활동을 경험하면서 획득한 내적인 대화를 통해 자신의 인지와 행동을 조정하게 되는 것이다. 내적인 대화는 자기주도 사고의 효시가 되며, 이것이 완전하게 내면화되었을 때에는 자기주도성을 획득하게 되는 것이다. 사회적 중재 활동을 통한 자기주도 학습은 근접 발달 영역 내에서 일어난다(Vygotsky, 1978; Wertsch, 1986). 모든 학습자는 학습 활동 시 독자적으로 과제를 해결할 수 있는 실제 발달 수준과 잠정적 발달 수준을 갖는다. 이 두 수준 사이에는 약간의 틈이 발생하는데, 그 사이의 거리를 '근접 발달 영역'이라고 한다. 교수·학습은 근접 발달 영역 내에서 발생하므로 그것을 만들어 주고 그 사이의 거리를 좁히는 교수 활동에 초점을 두어야 한다. 근접 발달 영역은 학습과 인지 발달이 일어나는 역동적인 영역이다. 근접 발달 영역은 학습 상황이 존재하는 곳이면 어디에나 존재하며, 학습자에 따라 다르게 나타나고 심지어는 동일한 학습자라도 과제 수준과 구조에 따라 여러 수준에 걸쳐 다양하게 나타난다(Gallimore & Tharp, 1992).

사회구성주의 수업에서 학생은 대화를 통해 의미를 구성하고, 교사는 학생들이 대화를 통해 새로운 의미를 구성하도록 도움을 주어야 한다. 이 수업에서는 전문가나 유능한 동료의 안내에 따른 연습 활동에 기초한 토의·토론 학습, 상호교수, 협동학습 등이 주류를 이룬다.

3) 인지구성주의 학습과 자기주도 배움

(IV) 구역에서는 학습을 개인의 주관적 경험에 기초한 능동적 지식 구성으로 설명한다. 인지구성주의 관점을 과학적이고 체계적으로 연구한 학자로 Piaget를 들 수 있다. Piaget는 지식의 객관적인 속성을 부정하는 반경험주의 혹은 반행동주의 입장을 취했다.

때문에 그의 발생론적 인식론은 주관주의적 관점에 속한다고 할 수 있다. 대부분의 연구자들은 이것을 인지구성주의(cognitive constructivism)라고 한다. 인지구성주의의 인식론적 입장을 극명하게 드러낸 연구자 중의 한 사람이 Von Glasersfeld이다. 그는 Piaget의 이론을 수용하여 급진적 구성주의를 주장했다(Von Glasersfeld, 1989). 여기서 '급진적'이라는 것은 지식의 객관적 속성을 강조했던 전통적인 인식론의 사고 유형과 관습을 해체하는 대신에 지식이란 오직 인간의 경험 세계에 의해서만 조직되고 만들어져 의미가 부여된다는 관점을 제시했다는 점에서 붙여진 것이다. 그는 바로 이러한 지식관을 바탕으로 급진적 구성주의에 대한 개념을 정의했다. 위의 정의에 의하면 지식은 인간의 감각 기관이나 의사소통을 통해서만 인지 주체에 의해 인식된다.

인지구성주의자들은 학습이 능동적인 자기조절의 과정을 통해서 개인적으로 구성된다는 믿음을 갖는다. 이러한 관점에 의하면 학습은 전적으로 개인의 문제이며, 학습자는 자신의 배경지식이나 신념 체계 등을 이용하여 학습 활동에 능동적으로 참여하여 서로 다른 방법으로 지식을 구성해 낸다(Glasersfeld, 1984: 21). 이때의 학습은 각 개인의 구성 과정에 따라 달라지므로 각 개인이 학습한 지식은 그 개인에게는 유의미할 수도 있지만, 그것이 공동체의 구성원들이 모두 수용할 수 있을 정도로 보편적인 지식이라고 보기에는 어렵다는 점에서 취약점을 갖는다.

Piaget에 의하면 학습은 인간과 환경의 상호작용의 결과이다. 상호작용에서 중요한 개념이 바로 '평형화'이다. 학습자는 환경과 상호작용을 하면서 내적인 갈등을 겪게 되고, 그것을 해결하기 위해 노력하는데, 이때에 작용하는 정신 기제가 바로 동화와 조절이다. 인지구성주의자들은 학습의 기본 조건으로 인지적 갈등 상태를 들고 있으며, 이러한 갈등 상태에서 동화와 조절이 일어나고 그것이 학습 활동을 촉진시키는 계기가 된다는 입장을 갖는다. 이러한 관점에 의하면, 학습이란 각 개인이 자신들의 인지 구조 속에서 지식을 재구성하는 것을 의미하며, 교사와 동료 학습자는 개인의 인지적 갈등을 촉진하는 역할을 한다고 볼 수 있다.

인지구성주의 학습에서는 학생이 학습 활동의 주체가 되어 탐구학습, 문제해결 학습, 프로젝트 학습 등을 수행한다.

4) 통합적 관점과 학생 배움의 주도권

교수(가르침)와 학습(배움)을 상호배타적인 이분법의 측면에서 파악하는 것은 매우 위험

한 발상이다. 한때는 지식의 객관성을 중시하는 객관주의와 지식의 상대적 주관성을 중시하는 구성주의를 상호배타적인 관점에서 파악하기도 했었다. 그러나 '전통적 수업'과 '구성주의 수업'을 '전통' 대 '대안'이라는 이항 대립 구도가 아닌 상호교섭의 차원에서 파악하는 것이 더 효과적이라는 논의가 점차 설득력을 얻고 있다.

Spiro 외(1988)는 지식을 기초 지식, 고등 지식, 전문 지식의 세 가지 유형으로 분류한 후, 기초 지식은 지식 구성 과정을 과도하게 요구하는 것이 아니므로 객관주의 수업 환경에서 배우는 것이 좋고, 고등 지식은 단편적 지식의 습득이 아닌 지식과 지식의 관계에 대한 반영적 추상의 과정이나 사회 공동체 구성원 간의 합의 과정을 요구하므로 구성주의 수업 환경에서 배우는 것이 좋다고 했다.

◎ **객관주의와 구성주의 수업의 상호교섭 양상**

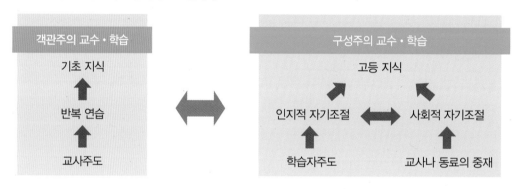

이 그림에 의하면, 교수·학습의 과정은 지식의 유형에 따라 달라질 수 있으므로 전통적 수업과 구성주의 수업을 이항 대립의 관계가 아닌 상호교섭의 관계로 파악하는 것이 타당하다. 강인애(1997: 129) 역시 '객관주의와 구성주의의 화합'을 제시하면서 구성주의는 객관주의가 지난 수백 년 동안 이루어 놓은 공적을 무시해서는 안 된다고 이야기하고 있다. 이러한 접근 방식은 지식의 객관성이나 상대성, 교수 주체인 교사나 학습 주체인 학생, 학습 결과나 학습 과정의 다양성을 인정할 수 있는 이론적 기반을 제시한다.

교실 수업에서 교사주도, 상호주도, 학생주도를 통합적 관점에서 수용하여 좋은 수업의 구조를 제시한 연구자가 있다. Fisher와 Frey(2008)는 수업 중 발생하는 교사와 학생의 역할 교대를 바탕으로 좋은 수업의 구조를 교사주도 학생 참관 수업(I do, You watch), 교사주도 학생 부분 참여 수업(I do, You help), 학생주도 교사 부분 참여 수업(You do, I help),

학생주도 교사 참관(You do, I watch) 수업의 네 가지 유형으로 제안했다. 이것을 그림으로 표현하면 아래와 같다.

◎ 명품 수업의 구조

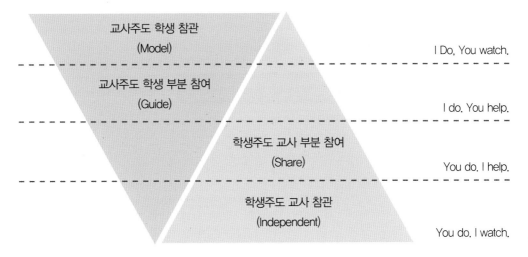

교사주도 학생 참관 단계에서 교사는 전문가(Expert)[7]의 역할을 하고, '회상(Recalling), 시범(Modeling), 열거(Recounting), 연결(Connecting)' 등의 수업 대화를 사용한다. 교사주도 학생 부분 참여 단계에서 교사는 촉진자(Facilitator)[8]의 역할을 하고, '탐구(Exploring), 상술(Expounding), 질문(Questioning), 사색(Speculating), 가설(Hypothesizing)' 등의 수업 대화를 사용한다. 학생주도 교사 조력 단계에서 교사는 상담자(Counsellor)[9]의 역할을 하고, '도전(Challenging), 추론(Reasoning), 증명(Justifying)' 등의 수업 대화를 사용한다. 학생주도 교사 참관 단계에서 교사는 평가자(Evaluator)나 비평가(Critic)의 역할을 하고, '서사(Narrating), 묘사(Describing), 평가(Evaluating)' 등의 수업 대화를 사용한다(박태호, 2009).

---

7. 전문가(Expert), 아나운서(Announcer), 지시자(Director), 관리자(Manager), 협상가(Negotiator), 지휘자(Conductor) 등의 다양한 용어로 사용되나 여기서는 전문가(Expert)로 통일한다.

8. 촉진자(Facilitator), 제공자(Provider), 협력자(Collaborator), 조력자(Arbitrator), 사회자(Chairperson), 학습자(Learner) 등의 다양한 용어로 사용되나 여기서는 촉진자(Facilitator)로 통일한다.

9. 상담자(Counsellor)와 도움 제공자(Scaffolding) 중에서 상담자로 통일한다.

2. 학생 배움중심의 수업 내용

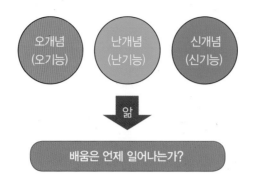

우리는 언제 배움이 일어났다고 하는가? 아마 몰랐던 것을 새로 알게 된 경우, 잘못 알았던 것을 정확히 알게 된 경우, 막연하게 알았던 것을 완전히 알게 된 경우가 여기에 해당될 것이다. 학생이 배경지식이나 경험에 기초한 선개념(선기능)을 바탕으로 오개념 (기능)과 난개념(기능)을 배우고 익힐 때에 주춤하는 부분이 발생한다. 이 부분이 학생 배움의 저해 요소이자 배움 내용이 된다. 예를 들어 5~6학년군 학생들이 분수의 덧셈과 뺄셈을 주제로 공부한다고 가정하자. 어떤 학생은 분자만을 더하는 경우가 있고 어떤 학생은 분모만을 더하는 경우가 있으며 또 어떤 학생은 분자와 분모를 모두 더하는 경우도 있다. 뺄셈에서도 비슷한 사례가 나타날 수 있다. 이것이 바로 분수의 덧셈과 뺄셈에서 나타나는 배움의 저해 요소이고 여기에는 오개념(기능)과 난개념(기능) 등이 포함된다. 한편, 학생들은 3~4학년군에서 이미 분수와 소수의 개념과 진분수의 덧셈과 뺄셈에 대해 학습하였다. 그러므로 선개념에 대한 학생의 이해도를 파악한 후 본시 학습에 미칠 영향을 파악하여 대책을 수립하면 효과적일 것이다. 지금까지 논의를 정리하면 다음과 같다.

◎ 배움 내용의 요소

배움 내용	학습 목표		분모가 다른 진분수의 덧셈 원리를 이해하고 계산하기
	개념(기능)		분모와 분자의 의미 분수의 덧셈 방법과 원리 분모가 다른 분수의 덧셈에서 통분하는 까닭과 방법
	배움 저해 요소	선개념 (기능/태도)	진분수의 덧셈과 뺄셈 방법과 원리 대분수와 가분수의 덧셈 방법과 원리
		오개념	분수의 덧셈에서 분모를 더해야 한다고 잘못 인식 분모를 통분할 때 무조건 분모를 곱해야 한다고 잘못 인식
		난개념	통분의 필요성을 잘 모름 통분하는 방법을 잘 모름 (최소공배수와 통분의 상관관계에 대한 인식 부족)

선개념(기능)

본시 학습 내용(개념/기능)인 '분모가 다른 진분수의 덧셈 원리를 이해하고 계산하기' 와 관련된 선수 학습 내용을 먼저 탐구해야 할 것이다. 그런 다음에 이미 배운 내용 중에서 본시 학습을 방해하는 내용이 있는지 살펴보아야 한다. 만약 있다면 보충 지도를 통해 학생의 이해도를 향상한 후, 본시 학습을 지도해야 효과적인 학습이 가능할 것이다. 또한, 본시 학습 내용과 관련된 오개념(오기능)이나 난개념(난기능)이 있는 경우 이를 반드시 바로 잡아야 완전하게 학습 목표에 이를 수 있게 된다.

선개념(기능) 1 수학 3~4학년군의 선수학습 내용

분수의 덧셈과 뺄셈에 관련하여 3~4학년군에 제시된 선수학습 내용은 다음과 같다. 우선, 〈3-1 5단원. 분수와 소수〉는 총 13차시이다. 이 중에서 본시 학습 내용과 직접 관련되는 내용은 '분수를 알아볼까요(1), (2)', '분모가 같은 분수의 크기를 비교해 볼까요', '단위분수의 크기를 비교해 볼까요' 등이 있다. 여기에서 분수에 대한 기본 개념을 형성하게 된다. 다음으로 〈3-2 4단원. 분수〉는 총 10차시로 구성된다. 이 단원은 분수 특화 단원으로 전 차시 학습 내용이 관련이 된다. 여기에서는 분수의 크기, 분수의 종류, 분모가 같은 분수의 크기 비교를 중점적으로 다룬다. 이어서 〈4-2 1단원. 분수의 덧셈과 뺄셈〉은 총 10차시이다. 전 차시에서 분수의 덧셈과 뺄셈에 대해 다루고 있어 본시 학습과 직접적인 관련을 맺는 단원이라고 할 수 있다. 여기에서는 분모가 같은 진분수, 대분수, 가분수의 덧셈과 뺄셈을 학습한다. 그렇기에 분모가 다른 분수의 덧셈과 뺄셈에 대한 학습은 본시에서 처음으로 학습하게 된다.

오개념(기능)

본시 학습 중에 잘못 이해할 가능성이 있는 내용(기능)이 무엇인지 파악해야 한다. 이 것을 오개념(기능)이라고 한다. 흔히 볼 수 있는 대표적인 오개념(기능)의 예는 다음과 같다.

오개념(기능) 1 분수의 덧셈과 뺄셈에서 분모도 함께 계산한다.

_ 분자를 더하고 빼듯이 분모도 더하고 뺀다고 생각한다.

_ 분모의 뺄셈에서 분모가 작은 분수가 앞에 있으면 계산할 수 없다고 생각한다.

오개념(기능) 2 통분할 때 분모끼리 무조건 곱해야 한다고 생각한다.

_ 통분할 때 분모를 무조건 곱해야 한다고 생각한다.

난개념(기능)

본시의 학습내용이다. 새로운 개념이나 기능 학습을 방해하는 요소가 있다면 이것은
난개념이나 난기능이 된다.

난개념(기능) 1 통분의 필요성을 인식하지 못한다.

_ 분모를 같게 해 주어야 한다는 것을 표면적으로 받아들인다.(같게 해야 한다는 지시에 단순히
기계적으로 같게 만들어 줌)

_ 통분의 필요성과 중요성을 본질적으로 깨닫지 못한다.

난개념(기능) 2 통분하는 방법을 잘 알지 못한다.

_ 통분할 때 단순히 분모를 곱하면 된다고 생각한다.($\frac{1}{2}+\frac{1}{4}$을 계산하기 위해 2와 4을 곱해 8로
만드는 경우)

_ 통분의 필요성과 중요성을 본질적으로 깨닫지 못한다.

3. 학생 배움중심의 수업 전략

학생을 두 유형으로 대별하면, 스스로 깨치는 학생과 다른 사람이 깨우쳐 줘야 깨치
는 학생이다. 여기에서는 전자를 자기주도 학습자, 후자를 타자주도 학습자로 명명하고
자 한다. 자기주도 학습자는 사물과 현상을 스스로 관찰하고 탐구하며 관련 자료를 바
탕으로 추론을 하거나 조작 활동을 하면서 배움의 저해 요소를 해결하고 배움의 결과를
표현하고 공유하며 소통한다. 이에 반해 타자주도 학습자는 타인의 도움을 바탕으로 자
기주도 학습을 시작한다. 누군가의 설명을 듣거나 시범을 관찰하고, 누군가의 발문에
대답하거나 누군가가 제시한 연습 문제를 풀면서 자기주도 학습 능력을 점차 획득한다.

분수의 덧셈과 뺄셈에서 분모도 함께 계산하는 오개념1의 지도 방안입니다. 예를 들어 $\frac{1}{2}+\frac{1}{4}$의 계산과 같이 간단한 덧셈 과제를 제시합니다. $\frac{2}{6}$와 같이 분모를 더한 오류를 범하면 그렇게 계산한 까닭을 질문하며 탐구할 기회를 줍니다(관찰, 발문). 학생의 대답을 통해 오개념을 지닌 지점을 정확히 파악합니다(관찰). 그런 후, 단팥빵이나 곰보빵처럼 동그란 모양의 빵 또는 두부 등과 같이 주변에서 쉽게 구할 수 있는 구체물을 준비합니다. 준비한 재료를 활용하여 $\frac{1}{2}$과 $\frac{1}{4}$을 각각 나타내어 보도록 합니다(단서, 도전). 각각을 나타낸 조각을 합하여 $\frac{1}{2}+\frac{1}{4}$의 결과를 시각적으로 확인합니다(연결). 이제는 학생이 잘못 대답한 답(예: $\frac{2}{6}$)을 구체물로 나타내어 보도록 하고, 앞서 나타낸 $\frac{1}{2}+\frac{1}{4}$의 결과물과 같은지 비교하도록 하고 기다려 줍니다(대기). 이러한 과정을 통해 분모가 다른 분수의 덧셈(또는 뺄셈)에서 분모를 더하면 계산 결과가 달라질 수 있음을 발견할 수 있도록 합니다. 이것을 표로 제시하면 아래와 같습니다.

◎ **분수의 덧셈과 뺄셈에서 분모도 함께 계산하는 오개념 처방 교수법**

개념	• 분모가 다른 분수의 덧셈과 뺄셈에서 분모를 같게 해 주되 서로 더하지 않는다.

오개념	• 분자와 같이 분모도 함께 더해야 한다고 잘못 알고 있다.

배움 전략 (교수법)	• 동그란 모양의 빵이나 네모난 모양의 두부 등과 같은 구체물을 활용한다(단서). • 분모를 더했을 경우 계산 결과에 미치는 영향을 발견할 기회를 제공한다(발문, 관찰).

1) 설명

설명이란 어떤 일이나 대상의 내용을 상대편이 잘 알 수 있도록 밝혀 말하는 것이다. 설명을 한다는 것은 언어나 도표, 상징을 이용하여 상대방이 어떤 현상에 대한 지식과 이해를 높이도록 도움을 주는 것이다. 교육의 측면에서 보면, 교과 내용에 대한 학생 이해도를 증진시키기 위한 포괄적 해설이 된다. 설명에는 두 가지 요소가 작용한다. 설명할 내용과 방법이다. 전자에는 개념, 요소, 원리, 절차, 법칙이 해당되고, 후자에는 실물과 행동, 모형, 그림, 예화, 도표, 알고리즘, 언어나 상징을 이용한 묘사 등이 해당된다.

이병석(1999: 108~122)은 좋은 설명 방식으로 '예시 자료를 활용한 설명'과 '학습을 용이하게 하는 설명'의 두 가지 유형을 들었다. 전자에는 ① 적절한 시각 자료를 예시 자료로 선택하여 학생의 이해를 촉진시키는 수업, ② 학생에게 친숙한 경험이나 배경지식을 예시 자료로 활용하는 수업, ③ 동일한 내용에 대해서도 다양한 관점으로 접근할 수 있는 예시 자료를 활용하는 수업, ④ 하나씩 차근차근 예를 들면서 가르치는 수업의 네 가지를 제시했다.

그리고 학습을 용이하게 하는 설명 방식으로 ① 학습 목표 도달에 필요한 내용과 절차를 미리 알려주는 수업, ② 새로운 교과 내용을 가르치기 전에 관련 배경지식이나 기초 개념을 알려주는 수업, ③ 설명 초기에 학생의 관심을 끄는 머리말을 사용하는 수업, ④ 새로운 교과 내용을 설명하면서 하나씩 차근차근 가르쳐 주는 수업, ⑤ 주요 학습 내용을 미리 분석하고, 관련성을 파악하게 하는 수업, ⑥ 학생들에게 친숙한 일상 용어를 사용하여 복잡한 교과 내용을 쉽게 가르치는 수업, ⑦ 단순 도표나 차트, 선, 도형 등을 이용하여 체계적이고 쉽게 가르치는 수업, ⑧ 학생의 반응을 살피면서 눈높이에 맞게 가르치는 수업, ⑨ 학생의 주의를 집중시키면서 설명을 하는 수업 등을 제시했다.

◎ 좋은 설명 점검표

좋은 설명 전략	만족도			개선 사항
	미흡	보통	우수	
발음이 명료하고, 목소리가 적절하다.				
적절한 몸짓을 하고 눈을 맞춘다.				
상투 표현이나 비속어는 사용을 금한다.				
학습 목표와 학습 활동을 하나씩 차근차근 알려준다.				
중요 내용과 어휘는 요약하고 반복 강조한다.				
이해력이 떨어지면 쉽게 풀어 설명한다(예시, 문장, 구문 등).				
질문 대신에 학습 목표를 제시하여 도전하게 한다.				
선행학습과 관련지어 새로운 정보를 제시한다.				
판서나 유인물로 정보를 간단명료하게 제시한다.				
학습 규칙을 정하고, 일관성 있게 사용한다.				

2) 시범

시범 보이기는 교사가 특정 수업 상황이나 내용에 대해 자신의 느낌이나 생각, 행동을 학생에게 가시적으로 보여주는 것이다. Duffy, Roehler, Herrman(1988)에 따르면 시범 보이기 유형은 크게 세 가지이다. 생각을 혼자 중얼거리는 TA(Thinking Aloud) 기법, 교사와 학생이 함께 중얼거리며 서로 대화를 하는 ta(talking aloud) 기법, 일절 말하지 않고 행동 시범을 보여주는 PM(Performance Modeling) 기법이다.

생각그물을 활용한 아이디어 생성 과정을 시범 보이는 5학년 쓰기 수업을 보면, 사고 구술법을 활용하여 생각그물 작성 과정을 시범 보이는 장면을 관찰할 수 있다. 여기에 사용된 사고 구술법은 TA 기법과 ta 기법이다(Roehler & Duffy, 1991).

> **교사** ① 어, 다발짓기할 때에 이것도 여러분이 너무나 잘 아는 거지만 혹시나 모를까봐 다시 한 번 선생님이 알려줄게요. ② 선생님이 얘기하는 말을 잘 들어 보세요. 그냥, 음 〈일시 지속〉 선생님이 저렇게 얘기하는구나 하지 말고, 선생님이 중얼거리는 거야. ③ 뭐를 중얼거리는 거냐면, 선생님이 생각을 중얼중얼거리는 거야. 아! 그러니까 선생님이 생각을 어떻게 하고 있네, 생각을 어떻게, 어떤 과정을 거쳐서 하고 있나 잘 보세요. ④ 다발짓기를 할 때 맨 처음에 내가 이런 글을 쓸 거야. 어떤 글을 쓸 거냐 하면, 나는 그냥 아까 생각그물 만들 때 뭘 했지? 개미에 대해서 쓸 거지. 개미가 그냥 그리고 이런 느낌을 그냥 써보려고 해. 여기다 딱 표시를 해봤어. 그리고 처음에는, 처음에는, 개미 얼굴을 그려볼까? 한번? 더듬이 뭐 이래도 좋고, 꼬리? 어머! 호호. 이렇게 해도 좋고. 뭐 여러분 마음대로 하세요. ⑤ 처음에 어떤 것을 할 거냐면 음, 내가 개미를, 개미를 기르게 된……
>
> **학생** ⑥ 동기.
>
> **교사** ⑦ 어! 여러분들은 어떻게 그렇게 잘 알아요? 내 마음을?

다발짓기를 활용하여 생각묶기를 지도하는 수업 장면이다. TA 기법은 교사가 전문가로서 설명과 시범을 보이고, 학생이 구경꾼의 역할을 할 때에 주로 사용하는 사고 구술법이고(④, ⑤), ta 기법은 교사가 전문가로서 설명과 시범을 보일 때에 일부 유능한 학생이 초보자로 참여하여 교사와 함께 설명을 하거나 시범을 보이고, 나머지 학생은 구경꾼으로서 편안하게 전문가의 설명을 듣거나 시범을 관찰할 때에 사용하는 사고 구술법이다(⑥, ⑦).

3) 질문과 탐문

(1) 질문

Bloom(1956)은 인지 수준을 ① 지식, ② 이해, ③ 적용, ④ 분석, ⑤ 종합, ⑥ 평가의 여섯 단계로 구분했다(변홍규, 1996: 641–65). 이것을 발문 수준의 분류 기준으로 삼으면, ① 지식 발문은 학생이 이전에 학습한 사실이나 개념, 일반화된 것 또는 이론을 기억하거나 회상하도록 요구하는 발문이다. ② 이해 발문은 학생이 특정 개념이나 정보를 자신의 방식대로 표현하고 설명하도록 요구하는 발문이다. ③ 적용 발문은 특정 정보나 개념의 활용을 요구하는 것으로 학생들이 기존 지식이나 이해를 새로운 상황에 맞게 적용하거나 그것을 이용하여 문제를 해결하도록 요구하는 발문이다. ④ 분석 발문은 특정 개념이나 해결 방안 혹은 개념이나 자료를 요소나 부분으로 나누거나 관련성을 찾도록 요구하는 발문이다. ⑤ 종합 발문은 학생에게 여러 개의 아이디어나 요소를 종합하여 새로운 것으로 창조하도록 요구하는 발문이다. ⑥ 평가 발문은 학생이 특정 기준을 사용하여 사물에 대해 판단을 내리도록 요구하는 발문이다.

◎ **발문 수준 점검표**

발문 수준	발문 유형	주요 활동	발문 번호(√)											주요 장면 요약
			1	2	3	4	5	6	7	8	9	10	합계	
저수준	지식(암기)	• 정의 • 암기 • 설명												
	이해	• 의역 • 요약 • 부연												
	적용(변환)	• 적용 • 활용												
고수준	분석(관계)	• 구별 • 관계												
	종합(창조)	• 정보 • 구성 • 생산												
	평가(판단)	• 대안 • 선택 • 결정												

고수준의 질문은 학생의 이해를 확장시키고, 자신의 생각과 동료의 생각을 비교하게 하여 고등 사고 능력을 향상시킨다. 그러나 고수준의 질문만을 하면 일부 상 수준 학생만 참여한다. 이것을 방지하려면 질문에 대답할 시간, 동료의 답변에 반응할 시간, 이해를 확장하고 심화시킬 시간을 충분히 제공해야 한다.

◎ **발문 전략 점검표**

발문 전략	평가 척도			사례 및 수정 보완
	미흡	보통	우수	
1. 발문 후 학생 대답을 듣기 전에 최소 3초 대기한다.				
2. 학생이 응답할 시간을 충분히 주고 기다린다.				
3. 학생이 응답하기 전에 자신의 언어로 연습하게 한다.				
4. 가급적 폐쇄적 발문보다는 개방적 발문을 활용한다.				

5. 사고 구술법을 활용하여 학생 사고 활동에 도움을 준다.				
6. 질문을 만들어 친구와 묻고 대답하는 활동을 하게 한다.				
7. 가급적 저차원 발문보다는 고차원 발문을 사용한다.				
8. 동료 답변에 대해 보충하거나 추가 질문을 하게 한다.				
9. 힌트를 제공하여 학생이 보다 쉽게 대답하게 한다.				
10. 학생에게 반대를 위한 반대 질문을 만들게 한다.				

(2) 탐문

탐문은 질문 뒤에 나오는 질문이다. 탐문은 초기 반응을 심화·확장시키거나, 명료화하게 하거나, 일탈된 반응을 다시 원점으로 되돌리거나, 초기 반응을 정교하게 다듬는 질문이다. 박태호(2004)는 탐문[10]의 유형을 ① 초점화하게 하기, ② 입증하게 하기, ③ 명료화하게 하기, ④ 정교화하게 하기, ⑤ 확장하게 하기의 다섯 가지로 구분했다.

① 초점화하게(refocusing) 하기는 학생의 첫 반응이 교사의 핵심 질문에서 이탈되어 초점을 바로잡고자 할 때에 사용한다. ② 입증하게 하기는 학생이 교사의 발문에 반응했을 때 관련 정보의 출처를 밝히도록 요구하여 정보의 정확성을 한층 높이고자 할 때에 사용한다. 일반적으로는 '_____을 어떻게 알았는가?'의 형식으로 물으면 된다. ③ 명료화하게 하기는 학생의 첫 반응이 틀리지는 않지만 다소 불분명하거나 부적절한 용어로 표현하여 기대에 못 미칠 경우에 사용한다. ④ 정교화하게(elaboration) 하기는 교사의 발문에 답한 학생 응답이 정답의 범주에는 포함되나, 너무 기본적이거나 간결할 경우에 더 구체적인 대답을 요구할 때에 사용한다. ⑤ 확장하게 하기는 동일 내용에 대한 학생의 다양한 반응을 요구할 때에 사용한다.

◎ **탐문 점검표**

질문 번호	교사 질문		학생 응답에 대한 교사 반응				교사 탐문					
	수렴	확산	인정	부분 인정	인정 거부	모름/ 무응답	탐문 없음	초점화	명료화	입증화	확장화	정교화
1												
2												
3												

---

10. 박태호(2004)에서는 반응대화라는 명칭을 사용했다.

⋮									
총									

4) 서사(스토리텔링)

스토리텔링 수업 설계 유형은 ① 도입 학습 스토리텔링, ② 전개 학습 스토리텔링, ③ 정리 학습 스토리텔링, ④ 도입-전개-정리 학습 스토리텔링의 네 가지 유형으로 분류할 수 있다(백조현·박수홍·강문숙(2010: 123) 부분 수정). 도입 학습에는 주의집중, 학습 동기 유발, 학습 활동 안내가 포함된다. 전개 학습에는 내용 전달과 이해, 수업 전략, 발문과 토론, 효과적 의사소통, 점검과 대처, 수업 자료, 수업 운영이 포함된다. 정리 학습에는 평가와 관리가 포함된다.

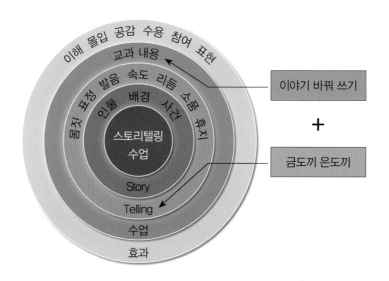

위의 그림은 윤 교사의 스토리텔링 수업 장면을 도식화한 것이다. 이 차시의 학습 목표는 '친구와 이야기를 새롭게 꾸며볼 수 있다.'이고, 제7차 교육과정에 따라 개발된 『쓰기』 교과서 둘째 마당 '우리가 꿈꾸는 세상'의 3/6차시이다. 윤 교사는 '궁금이상자'를 활용하여 학생의 주의를 집중시키고, '금도끼 은도끼' 이야기를 변용한 스토리텔링을 활용하여 학습 목표를 확인하고, 학습 동기를 유발했다. 이어지 '금도끼 은도끼' 스토리텔링 수업 대화 장면을 보면, 지금까지의 논의와 구체적으로 연결된다.

> **교사** 선생님이 금도끼 은도끼 이야기를 들려줄 텐데요. 여러분이 알고 있는 이야기와는 조금 달라졌습니다. 어떤 부분이 달라졌는지 귀 기울여 잘 들어 보세요. 옛날 어느 날, 나무꾼이 나무를 하고 있었어요. 그런데 너무 더워져서 윗옷을 벗어 놓고 나무를 했어요. 나무하기를 다 끝마치고 주위를 둘러보아도 윗옷이 보이지 않는 것이었어요. 그래서 나무꾼이 엉엉 울고 있었을 때 산신령이 뿅! 하고 나타났어요. "이 도끼가 네 도끼냐?", "아니옵니다. 저는 도끼를 잃어버린 게 아니라 윗옷을 잃어 버렸습니다."라고 했어요. 그러자 산신령이 "그럼, 이만 난 들어가 보겠다."라고 했어요. 그때였어요. 산신령한테 강한 바람이 슝 불더니 산신령의 윗옷이 벗겨졌어요. (나무꾼이 잃어버린 옷을 입고 있는 산신령의 모습이 나타난다.)
>
> **교사** 자, 여러분이 알고 있는 금도끼 은도끼와 무엇이 달라졌나요? 슬기.
>
> **학생** 네, 원래 동화에는 그 도끼가 없어지는 것인데 옷이 없어지는 것으로 바뀌었습니다.
>
> **교사** 네, 방금 들은 이야기를 잘 생각해서 오늘 쓰기 시간에는 어떤 공부를 하게 될 것 같아요? 민혁이.
>
> **학생** 네! 이야기를 새롭게 바꾸어 쓰는 것을 해볼 것 같습니다.

5) 단서(힌트, 실마리)

실마리 제공하기는 학생이 전혀 대답을 못 하거나 일부분만 대답했을 때 혹은 틀리게 대답을 한 경우에 학생의 학습 활동 참여를 조장하기 위해 사용하는 언어적/비언어적 수업 대화 전략이다(Hume, Michael, Rovick, & Evens, 1996; McArthur et al., 1990). 학생이 교사의 발문에 대답을 하지 못하고 머뭇거리거나 지나치게 막연해할 때에는 실마리를 제공해야 한다. 이때에 교사는 정답에 가까운 실마리를 제공하기보다는 학생 스스로 과제를 해결할 수 있도록 필요한 정보를 다양하게 제시해야 한다.

6) 풀기

학습 활동 참여는 문제 풀이로부터 시작된다. 학생은 배우고 익힌 내용을 연습하거나 적용할 때에 적극적으로 반응한다. 교사의 질문에 응답하거나 교과서와 학습지의 연습문제를 풀면서, 유인물에 제시된 절차에 따라 토론과 토의 활동을 하면서 자연스럽게 학습 활동에 참여한다.

Rosenshine과 Stevens(1986)는 학생의 학습 활동 참여 유도 방안으로, ① 다양한 문항의 질문 준비하기, ② 요점, 보충 내용 관련 질문 준비하기, ③ 학생 자신의 언어로 학습 내용이나 절차 요약하기, ④ 칠판이나 유인물에 학습 문제를 제시하고, 교실을 순회하면서 학생 발달 수준 점검하기, ⑤ 친구와 정답 검토하기, ⑥ 정리 부분에서 모둠별로 주요 내용 요약하여 발표하게 하기의 여섯 가지를 제안했다. 이것을 표로 제시하면 다음과 같다.

◎ 문제 풀기와 학습 활동 참여 유도

문제 풀이 유도 활동	문제 풀이 유도 목적				
	동기 유발	특정 활동 종료 후	수업 전환	과제로 인한 지연	무제한 (학생 재량)
질문					
교과서나 학습지의 연습문제					
유인물 연습문제					
OHP나 칠판의 연습문제					
기타					

7) 토론

진정한 토론은 모든 학생이 주제에 대해 서로의 생각을 공유하고, 교사는 토론이 원만히 진행되도록 안내하며, 학생은 토론 활동에 적극 참여할 때에 발생하고, 토론을 하면서 주제에 대한 이해를 확장시키고 심화시킨다. 유능한 교사는 토론을 할 때에 학생이 동료의 반응을 존중하도록 지속적으로 교육을 하고, 동료의 논평에 대해 질문하도록 유도하며, 토론 평가표를 활용하여 토론의 양적 측면과 질적 측면을 종합적으로 기록하고, 해석한다. 아울러 학교 블로그 등에 토론 주제를 게시하여 학생의 적극적인 참여를 끌어낸다.

학생의 토론 능력을 향상시키는 기법 중의 하나가 소크라테스의 산파술이다. 소크라테스의 문답식 토론 유형에는 사고 탐색, 가정 탐색, 추론 탐색, 대안 탐색, 결론 탐색, 메타 질문이 있다. 사고 탐색은 응답 사고 능력을 향상시키는 발문 전략이고, 가정 탐색은 드러나지 않는 가정을 조사하는 사고 능력을 향상시키는 발문이며, 추론 탐색은 주장에 대한 근거 제시 및 반박 활동과 관련된 사고 능력을 향상시키는 발문이다. 대안 탐색은 논제를 다양한 관점에서 해석하고 평가하는 데 도움을 주는 발문이고, 결론 탐색은 논제에 대한 함축과 결론 제시 능력을 향상시키는 발문이며, 메타 질문은 다양한 발문의 효용성을 판단하는 발문이다.

◎ 문답법을 활용한 토론 전략

항목		평가 척도 (√)			
		미흡	보통	우수	탁월
사고 탐색	그렇게 말하는 까닭은?				
	다시 한 번 더 설명을 한다면?				
	앞에서 말한 내용과 지금 말하는 내용의 관계는?				
가정 탐색	내 생각을 수정한다면 정답은 무엇인가?				
	또 다른 가정도 가능한가?				
추론 탐색	그렇게 생각하는 까닭은?				
	이것을 어떻게 알았지?				
	의견을 뒷받침하는 사실은?				
대안 탐색	이것을 또 다른 관점에서 본다면?				
	이러한 관점이 다른 것에 비해 우수한 까닭은?				
	이 관점의 강점과 약점은 무엇인가?				
결론 탐색	다음에는 어떤 일이 발생할 것인가?				
	이전에 알고 있는 내용이 어떻게 변화되었는가?				
메타 질문	질문의 요지는 무엇인가?				
	질문이 사고 발달에 어떤 도움을 주었는가?				
	사고력 향상에 도움이 되는 질문은?				

몇몇 교실에서는 일부 학생들이 토론을 주도하면서 다른 학생의 참여를 막는 경향이 있다. 교사는 이러한 상황을 방지하고, 모든 학생이 토론에 적극 참여하여 상호 협력하는 환경을 조성해야 한다. 이때에 활용할 수 있는 방법 중의 하나가 토론 참여 유도표와 점검표이다.

◎ 학생의 토론 참여 유도표

활동	자료	참여도			반성 및 수정
		미흡	보통	우수	
모둠별 참여 • 교사가 모둠별 질문 • 기다리기 • 특정 모둠 지명 발표 • 질의응답 • 일부 모둠 응답 내용 요약					
반응 카드 활용 참여 • 교사가 말이나 글로 질문 • 학생은 반응 카드로 응답 • 다양한 카드 활용 가능 　– 예/아니오 카드 　– 글자가 색인된 카드 　– 글자를 적을 수 있는 빈 카드					
수신호 활용 참여 • 교사 질문 • 엄지손가락으로 반응 　– 정답은 올리기 　– 오답은 내리기 　– 자신 없으면 수평으로 하기					
무작위 참여 • 무작위 추천 및 참여 유도 　– 나무 막대기 　– 숫자 　– 탁구공 등					

8) 매체

매체 활용 역시 수업의 질을 결정한다. 매체 자료의 유형에는 청각 자료, 언어 자료, 시각 자료, 촉각 자료가 있다.

◎ 매체 자료의 유형

청각 자료	언어 자료	시각 자료	촉각 자료
• 교사 설명 • 교사와 학생 질문 • 오디오나 비디오 청취 • 따라 읽기 • 학생들의 소집단 토론	• 판서 • OHP • 낭독 • 소집단 교재 읽기 • 필기	• 차트, 그래프, 삽화 • 도표나 그림 관찰 • 영화나 비디오 감상 • 실물이나 모형 관찰	• 표본 검토 • 기구 사용 • 제작과 구성(붙이기, 잘라내기, 그리기) • 자료 배열과 순서 조합

좋은 수업은 위에서 제시한 매체를 학습 유형에 맞게 적용하고 활용하는 수업이다. 예를 들면, 소집단 활동을 하면서 하나의 차시 학습 목표에 대해 금강 모둠에서는 청각 자료(카세트테이프나 발표)를, 한라 모둠에서는 보기 자료(칠판의 도표 활용, 영화 감상 및 컴퓨터 자료 활용)를, 설악 모둠에서는 촉각 자료(표본이나 기구 사용, 제작)를 활용하여 학습할 수 있다. 이에 대해 Marx와 Walsh(1988)는 소집단별로 서로 다른 유형의 매체를 활용하여 학습 활동을 전개하면, 학생 자신이 학습 활동을 통제하고 제어하는 느낌을 갖게 된다(설양환 · 박태호 외 역, 2005: 172).

◎ 매체 활용 점검표

5분 간격	구두 자료	쓰기 자료	시각 자료	촉각 자료
1				
2				
3				
4				
5				
6				
7				
8				
9				
10				
합계				
백분율				
시간(분)				

4. 학생 배움중심의 수업 원리

공감
- 칭찬
- 격려
- 신뢰
- 존중
- 유머
- 딴청
- 기타

배움 내용
- 선개념(기능)
- 오개념(기능)
- 난개념(기능)

지원
- 개발
- 도전
- 연결
- 공유
- 대기
- 표현
- 기타

학생 배움중심 수업 원리로 정서적 공감과 인지적 지원을 들 수 있다.[11] 정서적 공감 원리에는 칭찬하기, 격려하기, 존중하기, 수용하기 등이 해당되고, 주로 학생 입장을 정서적으로 공감하고 지지하는 역할을 한다. 인지적 지원 원리에는 개발하기, 도전하기, 참여하기, 연결하기, 책임 공유하기, 작게 나누어 질문하기(세분) 등이 해당되고, 주로 지식과 기능의 개발과 소통 및 표현을 지원하는 역할을 한다.

> **배움 원리를 반영한 분수의 덧셈과 뺄셈에서 분모도 함께 계산하는 오개념 지도 예시**
>
> 배움 원리를 반영한 분수의 덧셈과 뺄셈에서 분모도 함께 계산하는 오개념 지도 방안입니다. 우선, 분모가 다른 분수의 덧셈과 뺄셈에서 분모를 더하거나 빼면 그렇게 계산한 까닭을 질문하며 탐구할 기회를 줍니다(관찰, 발문). 이를 통해 학생이 오개념을 지닌 지점을 정확히 파악할 수 있습니다(관찰). 그런 후, 단팥빵이나 곰보빵처럼 동그란 모양의 빵 또는 두부 등과 같이 단순한 구체물을 활용하여 계산에 활용한 분수를 나타내어 보도록 합니다(단서, 도전). 각각을 나타낸 조각을 합하여 자신이 계산한 결과를 시각적으로 확인합니다(연결). 이제는 학생이 잘못 대답한 답을 구체물로 나타내어 보도록 하고, 앞서 분모를 더해서 나온 결과물과 같은지 비교하도록 하고 기다려 줍니다(대기). 이러한 과정을 통해 분모가 다른 분수의 덧셈(또는 뺄셈)에서 분모를 더하면 계산 결과가 달라질 수 있음을 발견할 수 있도록 합니다. 즉, 분모가 다른 분수의 덧셈과 뺄셈에서 분모를 더하거나 빼면 계산의 결과에서 오류가 나타날 수 있음을 학습할 수 있도록 합니다. 관찰, 발문, 단서, 도전, 표현, 대기 등의 배움 원리를 활용하여 오개념을 지닌 학생의 학습 활동을 지원할 수 있습니다. 구체물을 활용하여 직접 탐구하게 함으로써 수에 대한 개념을 좀 더 명확히 형성할 수 있으며, 실제 현상의 관계를 명확하게 인식하게 하는 데 많은 도움을 줄 수 있습니다. 시간이 좀 걸릴지라도 학생 스스로 자신이 계산한 과정에서 범한 오류를 발견할 수 있도록 기다려 주고(대기) 격려한다면 많은 도움이 될 것입니다. 한편, 2~4명의 학생으로 구성된 소집단 활동을 통해 서로 토의하도록 하면서 공동으로 문제를 해결할 수도 있습니다. 무엇보다도 학생이 오개념을 형성하게 된 원인을 명확히 파악하고, 이에 대한 공감과 지원에 기초한 '분수의 덧셈과 뺄셈에서 분모도 함께 계산하는 오개념 처방 교수법'을 제시하면 다음과 같습니다.

---

11. 박태호(2009: 51~60)에서 요약 발췌 및 추가.

◎ 분수의 덧셈과 뺄셈에서 분모도 함께 계산하는 오개념 처방 교수법과 교수학습 원리

개념	• 분모가 다른 분수의 덧셈과 뺄셈에서 분모를 같게 해 주되 서로 더하지 않는다.

⬇

오개념	• 분수의 덧셈과 뺄셈에서 분모도 함께 계산한다. _ 분자를 더하고 빼듯이 분모도 더하고 뺀다고 생각한다. _ 분모의 뺄셈에서 분모가 작은 분수가 앞에 있으면 계산할 수 없다고 생각한다.

⬇

배움 전략 (교수법)	• 동그란 빵이나 두부 등의 구체물을 활용하여 계산 결과를 비교한다(단서). • 각각을 나타낸 조각을 합하여 자신이 계산한 결과를 시각적으로 비교한다(연결).

⬇

배움 원리	• 공감: □칭찬 □격려 □존중 □수용 □유머 □딴청 □기타 • 지원: □도전 □개발 □연결 □공유 □대기 □표현 □기타

1) 정서적 공감 원리

(1) 칭찬하기

칭찬하기는 적절한 반응에 대해 긍정적인 평가를 하는 전략이다(Brophy, 1986). 칭찬하기는 언어를 매개로 하여 이루어지는 긍정적 피드백의 한 유형이다. 교사는 칭찬을 하면서 학생이 자유분방한 분위기에서 적극적으로 대답할 수 있도록 유도를 해야 한다. Brohpy와 Good(1986)에 따르면, 대부분의 교사가 칭찬을 하면서 보낸 시간은 하루 일과의 2%에 불과하다고 한다. 칭찬의 교육적 효과에 비해, 실제 교실 수업에 적용된 칭찬하기 비율은 매우 미약하다고 할 수 있다.

칭찬은 칭찬 방식과 칭찬 유형으로 구분할 수 있다. 칭찬 방식에는 ① 말로 하는 칭찬, ② 고개를 끄덕이거나 등을 두드리는 것과 같은 신체를 활용한 칭찬, ③ 글로 하는 칭찬이 있다. 칭찬 유형에는 ① 중립적 확언, ② 놀람이나 기쁨, 흥분 표현, ③ 가치 설명, ④ 사용과 확장, 정보 입수의 칭찬이 있다. ① 중립적 확언에는 '좋아', '훌륭해', '그렇지' 등이, ② 놀람이나 기쁨, 흥분 표현에는 '너는 천재다', '탁월해' 등이, ③ 가치 설명에는 '학급 어린이들에게 정답인 이유를 설명하고, 원인이나 요소를 분석해서 증명하기' 등이, ④ 사용이나 확장, 정보 입수에는 '다음 수준으로 학생 반응을 인도하거나 후속 단계에 도달할 수 있도록 칭찬 사용하기' 등이 해당된다.

(2) 격려하기

격려하기란 부정확하게 답변을 하거나 오답을 한 학생을 격려하여 그 학생이 원하는 내용으로 반응하도록 인도하는 수업 대화 전략이다(조벽, 2001: 112~114; Graesser et al., 1995; Person, 1994). 학생이 과제 수행에 필요한 지식, 기능/전략, 태도에 관해 오류를 범하거나 부적절한 행동을 하면 지적을 하여 교정해야 한다. 만약 이에 대해 언급을 하지 않으면 학생은 오답을 정답으로 알게 될 가능성이 있으므로 교사는 오류 상황을 파악하는 즉시 개입하여 교정해야 한다.

문제는 교정 방식에 있다. 지나치게 무안을 주거나 이와는 반대로 지나치게 칭찬을 하면 안 되기 때문이다. 학생의 오류를 교정할 때에는 틀린 이유를 명확히 밝히되 교사가 보다 적극적으로 개입하여 '~하니까 그렇게 생각할 수 있겠군', '그런 점도 있지', '○○의 생각도 옳은데 그 생각에는 어떤 내용이 빠져 있나 하면~' 등의 표현을 사용할 수 있다(이용숙 · 조영태, 1987: 253).

(3) 유머 활용하기

유머 활용하기는 긴장과 이완의 심리를 적절히 활용하여 진행하는 수업 대화 전략이다. 교실 수업은 목표 지향적이라는 점에서 팽팽한 긴장이 흐르기 쉽다. 그러나 긴장할수록 학습 효과는 떨어진다(민현식, 2001: 82~83). 또 고차원적인 사고 능력을 기른다고 해서 너무 심각한 질문만을 하게 되면 수업 분위기가 딱딱해져서 학생이 흥미를 상실할 우려가 있다(이용숙 · 조영태, 1987: 243). 이때 유머 활용하기 전략을 활용하면 효과적이다. 또 수업 중 교사의 발문에 대해 부적절한 반응을 한 학생이 친구들 앞에서 무안함을 느끼지 않고, 학습 활동을 마무리하도록 유머를 사용하면 효과적이다.

(4) 맞장구치기(수용하기)

맞장구치기는 교사가 학생의 말을 듣는 도중이나(Clark & Schaefer, 1989), 듣고 난 후에 사용하는 피드백 전략이다(장은아, 1999). 맞장구치기에는 언어적, 비언어적 행위가 포함되고, 이것을 사용하는 목적은 학생의 문제 해결 능력 신장과 명확한 표현의 유도에 있다. 맞장구치기의 유형에는 적극적 유형의 맞장구, 중도적 유형의 맞장구가 있다. 약간 적극적 유형에는 '좋았어', '그래', '잘했어', '적극적으로 고개 끄덕이기' 등이 포함되고, 중도적 유형에는 '으―음', '아―아아', '어―어어', '눈짓' 등과 같이 명확하게 의사표현을 하면서 맞장구를 치는 것은 아니지만 동조하고 있다는 느낌이 들게 하는 것들이 포함된다.

맞장구치기는 다음의 세 가지 기능을 가진다. 첫째, 교사가 맞장구를 칠 때, 학생은 자신이 하고 있는 말을 교사가 주의 깊게 듣고 있으며, 자신이 말하는 내용을 교사가 이해하고 있다는 생각을 하게 된다(Clark & Schaefer, 1989). 둘째, 중도적 혹은 적극적 차원에서 이루어지는 맞장구치기를 접하는 학생은 심리적으로 편안함을 느끼거나 학습 동기가 유발되고, 경우에 따라서는 스스로 자신의 생각을 조절하면서 발표하는 자기조절 사고 능력을 기를 수 있다. 셋째, 맞장구치기는 대화를 지속시킬 수 있는 동기를 제공한다. 대화 도중 고개를 끄덕이거나 미소를 짓는 교사의 비언어적 행위나 '좋아' 등과 같은 언어적 행위는 우호적 분위기에서 대화를 지속시킬 수 있는 윤활유 역할을 한다.

(5) 존중하기

학생 개인을 하나의 인격체로 인정하고, 학습권을 존중한다. 학생이 학습 활동 도중에 오개념(기능)이나 난개념(기능) 때문에 주춤거리는 상황이 발생할 때에 부정적인 언어를 사용하여 명령, 지시, 억압, 강요, 비난 등을 하지 않고, 학생이 따뜻하고 편안한 상태에서 학습 활동에 참여할 수 있도록 배려하는 것이다.

2) 인지적 지원 원리

(1) 작게 나누어 말하기(슬라이싱(Slicing); 분화)

작게 나누어 말하기는 초기 대화 목적과 내용은 바꾸지 않고 학습자의 수준에 맞게 범위를 작게 조정하거나 쪼개어 대화를 나누는 전략이다(Brophy, 1986). 이 전략을 사용할 때에는 한 번에 한 가지씩, 체계적인 절차를 밟되 학생이 쉽게 말하게 해야 한다.

(2) 책임 공유하기

책임 공유하기란 동료와 사전에 답변을 의논하고, 그 결과에 대해서도 공동 책임을 지는 것(조벽, 2001: 110), 오답 제시에 대한 책임을 학생 개인이 아닌 교사나 동료가 함께 지는 것을 말한다. 학습 능력이 우수한 학생이나 부진한 학생 모두 수업 중 답변하기 어려운 문제로 고민하는 경우가 있다. 이때에 동료 학생과 사전에 의논을 하면 부담이 줄어든다. 정답을 몰랐지만 동료와 의논을 하면서 부담이 줄고, 오답을 제시한 경우에도 책임이 분산되어 부담을 덜 느낀다.

(3) 기다리기

기다리기란 교사가 학생에게 발문을 할 때에 학생이 발문 내용을 충분히 생각하고 답을 하도록 시간적 여유를 주는 전략이다. 연구 결과에 따르면 발문 후에 학생의 반응을 기다리는 교사의 대기 시간은 학생 반응의 질과 양에 영향을 준다(Rowe, 1974).

발문 후 3~5초 정도에 걸쳐 의도적으로 기다리기 전략을 사용한 결과 학생에게는 ① 응답시간의 증가, ② 자발적이고 정확한 응답의 증가, ③ 부정확한 응답의 감소, ④ 학생 자신감의 증가, ⑤ 심사숙고하여 발표하는 사례 증가, ⑥ 교사주도의 대화 감소에 따른 학생주도의 대화 증가, ⑦ 더 많은 증거 제시를 이용한 추론 및 진술하기, ⑧ 학생주도의 질문 증가, ⑨ 학습 부진 학생들의 수업 참여도 증가 등이 일어났다. 교사에게는 ① 토의 과정 유연, ② 발문양의 감소, ③ 다양한 유형의 발문 사용 증가, ④ 학습 부진 학생들에 대한 교사의 기대 증가 등이 일어났다(권낙원 역, 2001: 381~382).

(4) 딴청부리기

딴청부리기는 수업 시간에 학습 동기를 유발할 때, 선수학습 관련 내용을 확인하기 위해 배경지식을 활성화할 때, 학습자에게 긴장감을 조성하면서 새로운 내용을 학습시킬 때에 사용하는 수업 대화 전략이다. 일명 모르는 척하기 전략, 잡아떼기 전략이라고 할 수 있다. "선생님이 잘 모르니까 여러분들이 도와주세요.", "창수가 이야기한 것이 정말 맞아요?", "선생님이 작년에 5학년 형님들을 가르칠 때, 형님들도 굉장히 어려워하던 문제인데, 여러분들이 이 문제를 풀 수 있어요?", "선생님은 잘 기억이 나지 않는데 ○○○의 뜻이 무엇이죠?"와 같은 수업 대화가 여기에 해당된다.

(5) 연결하기

선수학습 내용과 후속 학습 내용 연결하기, 학생 경험과 학습 내용 연결하기, 배경지식과 학습 내용 연결하기, 동료의 생각과 내 생각 연결하기, 현재의 학습 내용과 다른 교과의 학습 내용 연결하기, 교과서의 내용과 교과서 밖의 내용 연결하기 등이 해당된다.

(6) 도전하기

본인의 학습 능력보다 난이도가 약간 높은 과제에 정면으로 맞서 문제를 해결하게 하거나 새로운 목표 달성을 위해 과제 수행에 적극적으로 참여하는 것을 말한다. 학생 스스로 학습 활동의 주체가 되어 목표와 과제를 선정하고, 해결 방안을 모색할 때에 최선의 학습 효과를 얻을 수 있다. 이때에 교사나 유능한 동료는 학생이 복잡한 과제에 대해 지속적으로 도전하도록 비계설정을 해야 한다.

(7) 표현하기

학생이 학습 활동의 주체가 되어 동료와의 상호작용을 바탕으로 지식을 구성하고, 공부한 내용을 자신의 생각과 언어로 진술하여 친구 앞에서 다양한 방법으로 자유롭게 발표하게 하면 더 효과적이다. 학습 활동 표현 방법에는 말하기, 쓰기, 그리기, 춤, 역할놀이, 음악, 율동 등이 포함된다.

(8) 개발하기

학습 목표 도달에 필요한 학습 능력(지식 및 기능과 태도)을 발전시키는 것이다. 새로운 관점, 가능성 및 아이디어를 추구하거나 계속 발전시키도록 격려하고 유도한다.

(9) 되돌리기

학생이 오개념이나 난개념을 배우면서 주춤할 때에 이전 학습으로 돌아가서 다시 학습하는 것을 말한다. 이때에는 이전 학습에서 배운 내용을 복습할 수도 있고, 이전 학습 내용보다 더 쉬운 내용으로 다시 학습할 수도 있으며, 교사주도로 동료주도 등 다양한 학습 유형이 가능하다. 아울러 e-러닝에 기초한 학습도 가능하다.

(10) 더 나아가기

학생이 기본 학습 활동을 종료한 후에 심화 학습을 하는 것이다. 학생 수준보다 다소 높은 도전 과제를 제시하는 것이 좋고, 자기주도나 동료주도 등의 다양한 활동이 가능하다.

제2부

학생 진단을 통한
개념이해학습 설계과정

네 개와 넷째는 같다?

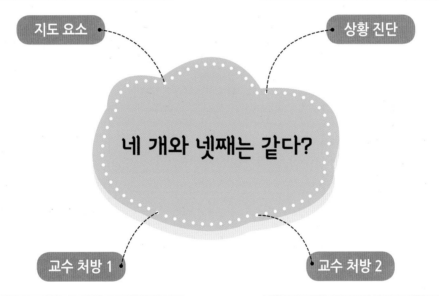

단원명
1. 9까지의 수

한눈에 알아보기

◎ 학습 주제

몇째일까요?

◎ 성취 기준

〔2수01-01〕 0과 100까지의 수 개념을 이해하고, 수를 세고 읽고 쓸 수 있다.

◎ 오개념

네 개와 넷째는 같다.

◎ 난개념

똑같은 숫자라도 상황에 따라 나타내는 의미가 다르다.

지도 요소

상황 진단

네 개와 넷째는 같다?

교수 처방 1

교수 처방 2

◎ 오개념 처방

• 이야기 속에서 순서가 있는 상황을 파악하고 수로 순서를 나타낼 수 있음을 이해하도록 한다.

• 순서 놀이를 통해 순서수의 개념을 익히도록 한다.

◎ 난개념 처방

• 집합수, 순서수, 이름수의 의미를 구별하여 가르치기 보다는 생활 속에서 수를 사용하는 다양한 상황을 경험하며 자연스럽게 균형 잡힌 수 개념을 형성하도록 한다.

지도 요소

○ **성취 기준** 〔2수01-01〕 0과 100까지의 수 개념을 이해하고, 수를 세고 읽고 쓸 수 있다.

○ **관련 단원** 1학년 1학기 1. 9까지의 수

○ **학습 주제** 몇째일까요?

○ **학습 목표** 9까지의 수로 순서를 나타낼 수 있다.

상황 진단

아는 지식 (학생 실제 발달 수준)	교수 처방	알게 된 지식 (교육과정 성취 기준)
• 1~9까지의 수 세기 • 1~9까지의 수 읽고 쓰기 ■ 주로 '개수 세기'를 통한 수 개념 형성으로 네 개와 넷째가 같다고 생각하는 경우가 있음. ■ 똑같은 숫자라도 상황에 따라 수가 나타내는 의미가 달라짐을 이해하지 못하는 경우가 있음.	시범 ⇨ 관찰 ⇨ 놀이 오개념, 난개념 처방	■ 네 개는 양을 나타내고 넷째는 순서를 나타냄을 이해함. ■ 같은 숫자라도 상황에 따라 수가 나타내는 의미가 달라짐을 자연스럽게 이해함.

학습 계열

선수 학습	본 학습	후속 학습
• 생활 속에서 사용하는 수의 여러 가지 의미 알기 • 스무 개 가량의 구체물을 세어보고 수량 알아보기	• 9까지 수의 순서를 알고 이용하기	• 50까지의 수 개념을 이해하고, 수를 읽고 쓰기

교사가 알아야 할 지식

1. 자연수의 의미

많은 사람들이 수를 다양한 장면에서 사용하고 있지만 수의 의미가 다르다는 사실은 인식하지 못하고 있다.

다음 장면에서 사용되는 수가 어떤 의미를 지니고 있는지 생각하여 보자.

> 나는 2012년 5월에 태어났으며, 지금은 8살이다. 석사 아파트 122동 1205호에 살고 있다. 나의 키는 129cm인데 반에서 키가 큰 순서로 3번째이다. 호반초등학교 1학년 2반이고, 출석번호는 5번이고, 오늘 선생님 심부름을 5번 하였다.

1) 집합수(cardinal number)

양을 나타내는 수이다. 어떤 집합의 원소가 몇 개 인가를 나타낸다. 연필 5자루, 책 5권, 학생 5명 등의 5는 모두 같은 의미로 사용된 것이다.

2) 순서수(ordinal number)

위치를 나타내는 수이다. 대상이 순서대로 나열되었을 때 상대적인 위치를 나타낸다. 5위, 5등, 5째 등의 5는 상대적인 위치를 나타내는 의미로 사용된 것이다. 같은 대상도 기준에 따라 위치를 나타내는 수가 달라질 수 있다.

3) 이름수(명목수: nominal number)

사람의 이름 대신에 부여한 수로서 양을 나타내거나 연산의 대상은 아니지만 자료를 정리할 때 중요하게 활용된다. 전화번호, 아파트 동 호수, 출석번호, 주민등록 번호 등이 명목수이다. 5번 버스, 출석번호 5번, 아파트 5동 등은 모두 사물의 이름 대신에 부여한 명목수이다.

※ 측정수(measuring number)

연구자에 따라서는 측정수를 제시하기도 한다. 측정수란 연속량인 대상을 측정한 결과를 나타내는 수이다. 길이, 무게, 부피, 시간 등은 세어서 나타내는 것이 아니라 재어서 나타내는 것이므로 측정수라고 한다. 5cm, 5kg, 5시간, 5달 등의 5는 모두 연속량을 잰 결과를 나타낸 측정수이다.

• 자료출처 : 김성준 외(2015). 『초등학교 수학과 교재연구와 지도법』. 동명사.

교실 속 오류상황

1. 조각 케익은 모두 몇 개 인가요? 4개

2. 넷째 조각 케익에 ○하세요.

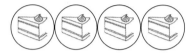

순서수를 학습 할 때 보면 이렇게 생각하는 학생들을 만날 수 있다. 왜? 라고 물어보면 넷과 넷째는 같은 수 아니에요? 라며 반문한다. 이는 지금까지 주로 양(집합수)의 개념으로 수를 이해하고 경험했기 때문이다.

수를 처음 접하는 아이들은 구체적인 대상을 세는 것부터 시작하여 '수 세기'를 통해 수에 대한 양감을 형성한다. 이렇게 집합수의 개념을 먼저 형성한 후 점차 순서수와 이름수로서의 수의 의미도 이해할 수 있게 된다. 수학 1-1학기 1단원. 9까지의 수 〈5차시 몇째일까요?〉에서는 앞 차시에서 수세기를 통해 1부터 9까지의 수 개념을 이해한 후 첫째부터 아홉째까지의 순서를 나타내기 위해 수를 활용함을 학습한다. 이때 지금까지 주로 '개수 세기'만을 경험하며 수 개념을 형성해 온 아이들은 첫째, 둘째, 셋째… 의 순서를 의미하는 순서수 역시 1개, 2개, 3개… 의 양을 나타내는 집합수로 인식하는 오류를 범하게 된다. 이를 지도하기 위해 집합수, 순서수, 이름수를 구별하여 이해하도록 지도할 필요는 없다. 상황에 따라 달라지는 수의 의미를 자연스럽게 이해할 수 있도록 생활 속에서 다양한 수에 대한 경험을 제공하는 것이 중요하다. 이를 위해 교실에서 할 수 있는 몇 가지 활동을 소개한다.

1단계 – 이야기 속에서 순서수 익히기 [시범] [관찰]

오늘은 현장체험학습을 가는 날입니다. 친구들이 버스를 타기 위해 정류장에 차례대로 줄을 서 있네요. '버스가 언제 올까?' 모두들 설레며 들뜬 마음으로 버스를 기다리고 있습니다.

위와 같은 이야기로 상황을 설정하고 친구들이 줄을 선 순서대로 버스를 탈 때 몇째로 탈 수 있는지 이야기를 나누어 보도록 한다.

- 버스를 타기 위해 줄을 서 있는 친구들은 모두 몇 명인가요? – 9명입니다.
- 첫째에 서 있는 친구는 누구일까요? – 병규입니다.
- 둘째에 서 있는 친구는 누구일까요? – 동식입니다.
- 미선이는 몇째로 탈 수 있을까요? – 여섯째입니다.
- 민우는 몇째로 탈 수 있을까요? – 넷째입니다.
- 순서를 수로 나타낼 수 있을까요? – 네.
- 첫째는 어떤 수로 나타내면 좋을까요? – 1입니다.
- 그렇게 생각한 이유는 무엇인가요? – 1이 가장 먼저 나오니까요.
- 둘째는 어떤 수로 나타내면 좋을까요? – 2입니다.
- 셋째는 어떤 수로 나타내면 좋을까요? – 3입니다.

위와 같은 발문으로 이야기 속에서 순서를 알아본 후, 순서를 나타내기 위해서도 수가 사용됨을 알고 집합수의 개념과는 다른 순서수의 개념을 익히도록 한다.

이때 아이들에게 "이렇게 순서를 나타내는 수는 순서수라고 하는 거야"라고 집합수와 순서수의 용어를 직접 지도할 필요는 없다. 의도적으로 집합수와 순서수를 구별하도록 가르치기 보다는 수에 대한 다양한 경험을 통해 자연스럽게 상황에 따라 달라지는 수의 의미를 이해하도록 하는 것이 바람직하다.

2단계 - 줄을 서시오! (순서 놀이) 놀이

〈놀이 방법〉

① 1~9까지의 수가 쓰여 있는 수 카드 9장을 숫자가 보이지 않도록 뒤집어 놓는다.

② 9명의 학생이 나와 수 카드를 1장씩 고른다.

③ 자신이 고른 수의 순서대로 선생님 앞에 줄을 선다.

④ 줄을 모두 서면 순서대로 첫째, 둘째, 셋째 … 아홉째 까지 큰 소리로 외친다.

⑤ 아이들은 교사가 제시하는 미션을 수행한다.

⑥ 미션을 10번 연속으로 맞게 수행하면 통과한다.

☞ 놀이할 때 ③~④까지 걸린 시간을 교사가 초시계로 재면서 활동하면 아이들이 좀 더 놀이에 집중하며 박진감 넘치는 활동이 된다.

☞ ④번 이후 다음과 같은 발문으로 아이들이 수와 수의 순서를 연계하여 생각할 수 있도록 한다.

• 4는 몇째를 나타낼까요? - 4는 넷째를 나타냅니다.

• 5는 몇째를 나타낼까요? - 5는 다섯째를 나타냅니다.

• 일곱째에 있는 친구는 누구인가요?

• 여덟째에 있는 친구는 누구인가요?

• 미서는 몇째에 있나요?

☞ ⑤번 활동에서 교사는 다음과 같은 미션을 제시할 수 있다.

예시) "첫째 뒤로 돌아.", "다섯째 앉아.", "둘째, 셋째 악수해.", "아홉째 손 머리.", "다섯째 만세.", "여섯째, 일곱째 하이파이브.", "넷째 박수 세 번.", "여덟째 점 프." 등

이처럼 놀이를 통해 아이들은 첫째, 둘째, 셋째와 같이 순서를 나타내기 위해서도 숫자가 쓰인다는 것을 알고 상황에 따라 하나의 숫자가 양이나 크기를 나타낼 수도 있고 순서를 나타내기도 한다는 것을 자연스럽게 익히며 균형 잡힌 수 개념을 형성할 수 있다.

3단계 – 수를 넣어 이야기 만들기 시범 관찰 체험

우리의 생활 속에서 수는 다양한 상황에서 여러 가지의 의미로 사용되고 있다. 양을 나타내는 집합수(기수)와 순서를 나타내는 순서수의 의미 뿐 아니라 운동선수의 등번호나 버스의 번호처럼 대상을 구별하기 위해 이름처럼 사용되는 이름수의 의미로 사용되기도 한다. 이처럼 생활 속에서 사용되는 다양한 수의 의미를 알아보기 위해 수를 넣어 이야기 만들어 보기 활동을 할 수 있다.

– 숫자 3이 들어가는 문장을 만들어 볼까요?

– 예를 들어 "나는 3번입니다.", "저는 셋째(3)입니다.", "제 생일은 3월 12일 입니다." "연필이 3자루 있습니다." 등 숫자 3이 들어가는 문장이면 무엇이든 좋아요. (아이들은 각자 자신이 생활에서 경험한 숫자 "3"을 넣어 짧은 문장을 만든다.)

– 다 쓴 친구들은 앞에 나와서 발표하고 칠판에 붙여 봅시다.

아래 사진 속에 아이들이 숫자 "3"을 넣어 만든 문장들을 살펴보면 집합수, 순서수, 이름수로서의 의미를 나타내는 숫자 3이 다양하게 들어 있는 것을 볼 수 있다. 그렇다고 이것을 구분지어 분류할 필요는 없다. 지금까지 주로 양이나 크기의 개념으로 수 개념을 형성해 왔다면 생활 속에서 수를 사용하는 다양한 상황을 통해 자연스럽게 수의 쓰임을 이해하고 균형 잡힌 수 개념을 형성하도록 하는 것이 중요하다.

 Tip

위 활동에서 사용한 학습 자료는 허니컴보드와 보드마카이다. 아이들이 쓰기 쉽고 칠판에 붙여 전체의 의견을 한 눈에 파악할 수 있어 여러 교과에서 유용하게 활용된다.

곧게 펴진 것이 길고, 구불구불 된 것이 짧지!

단원명
4. 비교하기

한눈에 알아보기

1 2 3 4
5 6 7 8
9 ÷ = 0

1
학년

1
학기

학습 주제

비교하기

성취 기준

〔2수03-01〕 구체물의 길이, 들이, 무게, 넓이를 비교하여 각각 '길다, 짧다', '많다, 적다', '무겁다, 가볍다', '넓다, 좁다,' 등을 구별하여 말할 수 있다.

오개념 1

길이를 비교할 때 곧은 선은 길고 굽은 선은 짧다고 생각한다.

오개념 2

길이 비교는 시작점이 달라도 된다.

지도 요소

상황 진단

곧게 펼친 것이 길고 구불구불 된 것이 짧지!

교수 처방 1

교수 처방 2

오개념 처방

• 곧게 펼친 것과 구불구불 된 것을 모두 펼쳐서 비교해 볼 수 있도록 한다.

난개념 처방

• 구체물을 활용하여 두 끈의 시작점을 맞추어 비교할 수 있도록 한다.

지도 요소

- **성취 기준** 〔2수03–01〕 구체물의 길이, 들이, 무게, 넓이를 비교하여 각각 '길다, 짧다', '많다, 적다', '무겁다, 가볍다', '넓다, 좁다' 등을 구별하여 말할 수 있다.
- **관련 단원** 1학년 1학기 4. 비교하기
- **학습 주제** 어느 것이 더 길까요?
- **학습 목표** 길이를 비교하여 '길다., 짧다.'로 표현할 수 있다.

상황 진단

아는 지식 (학생 실제 발달 수준)	교수 처방	알게 된 지식 (교육과정 성취 기준)
■ 직관적으로 끝 점이 긴 것을 길다고 이야기할 수 있다.	 시범 ⇨ 관찰 ⇨ 매체 놀이 오개념, 난개념 처방	■ 시작점을 같게 만든 후 길이 비교를 해야 정확한 비교가 가능하다. ■ 굽은 선의 경우 펴서 길이 비교를 해야 정확한 비교가 가능하다.

학습 계열

선수 학습	본 학습	후속 학습
• 생활에서 길이의 속성 비교하고 순서 짓기 – 5세 누리과정	• 비교하기의 의미와 필요성 알기 • 두 가지 또는 세 가지 대상의 '길이, 무게, 넓이, 들이'를 직관적 또는 직접 비교하기 • 길이, 무게, 넓이, 들이' 속성에 따라 비교한 결과를 적합한 말로 표현하기	• 길이를 나타내는 표준단위의 필요성을 인식하고 1cm 도입하기 • 구체물의 길이재기 • 여러 가지 물건의 길이를 어림하고 길이에 대한 양감 기르기 – 2–1–4. 길이재기

1. 양의 비교

측정이란 대상의 어떤 속성의 양에 수를 부여하는 과정이며, 그 목적은 양의 비교에 있다고 할 수 있다. 즉, 양을 크기라는 수학적 표현으로 바꾸어 대소 관계를 파악하는 것이 측정의 목적이다. 그러나 측정을 통하지 않고도 두 대상의 대소 관계를 파악하는 것이 가능하기는 하다. 수치화되기 이전에 대략적으로 파악되는 양의 상대적 크기에 근거한 비교이다. 아직 측정에 대한 수치화가 이루어지지 않았지만, 직관적 비교, 직접 비교, 간접 비교를 통해 양의 크기를 비교하고, 그 결과를 '길다, 짧다'를 사용하여 표현하도록 하는 것이다. 이와 같은 양의 비교 활동은 단위를 사용한 측정의 필요성을 확인하게 하는 동기를 부여한다. 즉 한 쪽이 다른 한 쪽보다 크다는 것을 알지만 얼마나 큰지를 알기 위해서는 측정의 필요성이 대두되는 것이다. 따라서 양의 직접 비교와 간접 비교는 측정 개념 지도의 출발점으로 다루어진다.

가. 직관적 비교, 직접 비교, 간접비교

연필과 크레파스 중 어느 것이 더 긴지 판단할 때 관찰하는 것만으로도 시각적으로 길이를 비교할 수 있는 경우는 직관적 비교에 해당한다. 그러나 길이가 엇비슷하거나 확실한 판단이 필요할 때는 두 대상을 맞대어 보면 어느 것의 길이가 더 긴지 쉽게 알 수 있고, 이렇게 직접 맞대어 보고 대소 관계를 정하는 것은 직접 비교에 해당한다. 한 편 멀리 떨어져 있어 직접 비교가 불가능한 경우에는 매개적 역할의 사물, 즉 끈이나 막대와 같은 것을 이용하여 길이를 비교할 수 있고, 이를 간접 비교라 한다.

2. 길이의 비교(길다, 짧다)

길이 비교를 위해 다양한 활동을 통한 길이 속성을 지닌 여러 가지 물체를 비교하게 한다. 예컨대 두 자루의 연필을 비교하게 하면 학생들은 눈으로 확인하거나 한쪽 끝을 맞추어 나란히 놓거나 세워서 길이를 비교한다. 이와 같이 여러 가지 구체물의 길이를 직관적 또는 직접 비교함으로써, 그 결과를 '더 길다. 더 짧다.'로 표현하게 한다. 특히 길이를 비교할 때는 기준선을 맞추어 비교해야 함을 인식시킬 필요가 있다. 기준점이 달라지면 비교 결과가 달라진다는 점을 강조하여야 자를 이용한 측정 활동까지 연계 지도 가능하다.

길이 차원의 속성이지만 비교하는 말이 다른 키나 높이의 비교 활동은 일상생활에서 흔히 일어나는 상황이므로 다룰 필요가 있다. 비교하는 말이 '높다, 낮다', '키가 크다, 키가 작다' 등으로 차이가 있기 때문이다. 또한 두 물체의 비교에 이어 셋 이상의 물체를 비교하는 활동을 할 때는 '더 길다' 뿐만 아니라 '가장 길다'와 같은 표현도 활용할 수 있음을 안내해야 한다.

직접 비교 활동 후, 간접 비교가 필요한 상황의 경우 기준 물체(끈 등)를 이용하여 친구 것과 내 것을 비교하는 상황 또한 이해할 수 있도록 한다.

- 강완, 나귀수, 백석윤, 이경화(2013), 『초등수학 교수 단위사전』, 경문사
- 김수환, 박성택, 신준식, 이대현, 이의원, 이종영, 임문규, 정은실(2012), 『초등학교 수학과 교재연구』, 동명사

교수 처방 1, 2

교실 속 오류상황

구불구불하면서 끝점이 짧은 ㉠보다 곧고 끝점이 더 긴 ㉡이 더 길어!

5세 누리과정에서는 일상생활에서 길이의 속성을 비교하고 순서 짓기 활동을 하였다. 하지만 이 시기에 길이를 비교하는 방법을 충분히 이해하지 못한 친구는 위와 같은 상황에서 오류를 범할 가능성이 크다.

따라서 이 차시를 학습을 할 때는 오류를 줄일 수 있는 충분한 활동이 필요하다.

1~2학년 학생들은 실물을 활용하여 구체적으로 조작하는 활동을 좋아한다. 아이들이 평소에 있을 수 있는 상황을 이야기로 꾸미고 이를 활용할 수 있는 구체물을 제시하여 활동을 전개하고자 한다.

가을이가 우리 반 친구들과 함께 활동하기 위하여 줄넘기를 사러 갔대.

근데 가을이와 아저씨의 생각이 서로 다른 것 같구나. 우리 친구들이 문제를 해결해 주겠니?

가을이 아저씨. 안녕하세요.

문구점 아저씨 어서오세요.

가을이 우리 반 친구들에게 나누어줄 길이가 같은 줄넘기가 필요해요.

문구점 아저씨 여기 있는 줄넘기는 모두 길이가 같답니다.

가을이 길이가 모두 다른 것 같은데...

이야기를 들려 준 뒤 이 문제를 해결해 보게 하고 구체적 조작 자료를 활용하여 교사가 먼저 시범을 보여 준다.

1단계 – 구체적 조작 자료를 활용하여 알아보기

교사는 이야기 속의 문제를 해결하기 위해 구체물을 활용하여 시범을 보인다. 이 때 학생들이 구체물을 보고 직관적으로 파악할 수 있도록 한다.

아이들에게 이야기할 때 교사의 역할은 설명식, 강의식 수업을 진행하기 보다는 아이들의 말을 듣고 어떻게 조작하면 좋을지 실현해주는 사람이다.

`시범` `관찰` `조작`

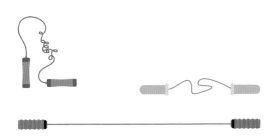

교사는 아이들에게 미리 준비한 3개의 줄넘기를 보여준다.

3개의 줄넘기는 펼쳐진 것도 있고 구불구불 말린 것도 있어 눈으로만 보았을 때는 확인이 어려울 수 있도록 배치해 놓는 것이 좋다.

3개의 줄넘기를 서로 놓고 이 상태에서 비교가 가능한지 우선 이야기 해본다. 아이들의 대답에서 눈으로만 보았을 때는 확인이 어렵다는 이야기 나올 수 있도록 유도한 후에 직접 조작활동을 통해 비교를 해야 함을 깨달을 수 있도록 한다.

이번 수업을 할 때는 선생님이 학습 내용을 모르는 척 연기를 하여 아이들이 문제를 해결하기 위해 다양한 방법을 탐색할 수 있도록 해야 한다.

예를 들어 "이것 봐! 딱 봐도 길이가 다르지? 가을이가 맞았는데 아저씨가 거짓말을 하셔서 정말 억울했겠어!" 라는 식으로 연기를 해주면 아이들이 더 실감나게 탐색과정에 참여할 수 있다.

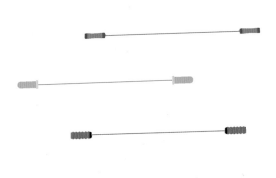

사진에 있는 자료처럼 아이가 직접 나와 줄넘기를 풀어볼 수 있도록 한다.

올바르게 길이를 재기 위해서는 곧은 선으로 모두 만들어야 한다.

교사는 아이들의 말을 듣고 줄넘기의 줄을 펴는 것처럼 하면서 **일부러 서로 다른 시작점을 만들어 아이들에게 궁금증을 유발한다.**

교사가 잘못된 방법(시작점이 다른 줄넘기의 모습)으로 비교를 한 후에

"이것 봐! 길게 펼쳐도 가을이 말처럼 서로 다른 길이가 다르잖아!"라고 이야기하여 **아이들이 바르게 비교하기 위해 선을 곧게 펴는 방법 이외의 어떠한 내용이 더 필요한지 탐색할 수 있도록 한다.**

아이들의 입에서 시작점을 같게 해야 한다는 것을 유도한 후에 이와 같은 방법으로 줄넘기의 길이를 비교할 수 있다.

아이들은 이번 수업을 통해 길이 비교를 할 때는 '① 굽은 선은 길게 펴서 비교해야 한다.' '② 비교할 때는 시작점을 맞추어 비교해야 한다.'와 같은 두 가지 내용을 모두 이해할 수 있다.

2단계 – 실제 조작 활동을 통한 길이 재기 연습(누가 누가 더 길까?) 시범 관찰 조작

▲ 연필을 이용하여 길이 비교를 하는 모습

① 곧은 물건 길이재기 (연필 길이재기)

선생님의 시범활동으로 길이 비교의 방법을 이해한 뒤 아이들이 직접 자기 자리에서 길이 비교 활동을 할 수 있도록 한다.

1학년 아이들이 쉽게 할 수 있는 길이재기는 바로 짝과 연필재기이다. 곧은 연필을 통해 기본적인 길이재기 방법을 익힌 후 다음 단계로 넘어간다.

Tip

아이들이 실제로 조작하는 단계에서는 ① 곧은 물건 길이재기(2가지) → ② 직관적으로 길이 파악이 어려운 물건의 시작점을 맞추어 길이재기→ ③ 3가지 이상의 물건의 길이재기 순으로 길이재기를 단계적으로 경험할 수 있도록 한다.

② 직관적으로 길이 파악이 어려운 물건의 시작점을 맞추어 길이 비교하기

예) 옷의 길이 비교하기

교사와 줄넘기의 길이 비교를 한 것과 마찬가지로 직관적으로 길이 비교가 어려운 물건을 비교한다. 아이들이 쉽게 비교할 수 있는 물건에는 옷, 줄넘기, 지우개 등이 있다.

옷으로 길이를 재는 경우 옷의 시작점을 맞추고 옷을 되도록 곧게 펴서 어떤 것이 더 길고 짧은 지 비교해 보도록 한다.

줄넘기의 경우 2명의 친구가 시작점을 맞춘 후에 어떤 줄넘기가 더 긴지 확인해 볼 수 있다.

▲ 옷을 비교하는 모습

▲ 줄넘기를 비교하는 모습

▲ 아이들이 다양한 물품으로 길게 만드는 모습

가장 짧다.

가장 길다.

▲ 더 긴 모둠이 어디 인지 탐색하는 모습

③ 3가지 이상의 물건을 이용하여 길이 재기(모둠 간 길이재기)

아이들과 곧은 물건과 굽은 물건을 비교하면서 시작점을 같게 비교해야 한다는 사실을 파악할 수 있다. 마지막 활동으로는 아이들이 가진 물품을 이용하여 모둠별로 가장 길게 물건을 나열해 보는 활동을 한다. 이 활동의 경우 다양한 물건의 길이를 탐색해볼 수 있고, 여러 모둠과의 활동을 통해 '비교하는 말'도 익힐 수 있다. 주어진 시간 안에 내가 가지고 있는 물건을 이용하여 가장 길이가 길게 만들고 이를 말로 표현해 볼 수 있도록 한다.

비교하는 말하기에는 '가장 길다.', '가장 짧다.'의 표현과 '더 길다.' '더 짧다.'의 표현이 있다. 모둠별로 길이 비교를 하여 관련 표현도 함께 익힐 수 있도록 한다.

⊙ 성취 기준을 바탕으로 다양하게 수업 설계를 해 보세요.

시계보기, 너무 어려워요.

단원명 5. 시계보기
와 규칙찾기

한눈에 알아보기

1234
5678
9÷×=0

1
학년

2
학기

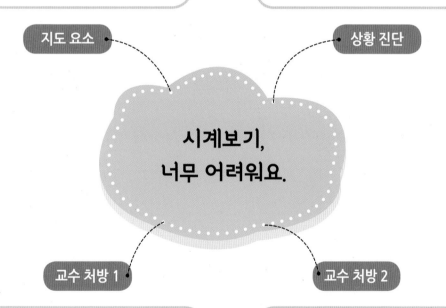

◎ 학습 주제

시계보기

◎ 성취 기준

〔2수03-02〕 시계를 보고 시각을 '몇 시 몇 분'까지 읽을 수 있다.

◎ 난개념 1

시침과 분침의 역할을 헷갈려 한다.

◎ 난개념 2

· 몇 시 30분을 표현할 때 시침은 움직이지 않는다고 생각한다.
· 몇 시 30분의 시침 위치를 잘못 파악하여 읽는다.

지도 요소

상황 진단

시계보기,
너무 어려워요.

교수 처방 1

교수 처방 2

◎ 난개념 1 처방

· 시침, 분침과 관련된 스토리텔링을 통해 시침과 분침의 관계를 재미있게 이해할 수 있도록 한다.

◎ 난개념 2 처방

· 몇 시 30분 일 때 시침이 이동함을 스토리텔링으로 설명하고 시침의 위치를 바르게 나타낼 수 있도록 한다.

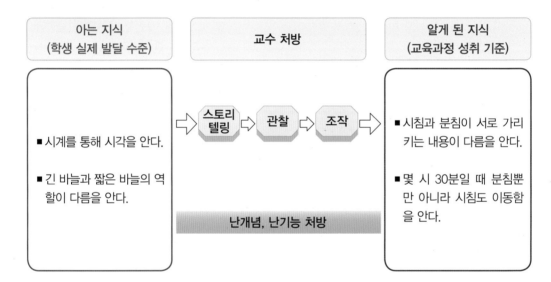

지도 요소

◎ 성취 기준 〔2수03-02〕 시계를 보고 시각을 '몇 시 몇 분'까지 읽을 수 있다.

◎ 관련 단원 1학년 2학기 5. 시계보기와 규칙찾기

◎ 학습 주제 몇 시일까요? (1), (2)

◎ 학습 목표 시각을 보고 몇 시 인지 말할 수 있다.
몇 시 몇 분을 보면서 시계에 나타낼 수 있다.

상황 진단

아는 지식 (학생 실제 발달 수준)	교수 처방	알게 된 지식 (교육과정 성취 기준)
■ 시계를 통해 시각을 안다. ■ 긴 바늘과 짧은 바늘의 역할이 다름을 안다.	스토리텔링 ▷ 관찰 ▷ 조작 난개념, 난기능 처방	■ 시침과 분침이 서로 가리키는 내용이 다름을 안다. ■ 몇 시 30분일 때 분침뿐만 아니라 시침도 이동함을 안다.

학습 계열

선수 학습	본 학습	후속 학습
• 일상생활에서 시계 만나기	• 시각의 쓰임 알아보기 • "몇 시", "몇 시 30분" 알아보기 • 일상생활에서 시각 말하기	• '몇 시 몇 분' 알기 – 2–2–4. 시각과 시간

1. 시계 보기

학생들이 초등학교에 입학하면서 필요한 기능 중 하나가 시계보기이다. 초등학교에서는 매 교시마다 시간이 정해 이동하며 쉬는 시간과 수업시간이 구분 되어 있다 보니 시계를 아는 것이 반드시 필요하다. 학생들은 처음에는 시계 보기를 이해 없이 알고 있을 수도 있지만, 시계를 분 단위로 정확하게 읽기 위해서는 체계적인 학습이 필요하다. 이 단원에서는 시계 보기를 이해하는 데 있어 가장 간단한 "몇 시", "몇 시 30분"을 다루게 된다.

이와 더불어 레이스(Robert E. Reys)는 시계보기와 관련된 다음과 같은 기능을 생각해 볼 수 있지만 반드시 순서대로 발달하는 것은 아님에 유의할 필요가 있다고 지적한다.

- 시침과 분침 그리고 그 바늘이 움직이는 방향에 대해 안다.
- 몇 시라고 말하고(분침이 12 위에 있는 경우), 몇 시인 것을 보여 주기 위해 시계 바늘을 돌린다.
- 몇 시 '이후'를 안다. (예: 4시가 지났다.)

위의 레이스(Robert E. Reys)의 지적에서 알 수 있듯이 시계 보기는 시를 읽는지 아니면 분이나 초를 읽는지에 따라 시계 위의 숫자를 읽는 방법이 다르다는 점 등의 어려움이 있는 활동이므로 쉬운 것부터 체계적인 지도가 필요하다. 다만 많은 학생들은 자라면서 시계를 보는 나름의 비형식적 방법을 가지고 있을 수 있기 때문에 이를 잘 활용할 필요가 있을 것이며, 교육과정에서도 시각 읽기는 학생의 경험 소재로 할 것을 유의점으로 제시하고 있다.

(교육부, 2015)

특히 이 단원에서는 '몇 시'와 '몇 시 30분'을 학습하게 된다. 아날로그시계가 7시를 나타낼 때 시침은 7을 가리키지만 분침은 12를 가리키는 이유를 설명하여 이해시키기는 어렵다. 마찬가지로 아날로그시계가 7시 30분을 나타낼 때 시침은 7과 8 사이를 가리키지만 분침은 6을 가리키는 이유를 설명하기도 어렵다. 분침에 대한 이해는 2학년에서 '몇 시 몇 분'을 학습하면서 이루어지기 때문에 이 단원에서는 분침의 위치는 칸을 세거나 5를 곱하거나하여 세지 않고 몇 시는 분침이 12, 몇 시 30분은 분침이 6을 가리킴을 알도록 하는 것이 좋으며, 주로 시침의 위치에 주목할 필요가 있다.

• 교육부(2015), 「2015 개정 수학과 교육과정」

• Rey, R.E., Seydam, M. N., Lindquist, M. M., & Smith, N. L.(1998). Helping children learn mathematics(5th edtion). 강문봉 외 18인 공역(1999). 「초등수학 학습지도의 이해」, 양서원

교실 속 오류상황

① 2시로 읽는 경우

② 12시 30분을 그림과 같이 표시하는 경우

①의 경우 아이들이 시침과 분침의 역할을 헷갈려 서로 다르게 읽을 때 생기는 오류이다.

②의 경우 '몇 시 30분'은 분침만 이동한다고 생각하여 생기는 오류이다.

시계는 우리가 일상생활에서 자주 접하는 도구이다. 아날로그시계부터 디지털시계까지 여러 모습의 시계가 개발되었지만 시각의 개념은 변하지 않는다. 어릴 적부터 자주 접한 시계지만 관심 있게 보지 않은 아이들은 스스로 시계를 볼 때 혼란스러워한다. 시침과 분침의 역할은 왜 다른지, 왜 시침은 짧고 분침은 긴지, 왜 분침은 써 있는 것과 다른 숫자를 읽어야하는지 익숙하지 않은 아이들에게는 복잡한 내용 투성이다.

다양한 이론에서 알 수 있듯이 시계의 의미와 왜 그렇게 보는지 이해시키는 것은 1학년 수준에서는 참 힘들다. 대부분의 아이들은 일상생활에서 자주 접할 수 있기 때문에 쉽게 이해할 수 있지만 그렇지 않은, 우리가 좀 더 자세히 살펴보아야 할 아이들을 위해 시계보기를 이해하기 위한 스토리텔링을 준비하였다.

시계에 대해 도입하기 전 시계의 특징을 재미있게 묘사하여 아이들이 맞춰보는 과정을 통해 스토리텔링에 몰입할 수 있도록 한다.

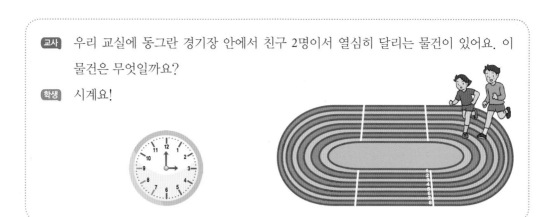

교사 우리 교실에 동그란 경기장 안에서 친구 2명이서 열심히 달리는 물건이 있어요. 이 물건은 무엇일까요?

학생 시계요!

1단계 – 스토리텔링을 통해 시침과 분침 이해하기.

교사는 시계 바늘들이 움직이는 모습이 마치 달리기하는 것과 같다고 표현하면서 자연스럽게 스토리텔링을 시작한다.

시범 관찰 스토리텔링

시계 바탕에 '달리기 시합'이란 문구를 적어 아이들이 시계와 '달리기'를 연관 지을 수 있도록 한다.

교사 "시계와 관련된 재미있는 이야기가 있답니다. 사실 이 시계들은 달리기 경주를 하는 두 동물과 관련이 있어요. 달리기 경주한 두 동물은 누구일까요?"

아이들과의 이야기를 통해 어떤 내용을 어떤 동물로 할지 정하는 것이 좋다. 이때 한 동물은 느리고, 한 동물은 빠른 동물로 설정하면 시침과 분침을 더 잘 이해할 수 있다.

교사 "토끼와 거북이가 있지요. 귀도 길고 발도 빠른 토끼는 긴 바늘이, 걸음도 느리고 키도 작은 거북이는 짧은 바늘로 해 봅시다."

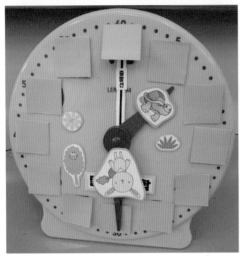

교사 "토끼와 거북이는 출발선에서 경기를 시작하였어요. 출발선은 바로 이 곳(12를 가리키며)이었지요. 달리기 경주가 시작되자 토끼는 깡충깡충 열심히 달리기 시작했어요. 거북이도 열심히 달리기 시작했지요. 토끼와 거북이 중 누가 이겼을까요?"

아이들이 흥미를 유발할 수 있도록 이야기 중간에 질문을 던지면서 이어나간다.

교사 "옛날에 거북이와의 경기에서 한 번 졌던 토끼는 이번에는 쉬지 않고 달렸어요. 토끼가 출발선으로 딱! 도착하자 거북이는 자기가 있는 자리에 숫자 1을 적으면서 말했어요. '토끼가 한 바퀴 돌았네.'

교사 토끼가 열심히 다시 돌아서 출발선에 다시 도착했지요. 아직 거북이는 도착하지 못했어요. 거북이는 토끼가 도착한 것을 보고 자기가 있는 자리에 숫자 2를 적으며 말했어요.
'토끼가 2바퀴 돌았네'

교사 이렇게 토끼가 12바퀴를 돌 동안 거북이
는 한 바퀴를 돌았어요. 거북이가 도는
동안 열심히 숫자를 써놓은 덕분에 시계
에는 이렇게 숫자들이 생기게 되었답니
다.

교사 "시계에 놓인 숫자는 거북이가 쓴 글씨라
서 거북이만 볼 수 있답니다. 우리가 짧
은 바늘은 시계에 적힌 숫자를 읽는 건
바로 이 때문이지요."

스토리텔링이 끝난 후 1시, 2시, 3시 등을
모형시계로 조작해보도록 한다. 시계 읽기
를 연습할 때 시침에 있는 숫자를 읽을 수
있도록 지도한다.

 Tip

1학년 수준에서는 1시, 2시 와 같은 '몇 시'와 1시 30분, 2시 30분과 같은 '몇 시 30분'만 학습하게 된다. 긴 바
늘이 가리키는 수가 무엇인지에 대한 구체적인 설명은 2학년 교육과정에서 다루어질 예정이다.

2단계 – 몇 시 30분일 때 시침의 이동 확인하기.

스토리텔링 조작

아이들 중 12시 반을 나타내라고 할 때 왼쪽 그림과 같이 나타
내는 아이들이 있다. 이는 직관적으로 12시와 30분을 표시한 것
이다. 이 때 '토끼와 거북이'의 달리기 경주를 예를 들어 표현하면
쉽게 이해할 수 있다.

교사 시계는 토끼와 거북이의 달리기 경주인데, 토끼가 열심히 달리는데 부지런한 거북이는 가만히 있었을까요?

학생 아니요.

교사 토끼가 절반만큼 달렸으면 거북이는 얼마나 달렸을까?

학생 거북이가 갈 수 있는 것에 절반만큼요!

이와 같은 발문을 통해 분침이 움직일 동안 시침도 움직인다는 내용을 강조한다.

아이들 중에는 다음을 "2시 30분"으로 읽는 아이도 있다. 가까이에 있는 숫자를 읽어야 된다는 것은 알고 있으나 시계가 가는 방향에 대한 이해가 부족하여 생기는 오개념이다. 이를 해결하기 위해서는 달리기 경주 방향을 다시 떠올리면 된다.

교사 "달리기 경주는 지금 ↻ 방향으로 하고 있어요. 숫자가 작은 쪽에서 큰 쪽으로 가고 있답니다. 지금 거북이 바늘을 보면 2시를 향해 달려가고 있지만 아직 2시에 도착하지 못했어요. 그럼 아직 1시 인거죠. 그래서 지금은 1시 30분에요."

이와 같이 달리기 경주의 진행방향과 짧은 바늘이 가리키는 것에 대해 충분히 이해시킨 후 시계를 보면 오개념을 줄일 수 있다.

'이것은 짧은 바늘은 시침이고 긴 바늘은 분침이야!' 라고 이야기할 때 대부분의 아이들은 이를 쉽게 받아들이지만 선생님의 관심이 많이 필요한 아이들에게는 긴 바늘과 짧은 바늘의 관계가 계속 헷갈릴 수 있다. 스토리텔링을 통해 시계보기 학습하면 시계의 이미지와 토끼와 거북이의 경주를 떠올려 좀 더 쉽게 개념을 이해할 수 있다.

시계보기 활동 시 가장 중요한 것 중 하나는 아이들이 모형시계를 자주 조작하면서 시계의 움직임을 자연스럽게 익히는 것이다. 우리가 일상에서 시계만 바라보고 있는 시간은 많지 않기 때문에 시계의 움직임을 온전히 느끼기 어렵다. 아이들이 시계가 움직이는 방향, 시침과 분침의 관계를 충분히 익힐 수 도록 스스로 조작하는 시간을 늘리는 것이 좋다.

◉ 성취 기준을 바탕으로 다양하게 수업 설계를 해 보세요.

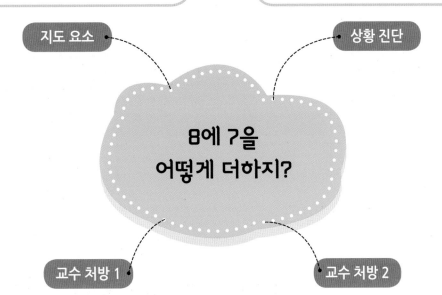

◎ 학습 주제

덧셈을 해 볼까요?

◎ 성취 기준

〔2수01-06〕 두 자리 수의 범위에서 덧셈과 뺄셈의 계산 원리를 이해하고 그 계산을 할 수 있다.

◎ 난기능

(몇)+(몇)=(십몇)의 덧셈에서 가수나 피가수를 분해하여 10을 만든 다음 나머지 수를 더하여 해결한다.

지도 요소

상황 진단

**8에 7을
어떻게 더하지?**

교수 처방 1

교수 처방 2

◎ 난기능 처방 1

• 연결큐브, 바둑돌, 수판, 20주판 등과 같은 다양한 모델을 활용한다.

◎ 난기능 처방 2

• 가수나 피가수를 분해하여 10을 만드는 과정을 시각화하여 눈으로 확인하도록 한다.

○ **성취 기준** 〔2수01–06〕 두 자리 수의 범위에서 덧셈과 뺄셈의 계산 원리를 이해하고 그 계산을 할 수 있다.

○ **관련 단원** 1학년 2학기 6. 덧셈과 뺄셈(3)

○ **학습 주제** 덧셈을 해 볼까요?

○ **학습 목표** 여러 가지 방법으로 (몇)+(몇)=(십몇)을 계산 할 수 있다.

상황 진단

아는 지식 (학생 실제 발달 수준)	교수 처방	알게 된 지식 (교육과정 성취 기준)

• 1~100까지의 수 세기
• 1~100까지의 수 읽고 쓰기

■ 두 자리 수의 범위에서 받아올림이 없는 덧셈을 계산할 수 있음.
■ 자리값의 개념이 부족하여 23+42의 계산에서 20+40을 2+4처럼 기계적으로 계산하는 경우가 있음.
■ 덧셈에서 두 수를 바꾸어 더해도 합이 같다는 것을 이해함.

시범 ⇨ 관찰 ⇨ 조작 ⇨

난기능 처방

■ 다양한 모델을 활용하여 여러 가지 전략(가르기와 모으기, 10의 보수, 교환법칙 등)으로 (몇)+(몇)=(십몇)의 계산을 할 수 있음.

■ 가수나 피가수를 분해하여 10을 만드는 과정을 눈으로 확인하며 받아올림의 알고리즘을 이해하는 기초를 익힘.

학습 계열

선수 학습	본 학습	후속 학습
• 두 자리 수의 범위에서 받아올림과 받아내림이 없는 뺄셈하기 – 1–2–2. 덧셈과 뺄셈(1) • 세 수의 덧셈과 뺄셈 하기 – 1–2–4. 덧셈과 뺄셈(2)	• 덧셈 상황을 인식하고 다양한 방법으로 덧셈하기 • (몇)+(몇)=(십몇)의 표를 만들고 이를 이용하여 덧셈하기	• 두 자리 수의 범위에서 받아올림이 있는 덧셈과 받아내림이 있는 뺄셈하기 • 덧셈과 뺄셈의 관계 이해하기 – 2–1–3. 덧셈과 뺄셈

1. 연산

1) 계산 학습의 문제점

연산(operation)의 범위를 좁혀서 계산(calculation, computation) 학습의 문제점을 알아본다. 계산은 수학에서 가장 기본이 되는 영역이다. 특히 자연수의 계산은 수학을 학습할 때 처음 경험하게 되므로 계산을 어떻게 학습하느냐에 따라 수학적 성향에 큰 영향을 미치게 된다. 많은 시간을 투입하여 교사, 학부모, 학생 자신들도 계산 능력 향상에 노력을 기울이고 있지만 오히려 지나친 관심과 노력의 집중이 올바른 수학관 형성에 장애가 되기도 한다. 계산 능력이 중요하고 기본이라는 것을 부인할 수 없지만 계산은 수학의 극히 일부분에 지나지 않기 때문에 계산 능력 향상에 너무 많은 노력을 기울이는 일에 유념해야 한다. 오히려 문제 상황에서 어떤 연산을 해야 하는지를 판단하는 능력, 계산 결과를 어림하기, 문제 해결 능력 향상, 수 감각 개발 등의 능력을 향상시키는 데 역점을 두어야 할 것이다.

2) 계산을 지도 할 때의 유의점

- 연산의 의미를 알도록 한다. 문제 상황에서 적절한 연산을 선택할 수 있어야 한다.
- 기본수의 계산은 숙달시켜야 한다. 1+1부터 9+9까지, 19−9부터 1−1까지, 곱셈 구구, 곱셈 구구 범위에서 나눗셈을 기본수 계산이라고 한다. 이들의 계산은 암산으로 능숙하게 계산할 수 있도록 지도한다.
- 계산하기 전에 답을 어림하게 한다. 답이 대략 얼마라는 것을 아는 것은 결과의 타당성을 검증하는 데 중요하고, 수 감각을 발달시킬 수 있다.
- 다양한 계산 방법을 익히도록 한다. 표준적인 알고리즘 이외에 문제 상황에 따라 더 효과적이고 효율적인 방법으로 계산할 수 있도록 한다.
- 수 감각을 계발할 수 있도록 지도한다.

3) 덧셈과 뺄셈

덧셈과 뺄셈에 대한 기본적인 개념을 이해하기도 전에 형식적인 알고리즘에 의한 계산을 지도하기 때문에 받아 올림/받아 내림에 어려움을 겪으며, 다양하고 편리한 계산 방법을 활용하지 못하고 있다.

조작활동을 충분히 제공하고, 계산 방법을 발표시키면 다양한 방법이 나오는데 그 과정을 기호로 나타내게 하면 학생들이 만든 알고리즘이 된다. 교사는 이미 알고 있지만 학생들 스스로 발명했기에 이런 과정을 재발명(reinvention)이라고 한다. 수학 학습에서 강조하는 것은 계산 절차가 아니라 학생 스스로 계산 절차를 고안할 수 있는 힘을 길러 주는 것이다.

• 자료출처 : 김성준 외(2015).『초등학교 수학과 교재연구와 지도법』. 동명사.

교실 속 오류상황

$8 + 7 \rightarrow ?$

어? 8에 7을 어떻게 더하지?

그동안 자리 값의 이동 없이 합이 10을 넘지 않는 범위에서의 덧셈 계산을 하던 아이들은 합이 10이 넘는 덧셈 상황에서 손가락 10개를 모두 펴도 계산이 되지 않아 당황해 하는 경우가 있다.

합이 10이 넘는 8+7과 같은 한 자리수의 덧셈은 2학년에서 습득해야 할 받아올림이라는 덧셈의 알고리즘을 이해하는데 있어 매우 중요한 핵심 과정이다. 이 과정에서 수식만을 가지고 기계적인 계산 연습을 반복하기 보다는 상황에 따라 가수나 피가수를 적절히 분해하여 10을 만들고 더하는 과정을 시각적으로 확인하며 계산 원리를 이해하는 것이 중요하다. 1학년에서는 합이 10이 넘는 (몇)+(몇)=(십몇)의 덧셈을 받아올림의 원리가 아닌 가르기와 모으기, 10의 보수, 다양한 수 세기 전략 등 여러 가지 방법으로 계산하는 활동을 통해 연산 감각을 기르고 2학년에서 학습하게 되는 받아올림이라는 덧셈의 알고리즘을 이해하는 기초를 쌓는 것이 중요하다.

1단계 – ① 구체적 조작 자료(바둑알) 활용을 통해 알아보기

바둑알을 활용하여 8+7의 답을 구해보자. 시범 관찰 조작

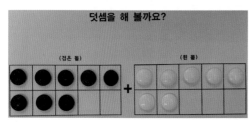

■ 왼쪽 수판에 검은 돌 8개를 놓고 오른쪽 수판에 흰 돌 7개를 놓으세요.

■ 왼쪽 수판에 바둑돌이 몇 개 더 있으면 10이 될까요? 2개요.

생각만으로는 10이 되는 8의 보수가 2라는 것을 쉽게 떠올리지 못하는 아이들도 두 칸
이 비어 있는 것을 보면 10이 되기 위해 얼마가 필요한지 쉽게 알 수 있다.

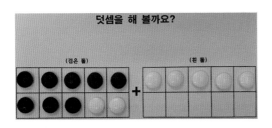

■ 오른쪽 수판에 흰 돌 7개를 2와 5로 가르
기 하여 2개를 왼쪽 수판의 빈칸에 놓아
볼까요?
■ 왼쪽이 10개가 되고 오른쪽 수판에는 5
개가 남는다. 이렇게 10과 5를 더하면 15
가 된다는 것을 눈으로 확인할 수 있다.

이때 단순히 왼쪽 수판의 빈칸을 채우기 위해 바둑돌을 옮기는데만 집중을 해서는 안
되며 10이 되려면 얼마가 필요한지를 파악하여 7을 2와 5로 가르기 해야 한다는 것을 아
는 것이 중요하다.

이번에는 바둑돌을 활용하여 6+9의 답을 구해보자. 시범 관찰 조작

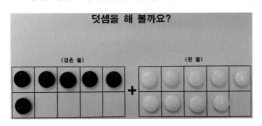

■ 왼쪽 수판에 검은 돌 6개를 놓고 오른 쪽
수판에 흰 돌 9개를 놓으세요.
■ 오른쪽 수판에 바둑돌이 몇 개 더 있으
면 10이 될까요? 1개요.

■ 왼쪽 수판의 검은 돌 6개를 5와 1로 가르
기 하여 1개를 오른쪽 수판의 빈칸에 놓
아 볼까요?
■ 왼쪽이 5개, 오른쪽이 10개가 되어 5와
10을 더하면 15가 된다는 것을 눈으로
확인할 수 있다.

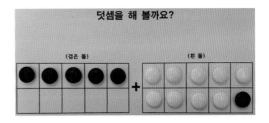

Tip

이때 9를 4와 5로 가르기 하여 6과 4를 더해 10을 만든 후 5를 더해 15가 되도록 계산할 수도 있다. 이전 차
시에서 학습한 덧셈의 교환법칙을 떠올리며 6+9와 9+6의 합이 같다는 것을 알고 가수나 피가수 중 어떤 수
를 가르기 하여 10만들기를 할지는 아이들이 스스로 고민하게 하고 편리한 방법을 선택할 수 있도록 한다.

1단계 - ② 구체적 조작 자료(20주판) 활용을 통해 알아보기

한 줄에 파란색 구슬이 5개, 빨간색 구슬이 5개씩 모두 2줄로 구성되어 있는 20 주판이 있다. 같은 색깔의 구슬이 9개 놓여 있으면 한 눈에 수를 파악하기 어렵지만 파란 구슬이 5개, 빨간 구슬이 4개라면 5이하의 개수는 한 눈에 파악하는 직관적 수 세기가 가능하므로 9개라는 것을 보다 쉽게 파악할 수 있다. 이렇게 구슬이 5개씩 다른 색깔로 구성되어 있어 5와 10의 구조를 가지고 있는 20 주판을 활용하면 5씩 묶어 세기에 익숙해질 수 있다. 이는 중요한 수 세기의 전략으로 교구의 활용을 통해 수 감각을 기르고 받아올림의 알고리즘을 도입하기 이전 단계인 (몇)+(몇)=(십몇)의 연산 과정을 시각화 하여 이해할 수 있다.

20 주판을 활용하여 8+7의 답을 구해보자. **시범** **관찰** **조작**

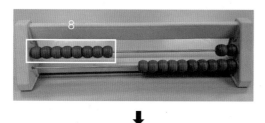

- 주판의 구슬을 모두 오른쪽으로 옮 긴 후 시작하겠습니다.
- 20주판 윗줄의 구슬 8개를 왼쪽으로 옮 기세요.

- 7만큼 윗줄부터 차례로 구슬을 왼 쪽으로 옮기세요.
  (학생들은 윗줄의 구슬 2개와 아랫 줄의 구슬 5개를 왼쪽으로 옮긴다.)

- 8+7은 얼마인가요? 15입니다.

두 번째 과정에서 7만큼 구슬을 이동할 때 1, 2, 3… 7을 세며 윗줄부터 차례로 구슬을 옮기는데 초점을 두어서는 안 된다. 윗줄을 10으로 만들기 위해서는 2가 필요하다는 것을 알고 가수 7을 2와 5로 가르기 하여 윗줄의 빨간색 구슬 2개를 먼저 왼쪽으로 옮기고 아랫줄의 파란색 구슬 5개를 왼쪽으로 옮긴다는 것을 알 수 있도록 교사의 지도가 필요하다.

교구를 활용하여 이러한 과정을 충분히 경험하다보면 나중에는 교구의 도움 없이도 이미지를 떠올리며 머릿속에서 8+7=15의 계산을 할 수 있을 것이다.

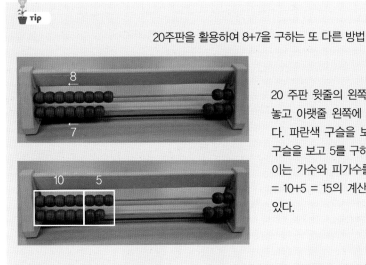

Tip

20주판을 활용하여 8+7을 구하는 또 다른 방법

20 주판 윗줄의 왼쪽에 피가수 8만큼 구슬을 옮겨 놓고 아랫줄 왼쪽에 가수 7만큼 구슬을 옮겨 놓는다. 파란색 구슬을 보고 먼저 10을 구하고 빨간색 구슬을 보고 5를 구하여 8+7=15를 계산할 수 있다. 이는 가수와 피가수를 모두 분해하여 (5+3)+(5+2) = 10+5 = 15의 계산 과정을 시각화하여 보여주고 있다.

이러한 교구의 활용은 8+7의 답을 구하는 다양한 방법 중의 하나일 수 있으나 가수나 피가수를 분해하여 10을 만드는 받아올림의 알고리즘을 이해하도록 하는 과정으로서는 적절하지 않다.

2단계 – 형식화 단계

바둑돌이나 20 주판 등 다양한 모델을 활용하여 반복 연습을 충분히 한 다음에는 7를 2와 5로 가르기 하거나 8을 3과 5로 가르기 하여 10을 만든 다음 5를 더하여 15를 만드는 과정을 머릿속에서 생각하고 계산할 수 있게 될 것이다. 이를 위해서는 연산 이전에 수 세기, 가르기와 모으기, 10의 보수 등의 활동을 능숙하게 할 수 있도록 구체물을 통한 충분한 반복 연습이 필요하다.

$$8 + 7 = 15 \qquad\qquad 8 + 7 = 15$$
$$2 \quad 5 \qquad\qquad\qquad 5 \quad 3$$

뺄셈은 큰 수에서 작은 수를 빼면 되는 거지요?

$$21 - 3 = 22$$

$$42 - 7 = 45$$

$$75 - 8 = 73$$

$$52 - 6 = 54$$

문제 상황 제시

단원명
3. 덧셈과 뺄셈

한눈에 알아보기

1234
5678
9÷×=0

◉ 학습 주제

뺄셈을 해 볼까요(1)

◉ 성취 기준

〔2수01-06〕두 자리 수의 범위 내에서 덧셈과 뺄셈의 계산 원리를 이해하고 그 계산을 할 수 있다..

◉ 오개념 1

뺄셈을 할 때는 큰 수에서 작은 수를 뺀다.

◉ 오개념 2

받아 내림을 할 때 십의 자리는 그대로 둔다.

지도 요소

상황 진단

뺄셈은
큰 수에서 작은 수를
빼면 되지요?

교수 처방 1

교수 처방 2

◉ 오개념 1 처방

• 뺄셈을 할 때 조작 할 수 있는 자료를 제공하여 직접 조작하면서 활동할 수 있도록 한다.
• 계산 틀을 활용하여 계산과정에서 피감수만 쓰고 동전을 활용하여 먼저 계산하여 보도록 한다.

◉ 오개념 2 처방

• 10원짜리 모형 동전과 1원짜리 모형 동전, 계산 틀을 활용하여 받아 내림의 원리를 정확하게 이해할 수 있도록 한다.

○ **성취 기준** 〔2수01-06〕 두 자리 수의 범위 내에서 덧셈과 뺄셈의 계산 원리를 이해하고 그 계산을 할 수 있다.

○ **관련 단원** `2학년 1학기` 3. 덧셈과 뺄셈

○ **학습 주제** 뺄셈을 해 볼까요 (1), (2)

○ **학습 목표** – 받아 내림이 있는 두 자리 수 – 한 자리 수의 계산 원리를 이해하고 계산할 수 있다.
– 받아 내림이 있는 몇 십 – 몇 십 몇의 계산 원리를 이해하고 계산할 수 있다.

상황 진단

아는 지식 (학생 실제 발달 수준)	교수 처방	알게 된 지식 (교육과정 성취 기준)
• 수의 순서알기 • 받아 내림이 없는 뺄셈 하기 ■ 뺄셈을 할 때는 큰 수에서 작은 수를 빼면 된다는 생각을 가지고 계산한다. ■ 받아 내림을 할 때 십의 자리를 그대로 내려 쓴다.	시범 ⇨ 관찰 ⇨ 매체 조작 오개념, 난개념 처방	• 받아내림이 있는 두 자리 수 – 한 자리 수 • 받아 내림이 있는 몇십– 몇십 몇 ■ 뺄셈의 계산 원리를 알고 바르게 계산한다. ■ 받아내림을 바르게 이해하고 계산한다.

학습 계열

선수 학습	본 학습	후속 학습
• 받아내림이 없는 두 자리 수의 뺄셈하기 – 1–2–2. 덧셈과 뺄셈(1) – 1–2–4. 덧셈과 뺄셈(2) – 1–2–6. 덧셈과 뺄셈(6)	• 받아 내림이 있는 두 자리 수 – 한 자리 수, 두 자리 수 – 두 자리 수 • 덧셈과 뺄셈의 관계	• 받아 내림이 있는 세 자리 수 – 세 자리 수 – 3–1–1. 덧셈과 뺄셈

1. 이해를 통한 뺄셈 알고리즘 지도

초등학교에서의 수학은 수를 바로 알고 계산을 능숙하게 잘하는 것이 수학학습의 전부인 것처럼 교사도 학생도 학부모도 인식하고 있다. 그러나 최근 수학과 학습은 교사가 단순히 알고리즘을 제시하고 학생들은 교사가 제시한 알고리즘을 따라 순차적으로 무엇을 해야 하는지를 알고 따라하는 대신에, 학생들이 스스로 계산 방법을 구성하고 개발하는 것이 더 강조되기 시작하였다.

즉 교사가 제시한 계산 과정을 단순히 따라 하기보다는 주어진 문제를 학생 스스로가 문제 해결 과정을 추론함으로써 계산 원리를 이해하도록 하고 있다.

이와 같은 변화는 학생들이 다양한 대안적인 알고리즘을 탐구할 수 있음을 의미하기도 한다.

계산을 하는데 한 가지 이상의 방법에 대해 생각하고 여러 가지 방법을 제안하는 학생들은 수학과 교과 역량 중에 추론 역량, 문제 해결 역량이 함양될 것이며 그런 과정 속에서 창의적으로 문제를 해결할 수 있는 힘이 길러질 수 있을 것이다.

제시된 여러 가지 방법들은 학생들이 두 자리 수의 뺄셈 문제(53-26)에서 학생들이 만든 전략들이다.

1) 피감수 가까이까지 몇 십을 더하고 일의 자리를 더한다.

26과 20을 더하면 46이다. 그런 다음 4를 더하면 50이고 여기에 3을 더하면 53이 된다. 모두 27을 더했으므로 답은 27이 된다.

$$26+20+4+3=53 \qquad 20+4+3=27$$

2) 피감수보다 많게 몇 십을 더하고 많이 더한 만큼 뺀다. 26에 30을 더하면 56이 된다. 이것은 3 더 많기 때문에 답은 27이 된다.

$$26+30=56 \qquad 30-3은 27$$

3) 감수의 일의 자리가 0이 되도록 4를 더한 다음 십의 자리 수, 일의 자리 수를 더한다. 26에 4를 더하면 30이다. 30에 20을 더하면 50이다. 그리고 3이 더 있으면 53이다. 4와 3을 더하면 7이 된다. 이것을 20과 더하면 27이 된다.

$$26+4=30 \qquad 30+20=50 \qquad 4+3=7, \qquad 4+20+3=27$$

4) 십의 자리에서 몇 십을 뺀 다음 일의 자리 수를 뺀다.

50빼기 20은 30이다. 6을 제거하면 24가 된다. 이제 3을 더하면 27이 된다.

$$50-20=30, \qquad 30-6=24, \qquad 24+3=27$$

5) 십의 자리 수를 소거한 다음 일의 자리 수를 소거한다.

53 빼기 20은 33이다. 그런 다음 6을 소거하기 위해 3을 빼면 30이고 다시 3을 더빼면 27이 된다.

$$53-20=33, \qquad 33-3=30, \qquad 30-3=27$$

학생들이 만들어낸 다양한 전략들은 모두 다 유용하다. 이런 다양한 방법들을 학생들이 발견하도록 한 후 표준 알고리즘을 스스로 만들어 갈 수 있도록 지도해야 한다.

알고리즘을 이해하기 위해서 학생들은 구체적 조작물을 사용하여 문제를 해결하는 과정과 필산 알고리즘을 해결하는 과정을 연결시킬 필요가 있는데 이 때 교사의 발문에 따라 학생들이 어떻게 이해할 수 있느냐가 결정되기 때문에 교사는 각 학급의 학생수준을 고려한 발문연구에도 꾸준한 연구가 필요하다.

2. 받아 내림이 있는 뺄셈의 오류 유형과 처치방법

$$\begin{array}{r} 4\ 0 \\ -\ 1\ 3 \\ \hline 3\ 0 \end{array} \qquad\qquad \begin{array}{r} 6\ 1 \\ -\ 3\ 8 \\ \hline 3\ 3 \end{array}$$

0처리 오류   받아내림 오류

위의 유형은 뺄셈에서 많이 발생하는 뺄 수 없을 때는 0으로 그냥 써버리는 0처리와 받아 내림과 관련된 오류 유형이다. 왼쪽 유형은 자신이 뺄 수 있는 것만 빼고 뺄 수 없는 것은 그냥 0을 써버리는 경우이다.

이와 비슷한 오류로 뺄 수 있는 것만 빼고 뺄 수 없는 것은 빼어지는 수의 0이 아닌 빼는 수의 일의 자리를 쓰는 경우도 있다.

이러한 오류는 받아 내림을 이해하지 못해서 생긴 뿐만 아니라 자릿값 및 뺄셈의 원리를 제대로 이해하지 못했기 때문에 생기는 것이다.

오른 쪽 유형은 받아 내림을 하였지만 받아 내림 이후의 십의 자리 수의 변화를 제대로 파악하지 못했기 때문에 생기는 것이다.

따라서 왼쪽과 같은 오류 유형은 구체 물 (수모형, 연결 큐브, 자릿값 판 등)을 이용한 뺄셈 상황을 충분한 조작 활동을 바탕으로 받아 내림에 대한 이해를 높이고 자릿값 및 뺄셈의 원리를 파악함으로써 오류를 줄여 나갈 수 있다.

또한 오른 쪽과 같은 오류 유형도 구체 물을 통한 조작 활동으로 받아 내림에 대한 이해를 높여야 하며 형식화 단계에서는 학습한 내용들을 다시 한 번 익힐 수 있도록 지도한다.

Tip

받아 내림은 학생들을 위해 만들어진 용어가 아니라 단순히 학생들에게 쉽게 설명하기 위해 사용되는 용어이다.

두수 16과 9의 차를 구할 때 16−9=10+6−9=10−9+6=1+6=7과 같이 계산하게 된다. 이 때 윗자리에서 10을 가져오기 때문에 이 과정을 흔히 받아 내림이라고 한다.

교수 처방 1, 2

교실 속 오류상황

```
  2 1          4 2
−   3        −   7
─────        ─────
  2 2          4 5
```

수학 수업을 하다보면 종종 이렇게 계산을 하는 학생을 만나게 된다.

왜? 라고 물어 보았을 때 학생의 답은 뺄셈은 큰 수에서 작은 수를 빼지 않나요? 라는 답을 한다.

1학년 2학기 「6. 덧셈과 뺄셈」 단원에서 학생들은 받아 내림이 있는 십몇−몇의 뺄셈을 다양한 방법으로 학습을 했다. 하지만 이 시기에 충분하게 십의 자리에서 받아내려 뺄셈을 해야 하는 경우를 학습할 때 이해가 되지 않은 학생들은 위와 같이 계산 원리를 이해하지 못하고 오류를 범할 가능성이 크다.

따라서 이 차시를 학습을 할 때는 오류를 제거할 수 있는 충분한 활동을 통한 해결과정이 필요하다.

1~2학년 학생들은 이야기를 아주 좋아한다. 학생들이 좋아할 만한 이야기를 들려주

고 그 이야기 속 문제를 해결하는 과정을 제시하면 더 적극적인 모습을 보인다.

> 엄마를 잡아먹은 🐯는 오누이가 살고 있는 오두막집으로 갔어요.
>
> 떡을 좋아하는 🐯는
>
> "어흥, 너희에게 떡이 있는 거 다 알아. 떡 3개만 주면 안 잡아먹지." 하고 말했어요.
>
> 👧은 👦에게 "오빠, 엄마가 떡 2접시에 1개를 더 주고 갔지? 그래서 모두 21개잖아. 🐯에게 3개를 주면 몇 개 남아?"

이야기를 들려 준 뒤 이 문제를 해결해 보게 하고 구체적 조작 자료를 활용하여 교사가 먼저 시범을 보여 준다.

1단계 – 구체적 조작 자료를 활용을 통해 알아보기

교사는 이야기 속의 문제를 해결하는 과정을 이야기 속 자료를 활용하여 시범을 보인다. 이 때 학생들이 꼼꼼하게 관찰 할 수 있도록 한다.

이미 잘 할 수 있는 학생들도 있지만 다시 확인하는 과정을 거칠 수 있도록 한다.

시범 관찰

이야기 자료와 관련된 구체적 조작 자료를 활용하여 상황을 설명한다.

"접시에 떡 10개씩 2접시로 20개와 낱개 1개로 모두 21개 있습니다. 그 중에서 호랑이가 3개를 달랍니다."

이야기 자료와 관련된 구체적 조작 자료를 활용하여 상황을 설명한다.

"접시에 떡 10개씩 2접시로 20개와 낱개 1개로 모두 21개있습니다. 그 중에서 호랑이가 3개를 달랍니다. 식으로는 어떻게 쓰면 될까요?"라는 질문 통해 학생들이 스스로 식을 만들어 낼 수 있도록 한다.

이 때 떡 1개에서 3개를 뺄 수 없음을 인식시키고 그럼 어떻게 하면 될까라는 발문을 통해 학생들 스스로 접시에 있는 떡을 덜어 와야 함을 스스로 찾아내게 하는 것이 필요하다.

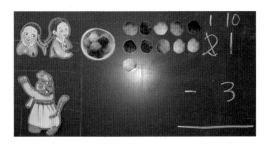

사진 자료와 같이 떡 한 접시의 10개를 낱개 모형으로 놓습니다.

식도 함께 사진 자료와 같이 나타낸다.

10개를 받아 내림을 한 것 중 3개를 먼저 호랑이에게 주고 10−3=7 거기다 원래 1개 있던 것과 합하면 8이 됨을 시범을 보이면서 설명을 한다.

떡 모양이 없을 때는 그 외 다른 것을 열 개 씩 모아 한곳에 담을 수 있는 것들을 활용하여 짝끼리 함께 활용할 수 있도록 한다.
학생들은 이때 실물 자료를 좋아하지만 바둑돌이나 공깃돌 등 교실에 많이 있는 것을 활용 하되 실제로 접시에 담아서 또는 계란 판 등을 이용하여 덜어내면서 하는 것이 효과적이다.

2단계 – 원리가 내재된 조작 자료를 활용(모형동전)

시범　관찰　조작

　　원리가 내재된 조작 자료를 활용할 때 일반적으로 현장에서는 수모형을 많이 활용한다. 여기서는 학생들이 삶속에서 많이 활용되는 동전모형을 활용하였다.

　　교실현장에서 투입해보면 학생들이 수모형보다 훨씬 더 좋아한다.

　　그리고 사진 속에서 제시된 자료는 덧셈과 뺄셈을 할 때나 수막대나 동전 모형을 활용할 때 학생들이 자릿값을 정확하게 표현하게 하기 위한 자료로 칠판 앞에서 계산 과정을 설명할 때로 좋은 자료로 활용한다.

　　모형 동전을 놓을 때는 반드시 피감수만 놓을 수 있도록 한다.

　　감수 3도 같이 놓을 경우 학생들은 3원을 어떻게 해야 할 지를 고민하게 된다.

　　1원에서 3원을 빼야 함을 설명하고 어떻게 할까를 질문을 통해 학생들을 혼란스럽게 하는 것이다.

　　학생들의 생각을 그대로 모형 동전에 나태내고 형식화된 식에도 같이 표시한다. 10원짜리 모형 동전 하나를 1원짜리 동전 위로 보내고 형식화된 식에도 그대로 표시한다.

　　학생들은 이 때 1의 자리 위에 10원짜리 또는 10모형 수막대가 있다고 생각하고 1로 쓰는 경우도 있다.

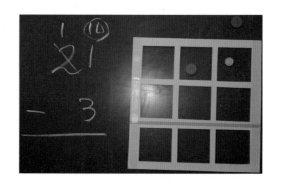

따라서 이건 1이 아니라 10원 즉 1원짜리 10개로 바꾸어야 한다. 그래서 형식화 단계에서는 1이 아니라 10을 받아 내린 것이라는 설명이 필요하다.

받아 내림이란 용어가 학생들에게는 어렵다. 하지만 특별한 다른 용어를 사용하기도 어색하기 때문에 그냥 사용한다.

1의 자리에 받아 내림 한 10원 모형을 1원 모형 10개와 바꾼다.

여기서 학생들은 주로 10원 모형 동전을 1모형 동전 10개 바꾼 것과 원래 있던 1원 모형을 더하여 11에서 3을 빼는 경우가 많다. 이건 지금까지의 활동을 의미 없게 만든다.

따라서 1학년 때 충분히 활동한 10에서 3빼기를 하고 난 뒤 1을 더하는 방법으로 활동을 하게 하는 것이 필요하다.

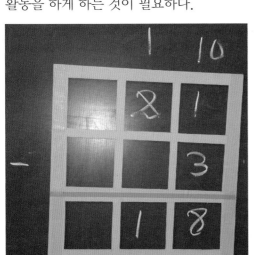

이런 방법으로 충분한 조작 활동을 통하여 학생들이 이해가 된 후 원리의 형식화 단계로 진행하기 된다.

동전 모형과 같이 형식화 단계를 설명하였더니 학생들의 이해가 훨씬 더 빨랐다.

Tip

계산 틀이 없을 때에는 A4종이에 모양을 만들어 주어서 거기에 적어가면서 할 수 있도록 한다. 이 자료를 하드보드지를 이용하여 만든 것으로 학 생 수만큼 만들어서 수업시간에 동전이나 공깃돌 등을 이용할 때 활용하기도 한다.

3단계 – 원리의 형식화

설명 시범 관찰

$$
\begin{array}{r} 4\ 2 \\ -\ \ 7 \\ \hline \end{array}
\quad\Rightarrow\quad
\begin{array}{r} {}^{3}\ {}^{10} \\ \not4\ 2 \\ -\ \ 7 \\ \hline 5 \end{array}
\quad\Rightarrow\quad
\begin{array}{r} {}^{3}\ {}^{10} \\ \not4\ 2 \\ -\ \ 7 \\ \hline 5 \end{array}
\quad\Rightarrow\quad
\begin{array}{r} {}^{3}\ {}^{10} \\ \not4\ 2 \\ -\ \ 7 \\ \hline 2\ 5 \end{array}
$$

이런 형식화 과정은 교과서에도 제시되고 있다.

형식화 단계로 끝내지 않고 학생들에게 짝과 서로 설명해 볼 수 있는 기회를 주어 완전하게 이해할 수 있도록 하는 것이 필요하다.

이런 과정을 충분히 거친 후 각자 다양한 문제를 해결해 보게 하고 이 때 이해 안 된 학생들에게 계산 틀을 주어 다시 동전 모형을 활용하여 뺄셈을 해 볼 수 있는 기회를 준다.

■ 참고문헌

- 교사용 지도서 2-1학기(2018), 교육부
- 박교식(2007), 수학용어다시보기, 수학사랑

⊙ 성취 기준을 바탕으로 다양하게 수업 설계를 해 보세요.

기준은 내가 맘대로 정하는 거지요?

단원명
5. 분류하기

한눈에 알아보기

◎ 학습 주제

분류를 해 볼까요?

◎ 성취 기준

[2수05–01] 교실 및 생활 주변에 있는 사물들을 정해진 기준 또는 자신이 정한 기준으로 분류하여 개수를 세어 보고, 기준에 따른 결과를 말할 수 있다.

◎ 난개념 1

기준을 찾는 것은 어렵다.

◎ 난개념 2

기준을 찾아 분류하는 것은 어렵다.

지도 요소

상황 진단

기준은 내가 맘대로
정하는 거지요?

교수 처방 1

교수 처방 2

◎ 난개념 1 처방

• 기준이 되는 것과 되지 않는 것을 알아본다.
• 대상의 특징(속성)을 생각해본다.

◎ 난개념 2 처방

• 분류카드, 구체물을 이용하여 분류한다.

지도 요소

- **성취 기준** 〔2수05-01〕 교실 및 생활 주변에 있는 사물들을 정해진 기준 또는 자신이 정한 기준으로 분류하여 개수를 세어 보고, 기준에 따른 결과를 말할 수 있다.

- **관련 단원** `2학년 1학기` 5. 분류하기

- **학습 주제** 분류를 해 볼까요?

- **학습 목표** – 분류 기준이 필요함을 이해할 수 있다.
  – 분류 기준을 정하고 기준에 맞게 분류할 수 있다.

상황 진단

아는 지식 (학생 실제 발달 수준)	교수 처방	알게 된 지식 (교육과정 성취 기준)

- 입체도형 분류하기
- 평면도형 분류하기

■ 주어진 기준에 따라 입체도형과 평면도형을 분류하는 것을 배웠지만 기준을 찾고 기준에 따라 분류하는 것을 어려워하고 있다.

시범 ⇨ 관찰 조작 ⇨ 토의 ⇨

난개념 처방

- 분류에 대해 알기
- 기준에 따라 분류하기

■ 분류가 필요한 상황을 이해한다.

■ 분명한 분류 기준이 필요함을 이해하고, 기준에 따라 분류한다.

학습 계열

선수 학습	본 학습	후속 학습

선수 학습

- 입체도형 분류하기
- 평면도형 분류하기
- 100까지의 수, 물건의 수 세기
- 1-1-2. 여러 가지 모양
- 1-2-3. 여러 가지 모양
- 2-1-1. 세 자리 수

본 학습

- 분류에 대해 알기
- 기준에 따라 분류하기
- 기준에 따라 분류하고 그 수 세기
- 기준에 따라 분류한 결과 발표하기

후속 학습

- 분류한 자료를 표와 간단한 그래프로 나타내기
- 표와 그래프로 나타내기
- 막대그래프로 나타내기
- 꺾은선그래프로 나타내기
- 2-2-5. 표와 그래프
- 3-2-6. 자료의 정리
- 4-1-5. 막대그래프
- 4-2-5. 꺾은선그래프

1. 자료와 가능성 영역의 중요성

가. 다양한 정보(뉴스, 인터넷, 신문) 속에서 살고 있는 현대사회에서 정보를 수집, 분석, 해석하는 능력은 매우 중요하다.

나. 실생활의 문제와 다른 교과의 문제를 해결하는데 사용할 수 있다.

다. 다른 사람들과 정보를 교환하며 의사소통 능력을 기를 수 있다.

라. 다양한 자료를 수집, 분류, 정리, 해석하고 생활 속의 가능성을 이해함으로써 합리적인 의사결정을 하는 민주 시민으로서의 기본 소양을 기를 수 있다.

2. 분류하기의 중요성

자료를 조직, 분석하며 활용하는 첫 번째 단계는 분류이다. 우리 생활 주변에서는 많은 물건들이 분류된 상황을 만날 수 있다. 대형마트에서 물건을 진열해놓은 모습, 도서관에 책이 꽂혀진 모습 등 모두 분류를 이용하고 있는 것이다.

학생들은 분류해놓지 않은 상황(어지럽혀져 있는 옷장, 책장 등)의 모습을 보며 '생활 속에서 분류가 필요하구나'하는 인식을 갖으며 분류의 편의성과 중요성을 알게 되고, 수학이 일상생활과 밀접한 연관성이 있다는 것을 알 수 있을 것이다.

분류의 시작은 분류기준을 정하는 것이다. 교실 및 생활 주변에서 정해진 기준으로 분류해 본 후, 자신이 스스로 분류기준을 정해 분류해 본다. 분류한 후 그 개수를 세어보고 분류 결과를 이야기하는 활동을 통하여 자료 해석의 기초를 닦고 친구들과 의사소통하는 능력을 기를 수 있다.

 교수 처방 1, 2

교실 속 상황

"학급문고 정리한 사람이 누구야?"
"나야."
"책을 찾기가 너무 어려운데 어떤 기준으로 정리한 거야?"
"내가 좋아하는 책과 좋아하지 않는 책"
"친구들이 좋아하는 책은 모두 다를 텐데.."

요즘같이 수많은 정보가 쏟아지는 시대에는 자신에게 필요한 정보를 골라 활용하는 통계적 능력이 매우 중요하다. 통계적 능력은 거창한 것이 아니라 자신에게 필요한 정보를 보기 좋게 정리하는 것에서 시작한다. 분류하기 수업이야 말로 모든 교과, 일상생활에서 활용할 수 있는 통계적 사고의 기초가 된다.

분류의 시작이자 핵심은 분류기준을 세우는 것이다. 학생들은 분류기준이 정해진 상태에서는 분류를 쉽게 하지만 분류기준을 세우는 것에는 어려움을 느끼는 경우가 있다. 분류 기준이란 사물의 성질이나 특징을 바탕으로 종류별로 나눌 수 있도록 하는 것이다. 분류 기준으로 삼을 수 있는 것에는 '모양, 색깔, 크기, 종류' 등이 있다. 분류기준은 분명한 기준을 정해서 누가 분류를 하더라도 같은 결과가 나와야 하고 많은 사람들이 인정하는 기준이어야 한다. 학생들은 분류 기준 세우기를 어려워하는데, 기준을 세우려면 물건의 특징을 잘 생각해야 한다. 그래서 다음 두 가지 활동을 제안한다.

- 기준이 되는 것과 되지 않는 것을 구분하는 활동
- 대상의 특징(속성)을 생각해 보는 활동

교수 처방 1 – 기준이 되는 것과 되지 않는 것 구분하기 시범 조작 토의

12가지의 얼굴표정이 그려진 분류카드와 분류기준을 학생들에게 함께 준다. 학생들은 여러 가지 기준에 따라 얼굴카드를 분류한다. 분류한 후 기준이 되는 것과 되지 않는 것을 고르고 그 이유를 친구들과 이야기해본다. 분류해보면 어떤 것이 기준으로 적당한지 느낄 수 있다.

제시할 분류카드와 분류기준은 아래와 같다.

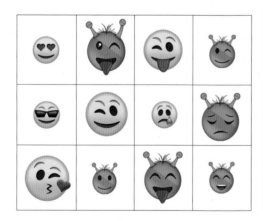

▲ 얼굴분류카드

- 얼굴 색깔
- 마음에 드는 것과 마음에 들지 않는 것
- 뿔이 있는 것과 없는 것
- 예쁜 것과 못생긴 것
- 메롱 하는 것과 아닌 것
- 윙크하는 것과 아닌 것
- 입꼬리가 올라간 것과 내려간 것
- 머리카락이 있는 것과 없는 것

▲ 분류기준 예시

수업의 흐름은 아래와 같다.

① 분류기준에 맞춰 각자 카드를 분류한다.(개별학습)

② 각자 분류한 후 모둠 친구들과 모여 분류기준이 되는 것과 되지 않는 것을 이야기한다.(모둠학습)

③ 기준이 되는 것과 되지 않는 것의 특징을 함께 생각해본다.(전체학습)

학생들과 이야기한 결과이다.

☞ 분류기준이 되는 것과 그 특징

– 얼굴 색깔

– 뿔이 있는 것과 없는 것

– 메롱 하는 것과 아닌 것

– 윙크하는 것과 아닌 것

– 머리카락이 있는 것과 없는 것

특징: 분류하는데 어려움이 없었고 모든 친구들이 똑같이 분류했다.

☞ 분류기준이 되지 않는 것과 특징

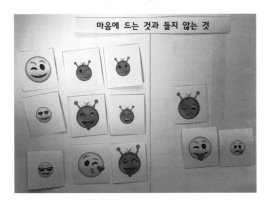

– 마음에 드는 것과 마음에 들지 않는 것

– 예쁜 것과 못생긴 것

특징: 분류하는 사람에 따라 다르게 분류된다.

– 입꼬리가 올라간 것과 내려간 것

특징: 남는 카드가 생긴다.

이 활동을 마치며 '기준이 되는 것'의 특징을 정리할 수 있다.

첫 번째, '마음에 드는 것과 마음에 들지 않는 것, 예쁜 것과 못생긴 것'이라는 기준은 주관적이다. 보는 사람에 따라서 다르게 분류할 수 있다. → **누가 분류하더라도 같은 결과가 나와야 한다.**

두 번째, '입꼬리가 올라간 것과 내려간 것'이라는 기준은 분류되지 않고 남는 카드가 생긴다. → **'기타'라는 범주 없이 분류되는 것이 분명한 기준이다.**

교수 처방 2 – 대상의 특징(속성)을 생각해보는 활동 | 시범 | 조작 |

기준을 정하기 위해서는 대상의 특징을 아는 것이 중요하다. 게임을 통해 대상의 특징(속성)을 생각해본다. 게임을 할 때는 시범을 통해 방법을 보여준다.

−게임 방법−

① 4명이 한 조를 만든다.

② 카드를 섞어 8장씩 나눠 가진다.

③ 첫 번째 사람이 특징을 말하며 카드를 내려놓는다.

　　예 : 물속에 삽니다.

④ 첫 번째 사람이 말한 특징을 가진 카드가 있으면 돌아가며 내려놓는다.(최대 2장까지 낼 수 있다)

⑤ 두 번째 사람이 다른 특징을 말하며 카드를 내려놓는다. 순서대로 돌아가면서 특징을 이야기하고 카드를 내려놓는다.

⑥ 카드를 가장 먼저 모두 내려놓는 사람이 이긴다.

※ 주의사항 : 앞에서 이야기했던 특징을 이야기하면 안 됨.

▲ 분류카드

이 활동을 하며 대상의 특징을 생각해보고, 하나의 대상이 여러 가지 특징을 동시에 갖고 있다는 것을 알게 된다. 대상의 특성을 생각해 보는 것은 기준을 정하는 첫 번째 단계이다.

🕐 **교수 처방 3**

교수 처방 3 – 분류기준 세워서 분류하기 [시범] [관찰] [조작] [토의]

분류카드와 구체물을 이용하여 실제로 분류해 본다. 분류카드는 '교수 처방 2'에서 특징게임을 했던 카드를 이용하고 구체물은 주변에서 구할 수 있는 젤리와 책을 이용한다.

1. 카드 분류하기

앞에서(교수 처방 2) 사용했던 분류카드 중에 동물카드 또는 음식카드만 사용하여 여러 가지 방법으로 분류하고 여러 가지 방법으로 표현한다. 각자 활동한 후 모둠친구들과 모여서 어떤 방법으로 분류했는지 비교해본다. 분류기준(다리의 수, 활동하는 곳, 이동방법, 새끼를 낳는 방법 등)에 따라 분류되는 동물이 다르다는 것을 알 수 있다.

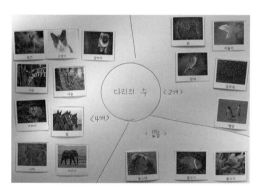
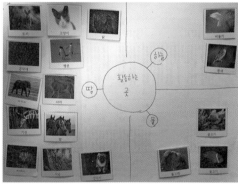
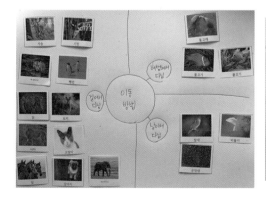

2. 젤리 분류하기

학생들은 음식물(젤리, 과자)로 수업을 하면 흥미를 갖는다. 먼저 "이 젤리는 무엇을 기준으로 분류할 수 있을까"하고 발문한다.

젤리는 모양과 색깔이라는 특징이 있기 때문에 학생들은 이 두 가지를 기준으로 분류한다. 정리할 표 양식은 교사가 제공해주고, 이런 분류는 추후에 학습할 표나 그림그래프의 기초가 된다.

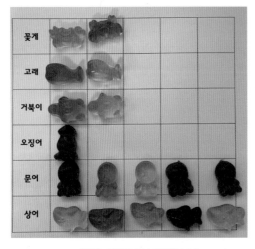
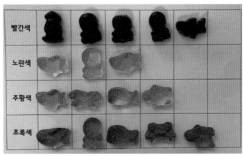

▲ 모양을 기준으로 분류한 모습   ▲ 색깔을 기준으로 분류한 모습

학생들은 "모양을 기준으로 분류했더니 꽃게 2개, 고래 2개, 거북이 2개, 오징어 1개, 문어 5개. 상어 5개, 총 17개였어" 이런 식으로 발표할 수 있다.

3. 학급문고 분류하기

교실에 있는 학급문고를 이용하여 분류하기 수업을 할 수 있다. 모둠마다 여러 권의 책을 무작위로 나눠주고 모둠만의 기준을 세워 책을 분류하고 발표한다.

"우리 모둠은 출판사를 기준으로 책을 분류 했어"

"책을 쓴 사람을 기준으로 해서 우리 나라 사람이 쓴 책과 외국 사람이 쓴 책으로 분류했어"

"동화책과 동화책이 아닌 것으로 분류했어"

모둠에서 세운 기준과 분류결과를 발표한 후, 많은 사람들이 찾기 쉽도록 책을 정리하려면 어떤 방법이 가장 좋을까 토의해본다.

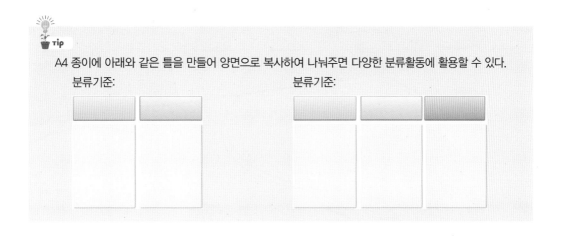

Tip

A4 종이에 아래와 같은 틀을 만들어 양면으로 복사하여 나눠주면 다양한 분류활동에 활용할 수 있다.

분류기준: 분류기준:

칠판 아래 길이는 1m쯤 되지 않나요?

단원명
3. 길이 재기

한눈에 알아보기

1 2 3 4
5 6 7 8
9 ÷ × = 0

2 학년

2 학기

◎ **학습 주제**

길이를 어림해 볼까요?(1)

◎ **성취 기준**

〔2수03-07〕 여러 가지 길이를 어림하여 보고, 길이에 대한 양감을 기른다.

◎ **난개념 1**

어림이라는 용어와 나타내는 ~쯤이라는 개념을 어려워한다.

◎ **난기능 2**

양감의 부족으로 어림을 할 때 실제 길이에 가깝게 어림하는 것을 어려워한다.

지도 요소

상황 진단

칠판 아래 길이는 1m쯤 되지 않나요?

교수 처방 1

교수 처방 2

◎ **난개념 1 처방**

• 어림이라는 단어를 활용한 이야기를 들려준다.
어림의 필요성과 생활 속에서의 활용을 알게 한다.
• 어림이라는 용어와 약 ~을 많이 활용하게 한다.

◎ **난개념 2 처방**

• 나의 몸의 길이를 활용하여 어림하게 한다.
• 도구를 활용하여 어림하게 한다.
• 어림하기 놀이를 통해서 익히게 한다.

- **성취 기준** 〔2수03-07〕 여러 가지 길이를 어림하여 보고, 길이에 대한 양감을 기른다.
- **관련 단원** `2학년 2학기` 3. 길이재기
- **학습 주제** 길이를 어림해 볼까요? (1), (2)
- **학습 목표** – 몸의 일부를 이용하여 여러 가지 구체물의 길이를 어림할 수 있다.
  – 다양한 어림의 전략으로 길이를 어림할 수 있다.

상황 진단

아는 지식 (학생 실제 발달 수준)	교수 처방	알게 된 지식 (교육과정 성취 기준)
• 길이의 직접 비교(1-1) • 길이단위를 알고 cm, m 단위 알기(2-1) • 여러 가지 길이를 어림하고 자로 재어 확인하기 (2-1) ■ 어림과 ~쯤의 개념 이해 부족 ■ 양감의 부족으로 가까운 길이의 어림을 어려워 함	 난개념, 난기능 처방	■ 자로 길이를 재지 않고 몸의 일부나 도구를 활용하여 구체물의 길이를 어림할 수 있음 ■ 다양한 어림 전략을 활용함 ■ 어림과 약 ~을 바르게 알고 생활 속에서 활용할 수 있음

학습 계열

선수 학습	본 학습	후속 학습
• 길이 비교하기 및 어림하기 – 1-1-4. 비교하기 – 2-1-4. 길이재기	• 몸의 일부를 이용하여 어림하기 • 물건의 길이나 거리를 어림하기	• 1mm, 1km를 알고 길이를 단명수와 복명수로 나타내기 – 3-1-5. 시간과 길이

1. 길이의 어림

자가 없을 때 길이를 재야하는 상황이 발생된다면 많이 활용되는 방법이 어림이다. 어림을 위한 다양한 전략 중 많이 활용되는 것은 다음 세 가지이다.

1) 기준(referents)과 비교 전략

50cm가 되는 물건이나 신체의 일부분을 알고 있다면 이것을 길이를 재는데 활용하는 것이다. 예를 들면 자신의 한 걸음이 50cm인 것을 알고 있다면 그것의 두 배는 1m, 세배가 되는 것은 150cm로 쉽게 어림할 수 있다. 또는 자신의 키가 1m10cm인 것을 이용해 교실 문의 높이나 친구의 키를 어림해 볼 수 있는 것이다.

(예) 내 키가 110cm니까 허리쯤에 오는 이 의자의 높이는 약 60cm쯤 될 거야.

2) 덩어리 짓기(chunking) 전략

재고 싶은 전체 길이를 몇 개로 나누어 각 길이를 어림한 뒤 합을 구하는 방법이다. 예를 들어 현관에서 정문까지의 거리를 어림해야 하는 경우, 놀이기구의 길이나 축구 골대의 길이 같이 눈에 보이는 시설의 길이를 이용하여 정문까지의 길이를 나누고 각 부분의 길이를 어림 한 뒤 합하는 방식이다.

(예) 현관에서 정문까지의 거리는 현관에서 국기 게양대까지의 거리가 약 3m 이고 국기 게양대에서 정문까지 거리가 약 20m쯤 되니까 현관에서 정문까지는 23m쯤 되겠다.

3) 단위화(chunking) 전략

어림해야 하는 전체 길이 중 일부분을 단위로 정해서 어림한 다음 전체를 몇 부분으로 나뉘어져 있는지를 계산하여 전체 길이를 어림하는 방식이다.

예를 들어 우리 학교 전체 둘레의 길이는 교실 앞면의 길이가 30m니까 앞 면 과 뒷면을 합치면 60m, 옆쪽의 길이는 12m, 옆면이 둘이니까 24m, 앞 뒤 옆을 모두 합하면 84m라고 어림할 수 있다.

(예) 3층 복도의 길이는 교실 하나의 길이가 4m니까 교실이 6개 그럼 복도의 길이는 약 24m가 되겠구나.

1. 어림하기의 필요성

• 어림하기는 측정도구를 사용하지 않고 머릿속에서 시각적인 정보를 이용하여 측정하거나 비교해보는 과정이며, 사람들은 거의 매일 일상에서 어림하기를 경험하며 살아간다.

• 어림하기는 교실 밖에서의 실용적인 가치뿐만 아니라 측정하고자 하는 속성이 무엇인지에 대하여 탐구하도록 하며 내재적인 동기를 유발하여 보편 단위를 익히는데 도움을 준다.

✓ **주의할 점** : 길이와 거리의 차이점을 엄밀하게 정의하여 구별하지는 않지만 용어를 적절하게 분리하여 사용하도록 교사가 지도할 수 있도록 한다.

2. 몸을 이용한 길이의 단위

고대에는 어느 민족이든 신체의 일부분을 단위로 하여 길이를 재었다. 지금도 자신의 **신체부위의 길이를 알면 자가 없어도 길이를 재는 데 편리하게 이용**할 수 있다.

1) 큐빗(cubit) : 46~47cm정도의 길이를 나타내는 고대 단위로써, 팔꿈치에서 가운데 손가락까지의 길이이다.

2) 양팔을 펼쳤을 때 길이(arm span) : 약 6피트 정도의 길이로 예전에는 배를 타는 선원들이 바다의 깊이나 밧줄의 길이 등을 측정할 때 사용하였다.

3) 한 뼘(hand span) : 손을 쫙 폈을 때 엄지에서 새끼손가락까지의 길이이지만, 표준 단위로 사용되지는 않았다.

4) 피트(.feet) : 12inch(약 30.480cm)의 길이로 성인의 발 길이에서 유래되었다.

5) 인치(inch) : 2.54cm정도의 길이로 어른 엄지손가락의 너비에서 유래되었으나, 오늘날에는 어린이의 엄지손가락 첫마디의 길이로 간주된다.

교실 속 오류상황

"칠판 아래쪽 길이는 얼마나 될까요?"

"선생님 1m쯤 되지 않을까요?"

"왜 그렇게 생각해? 너무 짧게 생각하는 것 같은데. 1m 자를 보자. 칠판 길이가 훨씬 기네."

"에이 선생님 어림은 대충하는 게 아닌가요?"

초등학교 2학년 학생들에게 어림이라는 용어는 매우 생소하다. 1학기 때 이미 배웠지만 아직도 이 용어는 생소한 단어다. 용어도 어려운데 길이에 대한 양감이 형성되어 있지 않은 학생들이 어림을 한다는 것은 매우 어렵다.

따라서 학생들이 1m, 50cm, 20cm등의 길이가 어느 정도가 되는지 자기 몸의 일부를 활용하여 알아두는 것이 필요하다.

그래서 학생들이 어림할 때 활용함으로써 길이에 대한 양감을 길러주는 것이 필요하다.

또한 어림이라는 용어와 약~이라는 용어를 많이 활용하여 이야기 해보게 함으로써 어림의 개념과 약 ~의 활용을 자연스럽게 사용할 수 있도록 해야 할 것이다.

어림에 관련된 경험할 만한 이야기를 들려 준 뒤 이 문제에 대해 생각해 보게 하고 거기에 나오는 개념을 활용하여 많은 이야기를 해보는 경험을 제공한다.

아빠가 전화를 했어요.
"가을아 집에 가는 길인데 여기 네가 너무 갖고 싶어 하는 노랑구두가 있어. 그런데 네 발 크기를 몰라서 전화를 했는데 네 발의 길이가 얼마쯤 될까?"
"야, 신난다. 자가 없는데 어쩌나."
"가을아 네 손 뼘으로 얼마나 되나 어림해볼래. 아빠가 네 손 크기를 아니까."
"네 아빠 제가 제 실내화의 길이를 뼘으로 재어보니 두 뼘이 좀 안되네요."
한참 후
"가을아, 신발 사왔다. 신어볼래."
"어머 딱 맞아요. 어떻게 이렇게 딱 맞지?"

생활 속에서 있을 법한 이야기를 들려 준 뒤『어림』이라는 용어와『조금 안되네요』라는 용어를 학생들이 정확하게 파악하기 위해 관련 이야기를 듣고 자주 활용해 보는 활동을 하는 것이 필요하다.

아빠가 가을이의 발 크기를 몰라 전화를 하였지만 가을이도 자기의 발 크기를 모르고 자도 없는 상태에서 2학년 1학기 때 배운 내용으로 아빠가 말씀하신『어림』이라는 용어와 『조금 안 된다』는 용어를 활용하여 자기 운동화의 크기를 알려 준다는 내용의 이야기를 통해 생활 속에서 활용되는 어림의 의미를 인식하게 하였다.

아빠는 왜 **어림**이라는 말을 했을까?

왜 가을이는 정확하게 발 크기를 말하지 않고 **조금 안 된다**는 말을 했을까?

아빠는 가을이의 발 사이즈를 잘 모르고 있고 가을이는 자가 없기 때문에 뼘으로 재었고 정확하지 않아 조금 안 된다는 용어를 활용하였다는 응답이 나올 것이다.

이때 생활 속에서 언제 어림해 보았는지 학생들에게 경험을 이야기해 볼 수 있게 한다.

교수 처방 1 – 어림과 ~쯤 용어 익히며 양감 기르기

1m 양감 기르기 – 몸의 길이를 알고 비교하기 전략 　시범　　관찰

교실 바닥에 사진 자료와 같이 1m의 길이를 띠로 붙여 놓고 교사가 먼저 몇 걸음이 되는지 시범을 보인다. 두 걸음이라면 한걸음은 50cm고 1m가 되려면 두 걸음이라는 것을 알게 한다.

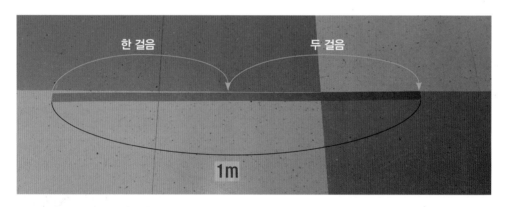

칠판의 길이를 어림해보는 과정을 시범으로 보여 보자. 한걸음이 50cm, 두 걸음은 1m라는 것을 시범으로 보여주고 칠판의 길이만큼을 걸어본다.

"선생님 걸음으로 5걸음이라면 칠판의 길이는 어림하여 얼마쯤 될까?"를 질문하여 학생들이 스스로 어림값을 이야기 해보게 하는 것이 필요하다.

교실 앞이나 뒤에 사진 자료처럼 1m의 길이를 띠로 붙여놓고 학생들이 늘 보며 길이에 대한 양감을 익힐 수 있도록 하는 것이 필요하다.

교실 앞문 틀이나 뒷문 틀에 사진 자료와 같이 1m 길이를 세로로 붙여 놓고 우리 몸의 일부 중 키를 활용하여 1m 양감을 기르게 할 수 있다.

선생님이 시범으로 1m의 길이가 키의 어느 부분에 오는지 알아본다.

키의 허리 부분이 1m쯤 되었을 때 이것을 활용하여 교실의 물건의 높이가 얼마쯤 되는지 어림하여 보게 하는 것이다.

예를 들어 사물함의 높이는 얼마쯤 될까? 라고 질문을 했을 때 허리 부분보다 조금 적다면 약 1m쯤이라고 말할 수 있고 반쯤 된다면 약 50cm쯤이라고 말 할 수 있도록 한다.

이 때 학생들이 1m에 대한 양감이 길러질 수 있도록 많은 활동을 경험하게 해주는 것이 필요하다.

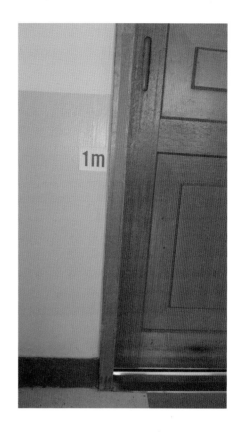

또한 활동결과를 지속적으로 이야기 하는 경험을 많이 하도록 한다면 어림이라는 용어와 약 ~쯤이라는 용어를 사용하는데 어려움이 없게 될 것이다.

체험

학생들의 1m에 대한 양감을 길러주기 위해서는 자기 걸음으로 1m를 확인하고 재어보는 활동을 하는 것이 필요하다.

선생님처럼 나의 걸음을 1m 길이에서 걸어보자. 몇 걸음이 될까?

직접 걸어보아서 1m는 몇 걸음이 되는지 스스로 확인해 보자.

"선생님도 두 걸음인데 나도 두 걸음이 1m네."

높이의 길이를 알아보기 위해서는 앞문에 그려져 있는 1m의 길이는 나의 키의 어디까지 올까 확인해보자.

"내 어깨가 약 1m쯤 되는구나"를 스스로 이야기 해보고 이것을 활용하여 교실이나 다른 곳의 높이를 어림하는 체험을 하게 하는 것이 필요하다.

교실 속 여러 물건의 길이 및 높이 어림해보기 [조작]

학생들이 1m 길이에 대해 신체의 일부로 알고 있다면 다양한 조작을 실천해보게 하는 것이 필요하다. 길이를 어림하고 나서 입으로 **"○○의 길이를 어림했더니 약 ~m쯤 되네."** 라는 말을 많이 해보는 경험을 하게하자.

- 복도의 신발장 높이를 어림해 보았더니 1m 조금 더 됩니다.
- 사물함 높이를 어림해 보았더니 약 1m쯤 됩니다.
- 교실 앞 게시판 길이를 어림해 보았더니 약 1m쯤 됩니다.

이 활동을 충분히 하다보면 학생들이 1m에 대한 양감이 형성되게 될 것이다. 이후에 교실의 여러 곳의 길이를 어림해보는 경험을 갖게 한다.

- 교실 옆 책 놀이터는 5걸음 이니까 약 2m50cm입니다.
- 사물함은 6걸음이니까 약 3m입니다.

2단계 - 우리는 어림대장(놀이로 익히기)

놀이를 하기 전에 짝과 서로 도우며 어림해보기 <u>조작</u>

학생들이 몸의 일부나 걸음걸이를 활용하여 길이를 어림해 보는 경험을 통해 1m에 대한 양감을 충분히 기른 후 모둠이나 짝 또는 개인별로 2m, 3m등의 길이를 종이테이프나 리본 끈을 이용하여 어림해보고 줄자나 1m자를 활용하여 확인해보게 하는 활동을 해본다.

교실에서 일반적으로 신문을 잘라서 이어 붙여보는 활동을 많이 하는데 그러다 보면 교실이 난장판이 벌어지는 경우가 많다.

그래서 종이테이프나 리본 끈을 활용해 활동을 해보는 것도 좋은 방법 중 하나다.

여기서는 짝 활동 하는 것을 예시로 해보았다.

가을 : 나는 내 걸음의 길이를 이용해서 2m를 어림해보려고 해. 너는 얼마를 어림해 볼래?

힘찬 : 나는 내 팔 길이를 이용해서 3m 어림해 볼 거야. 아참 그런데 내 양 팔 길이는 얼마나 되지? 그것부터 알아보아야겠다. 끈을 어림하려면 걸음걸이보다는 그게 더 쉬울 것 같아.

가을 : 그래 그럼 넌 3m 난 2m 어림해보고 자로 확인해보자. 그리고 누가 더 어림을 잘했는지 알아보는 거야.

☆ 가을이의 2m 어림 방법

▲ 걸음으로 2m 어림하는 가을이

- 리본 끈을 교실 1바닥에 길게 늘어놓고 걸음을 걸어 2m를 어림하여 자르고 줄자로 확인하였다.
- 이 때 짝과 서로 도우면서 짝이 어떤 방법으로 어림하고 확인하는가를 알아보고 어림하는 방법이 다양함을 서로 알게 한다.

▲ 줄자를 이용하여 2m확인하기

☆ 힘찬이의 3m 어림 방법

▲양팔로 3m를 어림하는 힘찬이

- 힘찬이는 3m를 어림하기 위해 양팔의 길이를 이용하기로 하였다.
- 줄자로 양팔의 길이를 알아보았다. 힘찬이의 양팔의 길이는 1m30cm였다.
- 힘찬이는 분홍색 리본은 양팔로 3번하고 조금 더 재서 끊었다.
- 힘찬이는 짝의 도움을 받아서 1m자를 이용하여 확인하였다.

▲1m자로 어림한 길이를 확인함

모둠별 어림대장 선발하기 　놀이

┌─ 놀이 방법 ─┐

『어느 모둠이 가장 어림을 잘하는가?』
1) 모둠인원이 협력하여 선생님이 정한 길이를 어림합니다.
2) 종이끈을 지금까지 배운 어림방법으로 우리 몸의 일부를 이용하여 어림합니다.
3) 각 모둠은 3m를 어림하여 선생님이 정해주는 자리에 붙이고 모둠 이름을 붙입니다.
4) 모둠이 서로 바꾸어 다른 모둠이 어림한 길이를 자를 이용하여 측정합니다. 그리고 실제 길이와 어림길이가 어느 정도 차가 있는지를 확인합니다.

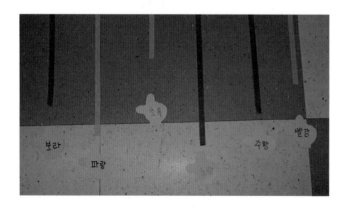

보라 모둠 파랑 모둠이 짝, 초록 모둠 노랑 모둠이 짝, 주황 모둠 빨강 모둠이 짝이 되어 바꾸어 줄자나 1m자를 활용하여 재어보자.
　어느 모둠이 가장 3m에 가깝게 어림하였나?

파랑 모둠 : 보라 모둠은 줄자로 확인해보았더니 2m90cm로 10cm 차이가 납니다.

보라 모둠 : 파랑 모둠은 줄자로 확인해보았더니 3m15cm로 15cm 더 큽니다.

빨강 모둠 : 주황 모둠은 1m 자로 확인해 보았더니 2m95cm로 5cm차이가 납니다.

이 놀이 활동을 통해 모둠이 서로 협력하고 의논하는 경험과 함께 자로 정확하게 측정하는 방법까지 서로 도우며 경험하게 된다.

또한 앞 차시에서 배운 길이의 덧셈과 뺄셈의 계산 과정을 이용해 어림과 정확한 측정의 차이를 계산해보게 한다.

어림대장을 뽑기 놀이는 어림과 정확한 측정, 그리고 길이의 덧셈과 뺄셈을 하는 통합적인 수학활동이 필요한 놀이로 수학적 의사소통과정과 추론과정이 필요한 활동으로 수학교과역량을 길러 줄 수 있다.

놀이 활동이 끝난 후속활동으로 운동장에 나가 축구골대의 너비, 조회대에서 교문까지의 거리, 나무와 나무 사이의 거리등 다양한 거리를 어림해보는 경험을 하게 한다.

이런 다양한 활동으로 학생들은 어림을 여러 방법으로 조작, 체험해보는 과정을 통해 양감을 형성 시킨 후 생활 속에서 우리가 어림이 왜 필요한지 , 언제 어림을 하는지 이야기 해보게 한다.

■ 참고문헌

• 박성선 외, 2017, 초등교사를 위한 수학과 교수법(개정판)
• 교육부, 2017, 2015 개정교육과정 교수학습자료집

수학도 규칙이 있어요?

단원명
6. 규칙찾기

◉ **학습 주제**

규칙을 찾아볼까요?

◉ **성취 기준**

[2수04–01] 물체, 무늬, 수 등의 배열에서 규칙을 찾아 여러 가지 방법으로 나타낼 수 있다.

◉ **난개념 1**

규칙을 찾는 것은 복잡하고 어렵다.

◉ **난개념 2**

규칙을 만드는 것은 어렵다.

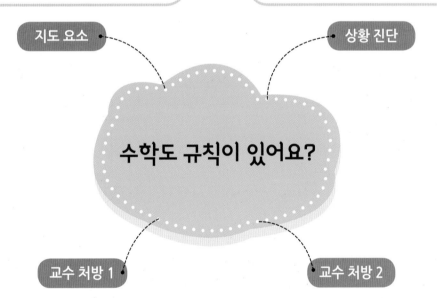

지도 요소

상황 진단

수학도 규칙이 있어요?

교수 처방 1

교수 처방 2

◉ **난개념 1 처방**

• 생활 속 다양한 곳에 숨어 있는 규칙을 찾게 한다.
• 암호를 해결하는 스토리로 덧셈표, 곱셈표에서 규칙을 찾게 한다.

◉ **난개념 2 처방**

• 나만의 규칙으로 '팔찌, 티셔츠 무늬 등' 디자인하고 서로 규칙을 맞추게 한다.

⊙ 성취 기준 [2수04-01] 물체, 무늬, 수 등의 배열에서 규칙을 찾아 여러 가지 방법으로 나타낼 수 있다.

⊙ 관련 단원 `2학년 2학기` 6. 규칙 찾기

⊙ 학습 주제 규칙을 찾아 볼까요

⊙ 학습 목표 – 생활에 존재하는 규칙성을 인식한다.
　　　　　　 – 덧셈표, 곱셈표, 무늬에서 다양한 규칙을 찾아 설명할 수 있다.

🕯 상황 진단

아는 지식 (학생 실제 발달 수준)	교수 처방	알게 된 지식 (교육과정 성취 기준)

• 반복 규칙에서 규칙 찾기
• 수 배열에서 규칙 찾기

■ 단순한 수의 반복이나 무늬의 반복에서 규칙찾기를 배웠으나 다양한 상황에서 규칙을 찾고 표현하는데 어려움을 느낌

시범 설명 ➡ 조작 ➡ 토의

난개념 처방

• 덧셈표에서 규칙 찾기
• 곱셈표에서 규칙 찾기
• 무늬에서 규칙 찾기
• 생활에서 규칙 찾기

■ 덧셈표, 곱셈표, 무늬에서 규칙을 찾음
■ 생활 속 다양한 곳에 규칙이 있다는 것을 발견하고 찾음

🕯 학습 계열

선수 학습	본 학습	후속 학습
• 반복 규칙에서 규칙 찾기 • 시간의 흐름에 따른 시간에서 규칙 찾기 • 규칙을 찾아 여러 가지 방법으로 나타내기 • 규칙 만들어 무늬 꾸미기 • 수 배열에서 규칙 찾기 • 수 배열표에서 규칙 찾기 – 1-2-5. 시계 보기와 규칙 찾기	• 덧셈표에서 규칙 찾기 • 곱셈표에서 규칙 찾기 • 여러 가지 무늬에서 규칙 찾고 규칙 만들기 • 생활에서 규칙 찾기	• 다양한 변화 규칙을 찾아 설명하기 • 규칙을 수나 식으로 나타내기 • 계산식의 배열에서 계산 결과 규칙 찾기 – 4-1-6. 규칙 찾기

1. 수학적 패턴 탐구 학습의 의의

수학은 '패턴의 과학'이라고 한다. 이렇게 특정 지을 수 있는 것은 패턴은 수학에서 가장 중요하게 여기는 것 중의 하나이기 때문이다. 패턴을 탐구하는 활동은 초등학교에서 규칙 찾기로 표현한다.

첫째, 패턴은 일상생활에서 다양하게 사용하고 있으며 우리의 생활 곳곳에서 찾아볼 수 있다. 이것은 수학의 가치와 유용성을 인식할 수 있는 기회가 된다.

둘째, 문제해결의 전략으로 활용할 수 있다. 패턴을 탐구하는 것은 문제를 해결하는 중요한 전략이며 결과를 예측하는 활동으로서 함수의 기초가 된다.

셋째, 모든 학년과 다양한 영역(음악, 미술, 국어 등)에서 쓰이며 의사소통 능력을 신장시킨다. 일상의 언어와 수학적 언어를 의미있게 연결한다.

2. 수학적 패턴의 유형

규칙성의 유형은 학자에 따라 다양하게 분류하고 있는데 패턴의 속성과 생성 방식에 따른 유형은 다음과 같다.

유형		예
속성에 따른 유형	관계적 속성에 따른 패턴 (수열이나 함수를 기초로 함)	3, 6, 9, 12, 15, 18, 21···
	기하적인 속성에 따른 패턴 (도형의 성질이나 모양을 기초로 함)	○□△☆◇○□△☆◇···
	물리적인 속성에 따른 패턴 (색, 크기, 방향 등을 기초로 함)	□■■■■□■■■■□■■■···
생성 방식에 따른 유형	반복에 의한 패턴	1,2,3,1,2,3···
	증가에 의한 패턴	1,1,2,1,1,2,3,2,1,1,2,3,4,3,2,1,···
	대칭에 의한 패턴	≤ ≥ ≤ ≥ ≤ ≥ ···
	회전에 의한 패턴	⇓ ⇐ ⇑ ⇒ ⇓ ⇐ ⇑ ⇒ ⇓ ⇐ ⇑ ⇒ ···

교실 속 오류상황

"선생님, 규칙은 어디에 있나요?"

"'숫자, 도형, 자연, 일상생활' 속에 수많은 규칙들이 숨어있어요. 옷, 벽지, 포장지의 무늬, 7일마다 일주일이 반복되는 것도 규칙이라고 할 수 있어요."

규칙(패턴)은 수학책 속에만 있는 것이 아니라 주변을 둘러보면 일상생활 어디에나 존재한다. 패턴을 찾는 것은 문제 해결의 중요한 전략이며 규칙을 찾고 결과를 예측하는 활동으로서 함수의 기초가 된다. 또, 어느 분야에서나 무궁무진하게 활용할 수 있고 수학의 아름다움을 느낄 수 있는 좋은 기회가 된다.

교수 처방 1, 2에서는 '블루팡'이라는 이야기 주인공을 설정하여 생활 속의 규칙을 찾아보고, 덧셈표와 곱셈표에 숨어있는 규칙성을 찾아보도록 한다.

교수 처방 1 – 다양한 곳에 숨어 있는 규칙 찾기 설명 토의

우리 주변에서 만날 수 있는 다양한 사물 속에 숨어있는 규칙을 찾아본다. 이 학습에서는 정확한 규칙을 찾는 것이 목표가 아니라 우리 주변에 다양한 규칙이 있다는 것을 느끼고 학생들만의 자연스러운 방법으로 표현하는데 의의를 둔다.

'블루팡'이라는 이야기 주인공을 설정하여 생활 속의 규칙을 찾아본다. 사진자료를 함께 보며 학생들은 어떤 규칙이 있을지 이야기를 주고받도록 한다.

2학년 친구들 안녕! 나는 꼬마상어 블루팡이야.

내 취미는 생활 속에 숨어있는 다양한 규칙을 찾아보는 거야. 나는 이것을 '**규칙 찾기 게임**'이라고 생각해.

지난 주말에 집과 집 주변을 둘러보며 몇 가지 사진을 찍었어. 함께 보면서 규칙을 찾지 않을래?

교사가 "우리 집 앞 보도블럭 사진이야. 어떤 규칙이 있을까요?"라고 발문한다.

학생들은 "빨간색 블럭과 회색 블럭이 반복되고 있어요." 등으로 대답할 수 있다.

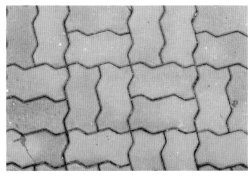

교사가 "회색 보도블럭을 좀 더 확대해서 찍은 사진이에요. 여기에도 규칙이 있을까요?"라고 발문한다.

학생들은 "옆으로 누운 벽돌 2개, 길게 세워진 벽돌 2개가 계속 반복되고 있어요." 등으로 대답할 수 있다.

이 밖에도 다양한 사진자료를 활용하여 규칙을 찾아본다. 학생들은 규칙을 찾으면서 규칙이란 '반복'이라는 것을 느낄 수 있다. 규칙을 찾고 설명할 때는 '기본단위'를 찾는 것이 가장 기본적이고 중요한 전략이다.

▲횡단보도

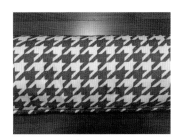

▲ 베개의 무늬

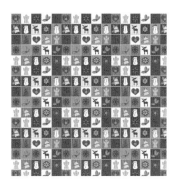

▲ 포장지 무늬

이 밖에도 학생들이 익숙하게 알고 있는 동요에서 반복되는 표현을 찾아본다. 동요(음악) 속에도 패턴이 있다는 것을 느낄 수 있도록 한다.

머리 어깨 무릎 발 미상 작사 외국 곡 머리 어깨 무릎 발 무릎 발 머리 어깨 무릎 발 무릎 발 머리 어깨 발 무릎 발 머리 어깨 무릎 귀 코 귀	머리 어깨 무릎 발이라는 말과 음이 반복되고 있어요.
작은 별 윤석중 모짜르트 곡 반짝 반짝 작은 별 아름답게 비치네 동쪽하늘 에서도 서쪽 하늘 에서도 반짝 반짝 작은 별 아름답게 비치네	'반짝반짝 작은 별 아름답게 비치네' 부분이 반복되고 있어요.

교수 처방 2 – 암호를 해결하는 스토리로 규칙 찾기 시범 설명 토의

교수 처방 1에서 등장했던 블루팡이 암호를 해결해나가는 스토리 속에서 '덧셈표, 곱셈표'에 있는 여러 가지 규칙을 찾아본다.

너희들은 어떤 꿈이 있니?
내 꿈은 셜록홈즈 같은 멋있는 탐정이 되는 거야.
그런데 어느 날 어린이 신문을 보다가 '꼬마탐정 자격시험'이라는 재미있는 것을 발견했어. 한번 같이 읽어 볼래?

–꼬마탐정을 모집합니다–
셜록홈즈, 코난을 좋아하는 어린이들
어렵고 재미있는 일을 함께 해결해나갈 꼬마탐정을 모집합니다.
장소, 시간, 전화번호는 모두 알려주지 않습니다.
꼬마탐정 자격시험답게 모두 스스로 알아내어서 시험장소로 오세요.
물론 힌트는 있습니다.
시험장소로 오는 것이 곧 시험문제입니다!

꼬마탐정이라니 정말 흥미롭지 않니? 그리고 3가지 힌트가 함께 있었어. 3가지 힌트를 보며 함께 해결해 보지 않을래?

모둠활동을 기본으로 하여 '첫 번째 힌트 → 두 번째 힌트 → 세 번째 힌트' 순으로 힌트를 제공한다. 모둠에서 문제를 함께 해결하고 자기 모둠이 문제를 해결한 방법을 전체에게 발표한다. 중요한 것은 정답을 찾는 것보다 덧셈표와 곱셈표에서 규칙들을 최대한 많이 찾아 발표하는 것이다.

첫 번째 힌트 주소를 알아내라.

시험 장소는 경기도 사랑구 희망동 ⑦번지입니다.

0	1	2	3	4	5
10	11	12	13	14	15
20	21	22	23	24	25
30	31	32	33	34	35
40	41	42	43	44	45
50	51	⑦	53	54	55

덧셈표에는 어떤 규칙이 있습니까?

– 같은 줄에서 아래로 내려갈수록 10씩 커집니다.

– 세로줄은 끝나는 숫자가 같습니다.

– 가로줄은 십의 자리가 같습니다.

– 오른쪽으로 갈수록 1씩 커집니다.

⑦에 들어갈 숫자는 무엇일까요? 52

두 번째 힌트 시간을 알아내라.

시험 시간은 오후 ●시 ★분입니다.

×	1	3	5	7	9
1	1	3	5	7	9
3	3	9	15	21	27
5	●	15	25	35	45
7	7	21	35	49	63
9	9	27	★	63	81

곱셈표에는 어떤 규칙이 있습니까?

– 곱셈표에 있는 모든 수는 홀수입니다.

– 같은 줄에서 아래쪽으로 내려갈수록 일정한 수만큼 커집니다.

– 같은 줄에서 오른쪽으로 갈수록 일정한 수만큼 커집니다.

– 1에서 81까지 곧은 선을 그은 후 접어서 겹쳐보면 만나는 수는 같습니다.

오후 ●시 ★분일까요? 5시 45분

전화번호를 맞춰라.

전화번호는 21★-■64입니다.

★	6	9	12
6	12	18	■
9	18	24	36
12	24	36	48

이 표에는 어떤 규칙이 있습니까?

– 첫 번째 가로줄은 3씩 커지고, 두 번째 가로줄은 6씩 커지고, 세 번째 가로줄은 9씩
  커지고 네 번째 가로줄은 12씩 커집니다.

– ★에서 48까지 곧은 선을 그은 후 접어서 겹쳐보면 만나는 수는 같습니다.

– 가로줄과 세로줄의 숫자가 같습니다.

★은 3이고, ■는 24입니다. 전화번호는 213-2464입니다.

교수 처방 3

교수 처방 3 – 나만의 규칙 만들고 서로 맞추기 조작   토의

1. 색깔 클립으로 목걸이, 팔찌 만들기

규칙을 만들 때는 그림을 색칠하거나 스티커를 붙이는 방법도 있지만, 직접 조작물(색
깔 클립)을 이용하여 표현해 보도록 한다. 색깔 클립은 색깔이 다양하여 다양한 규칙을
만드는데 유용한 재료가 된다.

학생들은 조작하는 것을
좋아한다. 학생들에게 이
런 활동은 수학보다는 미
술시간같이 느껴질 수 있
다. 만드는 데에서 그치지
않고 실물 화상기를 통해
자신의 완성품(목걸이, 팔
찌)을 발표하고 친구들은
어떤 규칙으로 만들었는지
맞춰본다.

다음은 학생들이 만든 완성품과 학생들이 찾은 규칙이다.

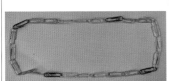		
초록색 1개–노란색 2개–흰색 3개가 반복되고 있어요	빨간색 1개–초록색 2개–노란색 2개가 반복되고 있어요	하얀색 1개–노란색 하트모양 1개가 반복되고 있어요

2
학년

2
학기

이런 활동을 하면서 규칙이라는 것은 수학뿐만 아니라 생활 속 전 영역에서 필요한 것이고, 미술 분야에서 디자인을 할 때 매우 유용하게 쓰이고 있음을 이야기해준다.

학생들에게 "규칙을 이용해서 어떤 것들을 만들 수(디자인할 수) 있을까?" 물어보면 '벽지, 이불, 티셔츠, 포장지'등 학생들의 수준에서 생각해낼 수 있는 것들을 대답할 수 있을 것이다.

받아내림이 있는 뺄셈은 어떻게 하지?

한눈에 알아보기

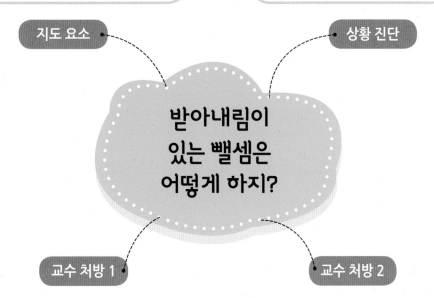

학습 주제

세 자리 수의 뺄셈을 어떻게 할까요? (2)

성취 기준

〔4수01-03〕세 자리 수의 덧셈과 뺄셈의 계산 원리를 이해하고 그 계산을 할 수 있다.

오개념 1

받아내림이 있는 뺄셈은 다 받아내려서 계산한다.

난개념 1

받아내림이 두 번 있는 뺄셈은 계산에서 혼동한다.

지도 요소

상황 진단

받아내림이
있는 뺄셈은
어떻게 하지?

교수 처방 1

교수 처방 2

오개념 1 처방

• 받아내림의 필요성을 확인한다.
• 받아내림이 필요한 경우와 필요하지 않은 경우를 비교확인한다.

난개념 1 처방

• 받아내림이 두 번 있는 경우 십의 자리로 내림한 뒤 남은 수와 백의 자리에서 내려 받은 수를 더해야 함을 동전모형을 활용한 조작활동을 통해 확인한다.
• 백의 자리에서 100을 내려주고 내림한 수를 계산하지 않는 착오를 예방하고 확인한다.

- ✪ **성취 기준** 〔4수01–03〕세 자리 수의 덧셈과 뺄셈의 계산 원리를 이해하고 그 계산을 할 수 있다.
- ✪ **관련 단원** `3학년 1학기` 1. 덧셈과 뺄셈
- ✪ **학습 주제** 받아내림이 두 번 있는 뺄셈을 해 볼까요?
- ✪ **학습 목표** 받아내림이 두 번 있는 (세 자리 수)–(세 자리 수)의 계산 원리를 이해하고 계산할 수 있다.

상황 진단

아는 지식 (학생 실제 발달 수준)	교수 처방	알게 된 지식 (교육과정 성취 기준)

- • 받아내림의 의미
- • 뺄셈의 의미

- ■ 받아내리는 경우의 인식 부족
- ■ (세 자리 수)–(세 자리 수)의 뺄셈에서 무조건 받아내림
- ■ (세 자리 수)–(세 자리 수)의 뺄셈에서 두 번 내림한 후의 남은 수를 계산하지 않음

시범 ⇨ 관찰 ⇨ 매체 조작 ⇨

오개념 처방

- • 받아내림이 두 번 있는 (세 자리 수)–(세 자리 수)
- ■ 세 자리 수의 덧셈과 뺄셈의 계산 원리를 이해하고 그 계산을 할 수 있음.

학습 계열

선수 학습	본 학습	후속 학습
• 받아올림이 있는 두 자리 수의 덧셈하기 • 받아내림이 있는 두 자리 수의 뺄셈하기 – 2–1, 3. 덧셈과 뺄셈	• 받아올림이 없는 세 자리 수의 덧셈하기 • 받아올림이 있는 세 자리 수의 덧셈하기 • 받아내림이 없는 세 자리 수의 뺄셈하기 • 받아내림이 있는 세 자리 수의 뺄셈하기	• 분수의 덧셈과 뺄셈하기 – 4–1, 1. 분수의 덧셈과 뺄셈 • 소수의 덧셈과 뺄셈하기 – 4–2, 3. 소수의 덧셈과 뺄셈

1. 덧셈과 뺄셈의 이해를 통한 알고리즘 지도

이 단원은 초등학교에서 덧셈과 뺄셈을 완성하는 단원이다. 처음 10 이하의 수에서 시작하여 세 자리 수의 덧셈과 뺄셈을 하고 받아올림과 받아내림이 있는 덧셈과 뺄셈을 하게 된다. 이 과정에서 계산 원리의 형식도 알아야 하고 계산도 능숙하게 할 수 있어야 한다. 세 자리 수의 덧셈과 뺄셈은 학생들마다 좋아하는 유형을 찾게 하여 사고력을 키우고 각자의 다양한 방법을 수용하여 창의성을 기를 수 있어야 한다.

이전 단계인 2학년에서부터 학생들을 관찰해보고 알게 된 점은 학생들이 한 번 실수한 문제는 계속 실수한다는 점이다. 즉 습관적으로 똑같은 수학적 오류를 범하는 것인데 이것은 그 원인을 알아내고 반복하여 오류를 교정하지 않으면 쉽게 고쳐지지 않는다. 따라서 가르치는 교사는 학생들의 계산 과정을 세심하게 살펴보고 어디에서 문제가 생겼는지 정확히 파악하여 적시에 그 원인을 제거해줄 수 있어야 한다. 초등학교 3학년은 계산 기능 숙달을 위한 중요한 단계이니만큼 대처 방법과 대처 시기는 매우 중요하며 학생 개개인에 따른 피드백 방법도 필요하다.

학생들은 받아내림이 두 번 있는 (세 자리 수)−(세 자리 수)의 뺄셈에서 대체로 다음과 같은 오류를 범하였다.

1)

```
        7   ⑥   5
    -   2   ③   6
```
받아내림할 필요가 없어도 무조건 받아내린다.

```
    ⑥   15   10
    ⑦    6    5
 -   2    3    6
 ───────────────
     4    2    9
```
십의 자리는 받아내림할 필요가 없으나 무조건 받아내린다.

2)

```
        3   6   2
    -   1   7   8
```
두 번째 받아내림은 어려워한다.

```
         15   10
     ③    6    2
  -  1    7    8
 ───────────────
     2    8    4
```
두 번째 받아내림은 혼돈한다. 십의 자리로 100만큼 내려준 것을 생각지 못하고 그대로 계산한다.

교실 속 오류상황 1

받아내림할 필요가 없는 뺄셈에서도 무조건 받아내림한다.

교실 속 오류상황 2

받아내림 해준 것을 생각지 못하고 그대로 계산한다.

위의 그림처럼 무조건 받아내림하는 오류는 받아내림을 할 필요가 없는 경우에도 습관적으로 하는 경우가 많다. 왜 십의 자리에서 일의 자리로 받아내림을 했는지 생각하지 않고 앞에서 했으니까 당연히 하는 걸로 생각하는 것인데 이는 십의 자리에서 빼지는 수와 뺄 수에 대하여 집중하지 않았기 때문이다.

2학년에서 받아올림과 받아내림이 있는 두 자리 수의 덧셈과 뺄셈을 학습하였다. 이 과정에서 받아올림과 받아내림이 정확히 구분되지 않은 학생은 그 오류를 그대로 갖고 3학년에 진급하여 덧셈과 뺄셈을 하게 된다. 가장 일반적인 오류는 큰 수에서 작은 수를 무조건 빼는 것인데 이것은 2학년의 덧셈과 뺄셈에서도 다루어지므로 다른 오류를 점검하고자 한다.

뺄셈은 덧셈보다 조금 더 학생들이 어려워한다. 덧셈의 경우는 더해지는 것을 10씩 올려주면 되는데 받아내림이 두 번 있는 뺄셈의 경우는 받아내림 하고 계산한 후 원래의 수를 다시 더해야하는 번거로움도 있다. 그 과정이 학생들에게 익숙한 과정은 아니다.

학생들이 백 모형 1개를 십 모형 10개로, 십 모형 1개를 일 모형 10개로 바꾸는 연속적인 조작 활동을 충분히 하도록 하여 받아내림이 두 번 있는 뺄셈의 계산 원리를 이해하게 한다. 또 이렇게 바꾸는 활동이 세로 계산에서 어떻게 나타내야 하는지 학생들 스스로 계산해보고 의미를 발견하게 한다.

11월 30일을 기준으로 우리학교의 학생수는 365명입니다. 그중에서 1학년과 2학년을 합한 학생수는 147명입니다. 우리학교 3학년부터 6학년까지의 학생 수는 모두 몇 명일까요? 알아보려면 어떻게 해야 할까요?

이야기를 들려 준 뒤 이 문제를 해결해 보게 하고 구체적 조작 자료를 활용하여 교사가 먼저 시범을 보여 준다.

 **교수 처방 1**

받아내림 할 필요가 없는 뺄셈에서도 무조건 받아내림한다.

⇨ 받아내림 할 필요가 있나 확인한 후 받아내리기

시범 관찰

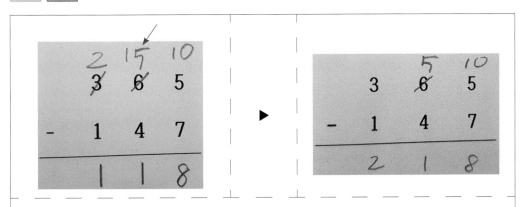

1. 계산을 통하여 시범보이기
   일의 자리로 10을 내려준 뒤 십의 자리수 5는 4보다 크기 때문에 받아내림할 필요가 없음을 확인시킨다.

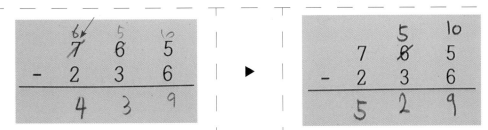

2. 비슷한 유형으로 제시하고 재확인시키기
   십의 자리에서 일의 자리로 받아내림을 해 주었어도 십의 자리 수가 빼는 수보다 크면 받아내림을 하지 않는다. 학생들은 이 부분을 놓치지 않아야 한다. 교사는 학생들이 하는 것을 잘 관찰하고 어려워할 때 적시에 피드백 해야한다.

조작 직접 조작활동을 통하여 받아내림을 해 보면서 두 번째 받아내림이 필요없음을 확인하고 계산하게 한다. 학생들은 동전으로 조작활동을 할 때 흥미도도 높고 집중도 잘 하며 쉽게 이해한다.

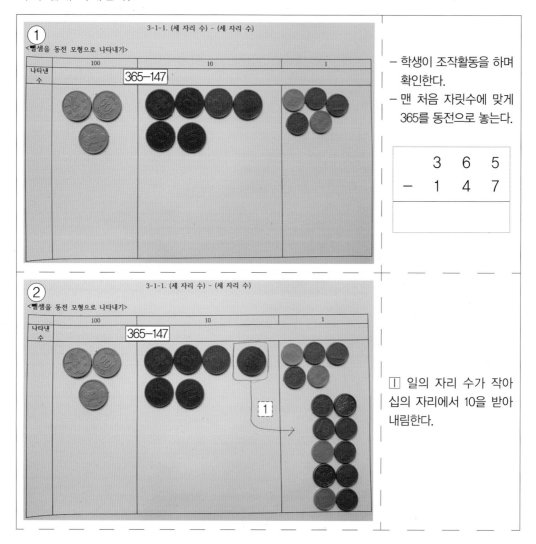

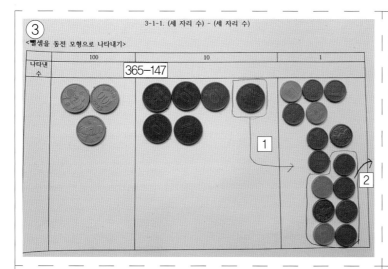

③
<빼셈을 동전 모형으로 나타내기>

365-147

2 받아내림한 후 7을 뺀다. 이후에 50에서 40을 뺄 수 있으므로 백의자리에서 받아내림하지 않아야 한다.

	(15)	10
3	6	5
− 1	4	7
	1	8

3 그다음에 십의 자리 50에서 40을 뺀다. 표에서처럼 받아내림할 필요가 없음을 인식해야 한다.

4 맨 마지막으로 100을 뺀다. 그리고 자릿수에 맞게 남은 동전들을 세어 보고 계산한다.

④
<빼셈을 동전 모형으로 나타내기>

365-147

218

	5	10
3	6	5
− 1	4	7
2	1	8

받아내림이 두 번 있는 뺄셈을 어려워한다. 첫 번째 십의 자리에서 일의 자리로 받아내림을 잘하나 백의 자리에서 받아내림 할 때는 혼돈한다.(난개념)

시범 **관찰**

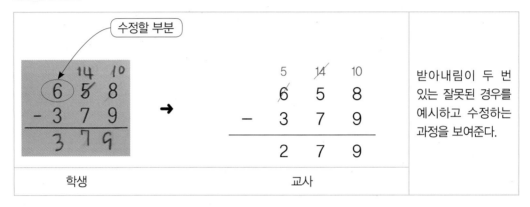

학생	교사	받아내림이 두 번 있는 잘못된 경우를 예시하고 수정하는 과정을 보여준다.

조작 학생이 직접 조작활동을 하면서 받아내림이 두 번 있는 경우를 해본다. 이때 중요한 것은 십의 자리이고 받아내림한 후 십의 자리에 남은 수를 잘 인지하고 있어야 한다. 그래야 백의 자리에서 받아내림한 수와 합쳐서 뺄셈을 할 수 있다.

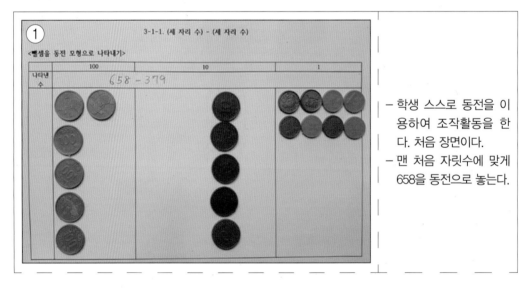

- 학생 스스로 동전을 이용하여 조작활동을 한다. 처음 장면이다.
- 맨 처음 자릿수에 맞게 658을 동전으로 놓는다.

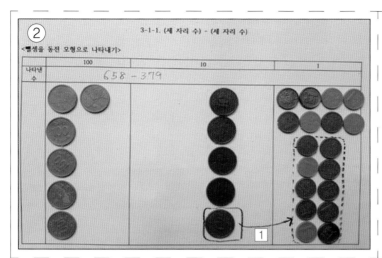

3
학년
1
학기

– 이제 379를 빼기 위해 어떻게 할지 생각한다. 일의 자리부터 계산한다. 8에서 9를 빼려면 어떻게 할까?

① 일의 자리 수가 작아 십의 자리에서 10을 받아내림한다.

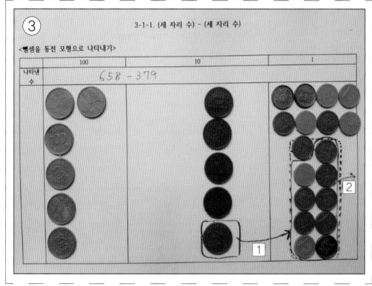

② 받아내림한 후 9를 뺀다. 일의 자리에 9가 남았다.

$$\begin{array}{r} {\scriptstyle 4\ \ 10} \\ 6\ \ \not{5}\ \ 8 \\ -\ 3\ \ 7\ \ 9 \\ \hline 9 \end{array}$$

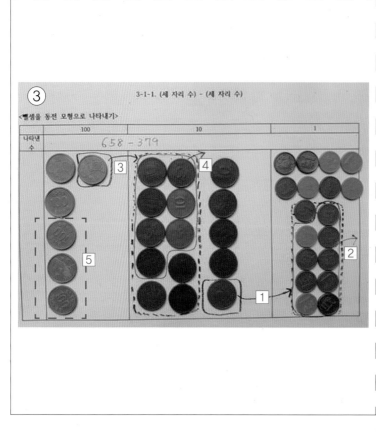

③ 그다음에 빼어지는 십의 자리 수가 작으므로 백의 자리에서 100을 받아내림한다.

④ 70을 뺀다.

$$
\begin{array}{r}
\overset{14}{}\;\overset{10}{} \\
6\;\cancel{5}\;8 \\
-\;3\;7\;9 \\
\hline
7\;9
\end{array}
$$

⑤ 마지막으로 남은 500에서 300을 뺐다. 그리고 남은 동전들을 세어 보고 확인한다.

$$
\begin{array}{r}
5\;\;\;14\;\;\;10 \\
\cancel{6}\;\cancel{5}\;8 \\
-\;3\;7\;9 \\
\hline
2\;7\;9
\end{array}
$$

3단계 – 원리의 형식화

- 정리하면서 받아내림이 두 번 있는 (세 자리 수)−(세 자리 수)의 계산을 재확인한다. 조작 활동 없이 계산할 수 있어야 한다.
- 짝과 확인하기 단계를 거쳐서 틀린 부분을 짝이 피드백 할 수 있도록 한다.
- 짝과의 피드백이 어려울 경우 교사가 도움을 준다.

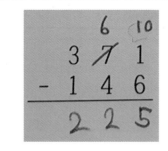

여기서 잠깐

⊙ 성취 기준을 바탕으로 다양하게 수업 설계를 해 보세요.

단원명
6. 분수와 소수

한눈에 알아보기

1 2 3 4
5 6 7 8
9 ÷ × = 0

학습 주제

단위분수의 크기를 비교해볼까요? (1)

성취 기준

〔3수01-06〕 분모가 같은 분수끼리, 단위분수끼리 크기를 비교할 수 있다.

난개념 1

단위분수가 뭐야?

오개념 1

분자의 크기가 같을 때 분모가 클수록 분수는 크다.

지도 요소

상황 진단

단위분수의 크기는 어떻게 비교할까요?

교수 처방 1

교수 처방 2

난개념 1 처방

• 여러 장의 색종이를 서로 다르게 등분하고, 등분된 여러 부분 중 한 부분에만 표시한다. 분자가 1인 분수를 단위분수임을 이해시킨다.

오개념 1 처방

• 전체에 대한 부분의 개념을 상기시킴
• 모양의 전체를 여러 개 그림으로 제시하고 여러 가지 단위분수를 그림으로 표현하게 한다.
• 분수막대를 이용하여 전체와 부분에 대한 크기를 비교한다.

- ✪ 성취 기준 　〔4수01-12〕 분모가 같은 분수끼리, 단위분수끼리 크기를 비교할 수 있다.
- ✪ 관련 단원 　3학년 1학기 　6. 분수와 소수
- ✪ 학습 주제 　단위 분수의 크기를 비교해 봅시다.
- ✪ 학습 목표 　단위 분수의 크기를 비교할 수 있다.

상황 진단

아는 지식 (학생 실제 발달 수준)	교수 처방	알게 된 지식 (교육과정 성취 기준)
• 똑같이 나눔의 의미 • 분수의 의미 ■ 전체가 똑같은 모양이라는 인식 부족 ■ 숫자가 큰 것이 큰 수라는 관념을 분수에도 적용시킴 ■ 단위분수에서는 분모가 큰 것이 크기가 작다는 것에 대한 이해 부족	시범 → 관찰 → 매체 조작 오개념, 난개념 처방	• 분수에서 전체는 1로 똑같다 • 단위분수에서 분모는 전체 1을 몇등분 했는지를 말한다. ■ 단위분수에서 크기를 비교할 수 있음.

학습 계열

선수 학습	본 학습	후속 학습
• 칠교판으로 모양을 만들어 보기 – 2–1–2. 여러 가지 도형	• 등분할을 통해 분수 개념 이해하기 • 전체와 부분의 관계를 분수로 나타내기 • 분모가 같은 진분수의 크기를 비교하기 • 단위분수의 크기 비교하기 • 분모가 10인 진분수를 통하여 소수 개념 이해하기 • 자연수와 소수 이해하기 • 소수의 크기 비교하기	• 분수 – 3–2–4. 분수 • 분수의 덧셈과 뺄셈 – 4–2–1. 분수의 덧셈과 뺄셈 • 소수의 덧셈과 뺄셈 – 4–2–3. 소수의 덧셈과 뺄셈

■ 단위분수의 크기 비교

저학년 학생들도 일상생활에서 '반만 주세요' 라는 표현을 쉽게 한다. 그 반의 의미가 분수에서는 $\frac{1}{2}$이라는 것을 생각하는 학생은 $\frac{1}{2}$이 둘로 나눈 것 중의 하나라는 것은 쉽게 받아들인다.

자연수를 지속적으로 배워 오던 학생들이 등분할이나 측정에서 자연수로는 정확하게 나타낼 수 없는 양을 표현하기 위해 분수와 소수 개념을 발전시켜왔다. 자연수만 배우던 학생들이 전체와 부분의 양을 비교하는 분수를 배우는 경험은 생소하고 어렵게 느껴질 수밖에 없다. 그래서 우선 일상생활에서 친숙한 등분할 상황에서 전체가 1인 연속량을 똑같이 나누는 활동으로 등분할의 개념을 이해한다. 이를 기초로 전체를 몇으로 나눈 것 중의 몇이라는 의미로 분수의 개념을 알아보고 다양한 상황에서 부분과 전체의 크기를 분수로 나타내어 본다. 이어서 분수의 크기를 비교하는 것을 배우게 되는데 단위분수끼리 크기를 비교할 때는 시각적으로 비교한 후에 분모를 비교하는 방법을 알아본다. 또한 분수를 지도할 때 전체를 인식하는 것이 중요하므로 상황이 바뀔 때마다 전체가 무엇인지 인식하게 한다.

분수를 지도할 때는 구체물을 이용하여 등분할 활동을 해봄으로써 분수 개념의 기초가 형성되게 하는 것이 좋으며 학생들에게 생활 주변에서 분수가 쓰이는 다양한 상황을 찾아보게 함으로써 분수의 필요성 및 유용성을 느끼게 하는 것이 필요하다. 나아가 단순히 읽기, 쓰기뿐만 아니라 그림을 그리고 색칠하고 색종이 접기나 분수 막대와 같은 구체물을 활용하여 다양한 방식으로 주어진 상황에 맞는 분수를 표현해보게 하는 것이 중요하다.

〈분수에서 전체–부분의 의미〉

분수란 전체를 똑같이 나눈 것 중 일부분의 크기를 표현하는 것으로

> **1. 연속량의 경우:** 밀떡 한 판을 4등분 했을 때 그중 하나를 $\frac{1}{4}$로 나타내는 것
>
> **2. 이산량의 경우:** 귤 6개를 귤 18개의 $\frac{1}{3}$로 나타내는 것 등이 해당된다.

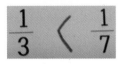

교실 속 오류상황

단위 분수의 크기를 비교할 때 왼쪽과 같이 표시하는 학생이 많이 있다.
"왜 이렇게 생각했어요?"
"숫자가 크니까 오른쪽 분수가 클 것 같아요."

분모의 숫자가 크면 분수의 크기가 크다는 것은 분수에 대한 개념을 명확히 인식하지 못했기 때문이다. 단위분수에서는 분모가 클수록 크기가 작아지는데 이러한 개념에 대한 인지가 부족하여 오류가 생기게 된다.

분수는 3학년에서 처음 도입되는 개념이다. 이 시기에 정확한 개념이 형성되지 않으면 앞으로 배울 분수학습이 어려워진다. 특히 단위 분수, 진분수, 대분수, 가분수 등의 개념과 적용을 어떻게 하느냐는 이어지는 분수의 덧셈과 뺄셈, 곱셈과 나눗셈과도 연결되어 그 중요성이 더 커진다고 할 수 있다. 따라서 이 차시를 학습할 때 분수의 명확한 개념을 이해하고 단위 분수의 크기를 정확히 비교할 수 있도록 오개념을 방지하는 노력과 단위 분수를 만들어 보고 크기를 비교하는 시각적인 확인이 반복 필요하다.

학생들은 구체물을 조작하는 활동을 좋아한다. 분수의 개념과 조작활동을 곁들여 학생들이 이해하기 쉽게 이야기로 이끌어 나가면 문제해결에 좀더 쉽게 다가설 수 있다. 또한 조작활동은 흥미와 집중을 동시에 이루는데 도움이 될 수 있을 것이다.

엄마가 시장에서 동그란 밀떡을 2개 사오셨습니다.
엄마는 한 개는 4등분하고 또 한 개는 8등분을 하셨습니다. 그리고 욕심쟁이 민수에게 둘 중 어느 것이든지 나눈 것 중의 1개를 먹으라고 하셨습니다.
"민수야, 4등분한 것 중에서 먹을래? 8등분 한 것 중에서 먹을래?
민수는 고민이 되었습니다.
여러분은 민수에게 어떤 말을 해주고 싶은가요?

이야기를 들려 준 뒤 이 문제를 해결해 보게 하고 구체적 조작 자료를 활용하여 교사가 먼저 시범을 보여 준다.

1단계 – 난개념: 단위분수가 뭐야?

　단위분수의 크기 비교는 단위분수를 이해해야만 할 수 있는 과정이다. 따라서 단위분수의 의미를 조작활동을 통하여 분명히 이해시키는 것이 중요하다.

| 시범 | 관찰 | 조작 |

1. 단위분수 표시하기
　– 크기와 모양이 같은 여러 장의 색종이를
　　서로 다르게 등분하게 한 후 등분된 여러
　　부분 중에서 한 부분에 좋아하는 색을 칠
　　하게 한다.
　– 분수로 나타내게 한다.
　– 분자가 1인 분수를 특별히 '단위분수'라고
　　부른다는 것을 강조한다.
　– 색칠하면서 직접 비교한다.

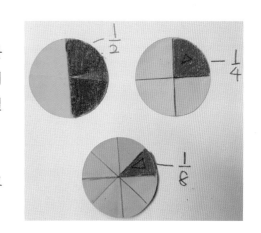

　교사는 학생들을 꼼꼼하게 관찰하며 학생들이 '몇 분의 1', '단위분수' 표현을 입말과 숫자로 반복하게 하는 것이 좋다. 이미 잘 할 수 있는 학생들도 있지만 다시 확인하는 과정을 거칠 수 있도록 한다.

2. 구체적 조작 자료를 활용하여 상황
　설명하기
　– 같은 크기의 색종이를 주고 단위분
　　수가 되게 직접 만들어보게 한다.
　　여러 개로 똑같이 나눈 것 중의 하
　　나라는 것을 알고 써보게 한다.
　– 분수로 나타낸다.

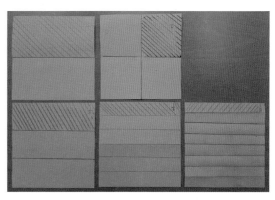

$$(\underline{\quad}), (\underline{\quad}), (\underline{\quad}), (\underline{\quad}), (\underline{\quad})$$

답: $\dfrac{1}{2}$　　$\dfrac{1}{3}$　　$\dfrac{1}{4}$　　$\dfrac{1}{6}$　　$\dfrac{1}{8}$

　이 때 색종이 하나가 전체, 즉 1이라는 것을 인식시키고 분수의 의미를 새겨 전체에 대한 부분의 양을 나타낼 수 있게 한다.

$$\frac{1}{4} \quad \frac{3}{4} \quad \frac{1}{3} \quad \frac{3}{5} \quad \frac{1}{2} \quad \frac{2}{3} \quad \frac{1}{5} \quad \frac{4}{7} \quad \frac{1}{6}$$

3. 단위분수 찾기 놀이

 – 사진 자료와 같이 분수를 여러 개 놓고 짝과 단위분수를 찾는 활동을 한다.

 – 교사는 분수 카드를 많이 준비하고 짝끼리 활동하고 서로 도울 수 있게 한다.

2단계 – 오개념: 분모가 클수록 분수는 크다.

단위분수의 크기를 비교하는 방법을 찾는 과정 속에서 오개념이 생기면 교사는 직접 개입하는 것보다 짝이나 모둠의 학생이 찾는 것을 살펴보게 하고 의사소통을 통하여 비교하게 하고 계속 보완한다.

| 시범 | 관찰 |

4등분 한 것 중의 1 ( )	8등분 한 것 중의 1 ( )

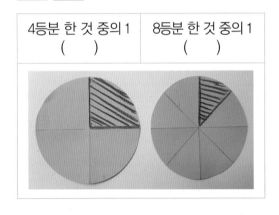

이야기 자료와 관련된 구체적 조작 자료를 활용하여 상황을 설명한다.

민수는 많이 나누어진 것이 더 크게 느껴진다. 그 중의 하나를 먹어야 한다는 생각을 못하고 많이 나누었으니 여러 개로 나눈 것이 크다고 생각하는 것이다.

민수에게 직접 4등분 한 것 중의 1개를 색칠하고, 8등분한 것 중의 1개를 색칠하게 한다. 그리고 먹고 싶은 것을 고르게 한다. 왜 골랐는지 말하게 한다. 4등분 한 것 중의 1개가 더 크다는 것을 확인했을 것이다. 따라서 모양과 크기가 같을 경우 여러 등분 할수록 크기가 작아진다는 것, 등분한 것 중의 1개라는 것을 인식할 수 있을 것이다.

1. 원리가 내재된 조작 활동

시범 관찰 조작

단위분수의 크기 비교는 그림에 해당되는 분수만큼 색칠하거나 분수 모형과 같은 구체물을 이용하여 시각적으로 비교해 본 후에 분모가 작을수록 그 수가 크다는 것을 알게 한다.〈표 1〉

– 학생들이 '전체를 1로 본다'는 것을 이해하기 쉽도록 크기와 모양이 같은 모델을 사용하였다.

아래에 제시된 자료는 크기와 모양이 같은 것으로 이루어졌다. 이런 자료를 많이 복사하여 놓고 비교하게 하면 좋다. 이 과정을 원으로, 직사각형으로, 삼각형으로, 오각형으로 여러 번 한다. 그래야 학생들은 많이 나눌수록, 즉 분모가 커질수록 분수의 크기가 작아진다는 것을 실감한다. 단 크기에 따라 다른 것은 다루지 않는다.

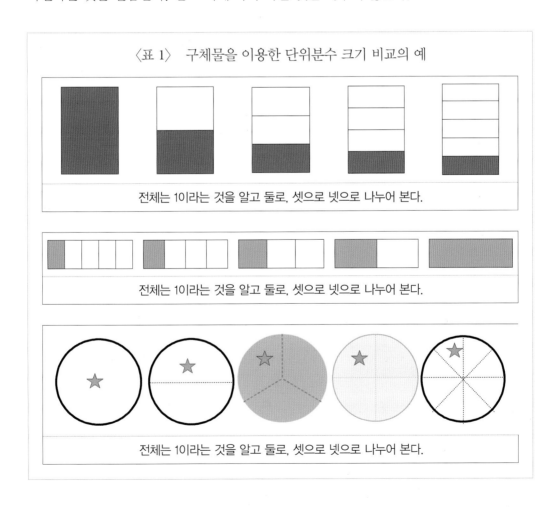

〈표 1〉 구체물을 이용한 단위분수 크기 비교의 예

전체는 1이라는 것을 알고 둘로, 셋으로 넷으로 나누어 본다.

전체는 1이라는 것을 알고 둘로, 셋으로 넷으로 나누어 본다.

전체는 1이라는 것을 알고 둘로, 셋으로 넷으로 나누어 본다.

시범과 관찰 후에 모델을 제시하고 전체(1)를 둘로 나눈 것 중의 1($\frac{1}{2}$), 셋으로 나눈 것 중의 1($\frac{1}{3}$)을 색칠한다. 그리고 색칠한 것을 분수로 쓴다. 이 때 학생들은 크기와 모양이 같은 모델을 $\frac{1}{2}$, $\frac{1}{3}$로 나타내면서 시각적으로 나눈 수(분모)는 커졌는데 부분 1조각(분자)은 작아진 것을 확인할 수 있다. 이를 통하여 분모의 수가 작을 때 분수가 크다는 것을 알게 된다. 또한 학습 과정에서 분수를 표현할 때 학생들은 '$\frac{1}{3}$'을 '3분에 1'이란 표현도 잘 쓰는데 '3분의 1'이라는 표현을 정확히 해주어야 한다.

〈학생이 색칠하고 단위분수로 나타낸 자료〉

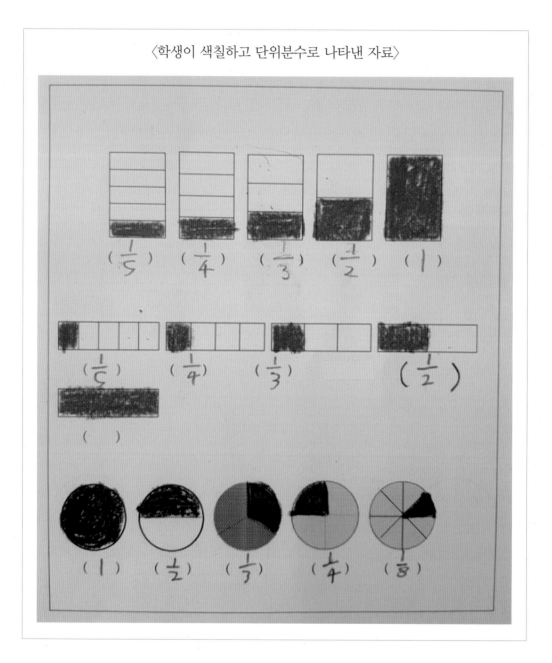

2. 원리의 일반화

가. 분수막대를 보고 단위분수로 나타내기

학생들은 말로는 잘 하는데 실제 평가를 할 때는 표현이 서툴다. 따라서 대강 아는 것이 아닌 정확하게 이해하는 것이 중요하다. 즉, 말로 표현하고 분수막대나 분수 원판에 나타내기 또는 교사가 제시한 자료에 정확하게 나타내는 것이다.

나. 단위분수를 보고 분수막대로 나타내기

분수 막대나 분수 원판, 교사가 제시한 자료를 활용하여 단위 분수의 크기를 비교해 보고 분모가 큰 단위분수일수록 더 작음을 확실히 인지하게 한다.

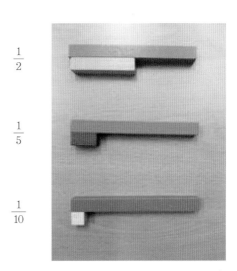

다. 그림을 사용하지 않고 단위분수의 크기 비교하기

문제: 두 수의 크기를 비교하여 〉, 〈, = 으로 표시하시오.

구체물 활용 조작활동 전	$\frac{1}{3}$ 〈 $\frac{1}{5}$	$\frac{1}{4}$ 〉 $\frac{1}{2}$	$\frac{1}{6}$ 〈 $\frac{1}{7}$
	⇩		
구체물 활용 조작활동 후	$\frac{1}{3}$ 〉 $\frac{1}{5}$	$\frac{1}{4}$ 〈 $\frac{1}{2}$	$\frac{1}{6}$ 〉 $\frac{1}{7}$

색칠하거나 특별하게 표시하지 않고도 단위분수의 크기를 어떻게 비교할 수 있을까? '분모가 큰 단위분수일수록 더 작다'. '분모가 크면 똑같이 나눈 것 중의 하나는 더 작아진다'. 이런 생각이 조작활동 경험을 통하여 각인되어야 한다. 그리고 짝이나 모둠 놀이를 통하여 단위분수의 크기 비교하기를 할 수 있다면 단위분수에 대한 의미와 단위분수 크기 비교를 정확히 이해했다고 볼 수 있을 것이다.

라. 놀이를 통한 단위분수 익히기 및 단위분수의 크기 비교하기

□ **단위분수 찾기 놀이(2명 또는 4명)**

(준비물: 숫자 카드1~9까지 10장씩)

1. 짝과 동시에 카드를 2개씩 집는다.
2. 분수를 만들어 단위분수이면 '몇분의 몇'이라고 말하고 자기가 갖는다.
3. 분수를 만들어 단위분수가 아니면 바닥에 내려놓는다.
4. 일정한 시간 안에 많은 카드를 가져간 사람이 이긴다.

□ **단위분수 크기 비교하기(4명)**

(준비물: 숫자 1카드 10개, 2~9카드 2개씩 16개)

1. 카드를 숫자가 보이지 않도록 뒤집어 놓는다.
2. 4사람이 동시에 숫자카드를 2개씩 집는다.
3. 단위분수를 만들고 단위분수 중에서 크기가 가장 큰(또는 작은) 사람만 카드를 갖는다. 다른 사람 카드는 다시 바닥에 내려놓고 섞는다.
4. 일정한 시간에 카드를 많이 가진 사람이 이긴다.

■ 참고문헌

• 이용률(2007). 수학능력을 기르기 위한 초등학교 수학의 지도 II 指導 原理와 事例. 경문사
• 이용률(2010). 초등학교 수학의 중요한 지도 내용. 경문사
• 교육부(2018). 교사용지도서 수학3-1. 천재교육

⊙ 성취 기준을 바탕으로 다양하게 수업 설계를 해 보세요.

15×2가 300이야?

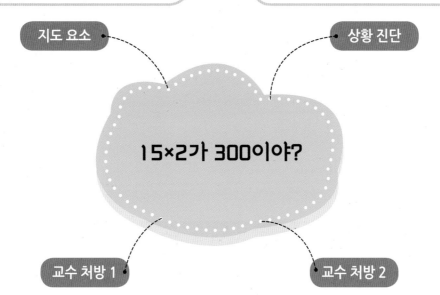

학습 주제

(몇십몇)×(몇십몇)을 구해 볼까요?(2)

성취 기준

〔4수01-05〕 곱하는 수가 한 자리 수 또는 두 자리 수인 곱셈의 계산 원리를 이해하고 그 계산을 할 수 있다.

오개념

(몇십몇)×(몇십몇)을 계산할 때, (몇십몇)×(몇) 더하기 (몇십몇)×(몇십)으로 나타내야 하는데, 이때 정작 '몇십'을 '몇'으로 표기한다.

3학년
2학기

지도 요소

상황 진단

15×2가 300이야?

교수 처방 1

교수 처방 2

오개념 처방

• 자신이 만든 오류 상황에 직면하도록 질문하여, 스스로 자릿수가 달라지는 이유를 생각해 보도록 기회를 제공한다.

오개념 처방

• 수모형을 활용하여 곱셈을 해보고, 단위가 달라졌을 때, 수모형의 어떤 부분이 달라지는지 정확히 이해할 수 있게 한다.

◆ **성취 기준** 〔4수01-05〕 곱하는 수가 한 자리 수 또는 두 자리 수인 곱셈의 계산 원리를 이해하고 그 계산을 할 수 있다.

◆ **관련 단원** `3학년 2학기` 1. 곱셈

◆ **학습 주제** (몇십몇)×(몇십몇)을 구해 볼까요? (2)

◆ **학습 목표** 올림이 여러 번 있는 (몇십몇)×(몇십몇)의 계산 원리와 형식을 이해하고 계산할 수 있다.

상황 진단

아는 지식 (학생 실제 발달 수준)	교수 처방	알게 된 지식 (교육과정 성취 기준)
• (몇십몇)×(몇)의 계산 원리와 형식을 알고 계산하기 ■ (몇십몇)×(몇십몇)에 대한 실질적인 이해를 하지 않고, (몇십몇)×(몇십몇)는 단지 (몇십몇)×(몇)에 0만 써 주면 된다고 생각함	개념 잡기 ⇨ 매체 조작 ⇨ 적용 하기 오개념 처방	• (몇십몇)×(몇십몇)은 (몇십몇)×(몇)과 (몇십몇)×(몇십)을 더한 것임을 이해함. ■ (몇십몇)×(몇십몇)의 계산 원리와 형식을 알고 바르게 계산함

학습 계열

선수 학습	본 학습	후속 학습
• (몇십몇)×(몇)의 계산 원리와 형식을 알고 계산하기 • (두 자리 수)×(한 자리 수)의 결과 어림하기 • (두 자리 수)×(한 자리 수)를 여러 가지 방법으로 계산하기 • (두 자리 수)×(한 자리 수)의 계산 원리와 형식을 알고 계산하기 – 3-1-4. 곱셈	• 올림이 없는 (세 자리 수)×(한 자리 수)와 올림이 있는 (세 자리수)×(한 자리 수)의 계산 원리와 형식을 알고 계산하기 • (몇십)×(몇십)과 (몇십몇)×(몇십)의 계산 원리와 형식을 알고 계산하기 • (몇)×(몇십몇)과 (몇십몇)×(몇십몇)의 계산 원리와 형식을 알고 계산하기	• (세 자리 수)×(두 자리 수)의 계산 원리와 형식을 알고 계산하기 • 곱셈과 나눗셈 활용하기 – 4-1-3. 곱셈과 나눗셈

곱셈 지도 방법

곱셈지도에서 곱셈구구는 중요한 한 부분이다. 따라서 이를 맹목적인 암기로 습득하기보다는 학생들 스스로 다양한 전략을 시도하고 개발해 가면서 학습하는 것이 필요하다. 곱셈 개념을 지도하는 데 사용될 수 있는 여러 가지 구체물이나 그림 등의 곱셈 모델은 학생들이 이러한 전략을 수립해 가는 일련의 과정에 도움이 될 수 있다.

여러 가지 모델이 많이 있지만, 직접 사물을 이용하여 보여주는 모델로는 산가지, 바둑돌, 수 모형 등의 모델을 이용할 수 있다. 또한 그림을 이용하여 지도할 수도 있다. 수직선을 그려서 일정한 간격을 나누어 표현할 수도 있고, 띠나 줄 등을 그림으로 그려 표현할 수도 있다.

곱셈에서 곱을 나타내기 유용한 모델에는 배열모델이 있다. 배열 모델은 직사각형모양으로 표현하는 것인데, $M \times N$의 형태로 제시할 수 있다. 배열은 $M \times N$의 형태로 구슬을 나열할 수도 있고, 점들로 표현할 수도 있으며, 단위사각형을 사각형 안에 $M \times N$의 형태로 배분하여 표현할 수도 있다.

■ 참고문헌

• 교사용 지도서 3-2학기(2018), 교육부

참고자료

학생들은 그들의 사고가 자람에 따라, 두 자리나 그 이상의 큰 수의 범위의 곱셈에서도 기존의 곱셈이 그대로 적용 된다는 것을 알게 된다. 즉, 작은 수간의 곱셈 상황과 큰 수간의 곱셈 상황을 제시함으로써, 수의 크기에 구애받지 않고 곱셈이 이루어지는 상황을 이해하게 된다.

출처: 이용률(2011)초등학교 수학의 중요한 지도 내용, 경문사

교실 속 오류상황

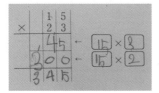

15 × 23 을 해결 할 때, 15 × 3 = 45 이고, 15 × 20 = 300 이므로, 이 둘을 합하여 345가 나온다. 하지만, 정작 300이 어떻게 나왔냐고 물으면, 15 × 2 라고 대답한다. 23의 '2'를 20으로 보지 않고, 2로 보기 때문이다.

3학년 2학기 1. 곱셈 단원에서 학생들은 (몇십몇)×(몇십몇)의 계산 원리와 형식을 알고 계산하기 위하여 수모형이나 모눈종이를 가지고 학습을 하고, 나아가 계산 원리를 터득하여 일반화하였다. 하지만 이 시기에 수모형을 통한 이해가 충분히 이루어지지 않거나 단순히 계산하는 방법만 외워서 계산을 한 학생들은 (몇십몇)×(몇십몇)을 계산할 때, 십의 자리의 의미를 이해하지 못하고 위와 같은 오류를 범할 가능성이 크다. 따라서 이 차시를 학습을 할 때는 오류를 제거할 수 있는 충분한 활동이 선행되어야 한다.

1단계 – 자리수 개념 잡기 설명 시범 관찰

교사는 문제 상황을 직접 학생들에게 질문함으로써 학생들 스스로 자리수의 오류에 대해 생각해 볼 수 있는 기회를 제공할 수 있다.

교사 "하민아, 15×23을 풀었는데, 혹시 이 문제를 푸는 과정 중에 잘못된 것은 없을까?"

학생 "네, 없어요."

교사 "그래? 15×2라고 되어있는데, 이건 왜 이렇게 썼니?"

학생 "음... 그냥요. 아무 생각 없이 썼는데요."

교사 "여기에서 잘못 된 것은 없을까?"

학생 "음... 글쎄요. 잘 모르겠어요."

교사 "15×2=300 이라고 되어 있는데, 이건 어떠니?"

학생 "앗! 틀렸네요. 2가 아니에요."

교사 "그럼 뭐지?"

학생 "2가 아니고 20이에요."

교사 "왜 20이라고 생각했니?"

학생 "23의 2라서 20인데, 제가 그냥 2라고 썼네요."

"그랬구나. 맞아. 23의 2는 20으로 쓰는 거란다. '2'의 '2'와 '20'의 '2'는 쓰여진 자리가 달라서 전혀 다른 값을 의미하게 된다는 것은 하민이도 알고 있지?

"네, 알고 있어요. 제가 푼 문제를 다시 고쳐 볼게요."

자릿수에 대한 개념 확립은 학생 스스로 답을 찾아가면서 충분히 해결할 수 있다. 이미 (몇십몇)×(몇십몇)을 배우기 전에, 학생들은 1학년과 2학년 때, 자릿수에 대한 개념을 배웠다. '1'의 1과 '10'의 '1'이 자리수로 인해 전혀 다른 값이 된다는 사실을 다시 한 번 인지할 수 있도록 돕는다면, 학생들은 2대신 20을 선택할 것이다.

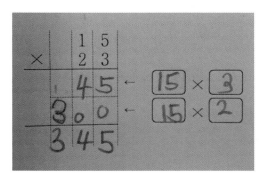

자릿수 오류를 해결하기 전

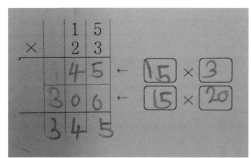

자릿수 오류를 해결한 후

2단계 – 매체를 통한 활동 [시범] [관찰] [조작]

자릿수 개념이 해결되었지만, 이러한 문제가 생기게 된 근본적인 원인은 자릿수 오류에만 있는 것이 아니다. 이것은 곱셈의 방법에 대한 근본적인 이해가 부족해 발생하는 오류이다. 따라서 매체를 이용하여 곱셈 방법에 대한 기본 이해를 돕고 왜 그렇게 해결하게 되는 지를 고민하는 과정을 거치도록 해야 한다.

15×23을 구하기 위해서, 15×3 과 15×20을 더하면 된다는 방법적인 이해뿐만 아니라, 15×2와 15×20의 차이를 바르게 이해하도록 하는 것이 필요하다. 따라서 구구단과 수모형을 이용한 직관적인 방법으로 학생들이 이 차이를 이해하도록 한다.

1) 먼저 구구단을 외워보고 2×1=2, 2×2=4, 2×3=6, 2×4=8, 2×5=10, 2×6=12, 2×7=14, 2×8=16, 2×9=18 임을 확인하고, 이를 수모형으로 나타내 본다.

 → 수모형에서 낱개 두 개를 제시하고, 2가 한 개 있으므로 2 × 1 = 2로 나타낸다.

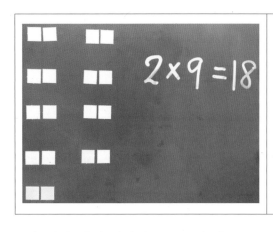

→ 수모형 낱개를 두 개씩 묶어서 차례로 더해서 놓아가면서,

2 × 2 = 4, 2 × 3 = 6,

2 × 4 = 8, 2 × 5 = 10,

2 × 6 = 12, 2 × 7 =14,

2 × 8 = 16을 차례로 제시한다.

→ 마지막엔, 수모형 낱개를 두 개씩 묶어서 9개를 제시하고, 2가 9개 있으므로 2 × 9 = 18로 나타낸다.

2) 위와 같이 칠판에 2×1=2부터 2×9=18까지를 수모형과 함께 제시한 다음에는, 20×1=20부터 20×9=180까지를 수모형으로 제시한다. 이를 통해, 수의 '자리'만 달라지고 결과적으로 마지막의 '0'만 지운다면 그 값이 같아진다는 것을 구체물을 통해 이해하도록 한다.

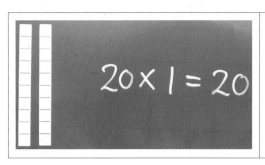

→ 십모형 두 개를 제시하고, 20이 한 개 있으므로 20 × 1 = 20로 나타낸다.

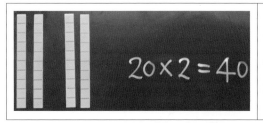

→ 십모형 두 개를 한 묶음으로 하여 총 두 묶음을 제시하고, 20이 두 개 있으므로 20 × 2 = 20로 나타낸다.

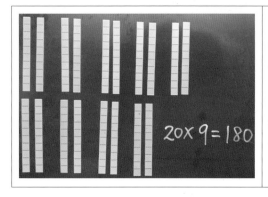

→ 위와 같은 방법으로, 십모형 두 개씩을 한 묶음으로 차례 차례 제시한다. 마지막엔, 십모형 두 개 묶음을 9개를 제시하고, 20이 9개 있으므로 20 × 9 = 180으로 나타낸다.

3) 구구단을 $20 \times 1 = 20$, $20 \times 2 = 40$, $20 \times 3 = 60$ 의 방법으로 말해 본다. 이를 통해, 2가 하나 있을 때는 2이지만, 20이 1개 있으면 이것의 10배가 된다는 것을 인지하도록 한다.

4) 곱셈의 교환법칙에 의해 20×1 과 1×20 의 값이 같음을 학생들은 2학년 때 이미 배운바 있다. 따라서, '$20 \times 1 = 20$, $20 \times 2 = 40$, $20 \times 3 = 60$'은 '$1 \times 20 = 20$, $2 \times 20 = 40$, $3 \times 20 = 60$'으로 바꾸어 말할 수 있음을 알고, $1 \times 20 = 20$, $2 \times 20 = 40$, $3 \times 20 = 60$ 의 방법으로, 다시 한 번 구구단을 외워 본다.

5) 이러한 일련의 단계를 거친 후, 학생들과 15×2와 15×20의 값의 차이에 대해 논의해 본다. 15×20의 값은 15×2의 값에 '0'만 붙이면 된다는(10배가 된다는) 것을 학생들 스스로 말할 수 있도록 한다.

3단계 – 여러 가지 문제에 적용하기 설명 시범 관찰

자릿수의 오류를 스스로 고치고, 매체활동을 통해 15×2와 15×20의 차이를 바르게 이해하였다면, 이를 이용하여 직접 곱셈을 해 보도록 한다.

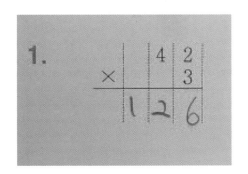

곱셈문제 (몇십몇) × (몇)

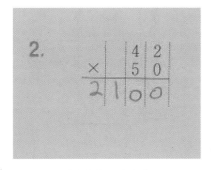

(몇십몇) × (몇십)

곱셈문제 (몇십몇) × (몇십몇)

전체의 $\frac{1}{5}$ 만큼은 어떻게 나타낼까요?

1234
5678
9 ÷×= 0

◉ 학습 주제

분수만큼은 얼마일까요?

◉ 성취 기준

〔4수01-10〕 양의 등분할을 통하여 분수를 이해하고 읽고 쓸 수 있다.

◉ 난개념

전체의 $\frac{1}{5}$ 만큼을 구할 때, 전체가 얼마인지와 상관없이 분모만큼이라고 생각한다.

지도 요소

상황 진단

전체의 $\frac{1}{5}$ 만큼은

어떻게 나타낼까요?

교수 처방 1

교수 처방 2

◉ 난개념 처방

• 하나를 똑같이 여러 개의 부분으로 나누었을 때, 모두 몇 개로 나누어 졌느냐에 해당되는 것이 분모이고 이 중 몇 개를 가리키느냐가 분자임을 알고, 전체가 몇 개로 나누어졌느냐를 먼저 보고 그것을 분모만큼으로 나누는 것이 필요함을 인지하도록 한다.

◉ 난개념 처방

• $\frac{1}{2} = \frac{2}{4} = \frac{4}{8} = \frac{8}{16}$

• 하나를 두 개로 등분하고, 등분 된 것 중 하나를 색칠하여 분수로 나타내면, $\frac{1}{2}$이 됨. 이때, 등분된 부분을 각각 한 번씩 더 등분하면, 색칠된 부분은 $\frac{2}{4}$가 됨을 조작 활동을 통해 이해하도록 한다.

지도 요소

- **성취 기준** 〔4수01-10〕 양의 등분할을 통하여 분수를 이해하고 읽고 쓸 수 있다.
- **관련 단원** 3학년 2학기 4. 분수
- **학습 주제** 분수만큼은 얼마일까요? (2)
- **학습 목표** 길이에서 부분의 양을 전체의 양과 비교하여 분수로 나타내고 전체에 대한 분수만큼은 얼마인지 알 수 있다.

상황 진단

아는 지식 (학생 실제 발달 수준)	교수 처방	알게 된 지식 (교육과정 성취 기준)
• 등분할을 통해 분수 개념 이해하기 • 전체와 부분의 관계를 분수로 나타내기 ■ 전체가 몇 개의 부분으로 나누어져 있는지는 상관없이, 전체의 분수만큼을 구할 때, 분수의 분자의 수만큼을 부분으로 생각함.	 난개념 처방	• 부분의 양을 전체의 양과 비교하여 분수로 나타내고 전체에 대한 분수만큼이 얼마인지 이해함. ■ 양의 등분할을 통하여 분수를 바르게 이해함.

학습 계열

선수 학습	본 학습	후속 학습
• 등분할을 통해 분수 개념 이해하기 • 전체와 부분의 관계를 분수로 나타내기 • 분모가 같은 진분수의 크기 비교하기 • 단위분수의 크기 비교하기 – 3-1-6. 분수와 소수	• 이산량과 길이에서 전체에 대한 부분을 분수로 나타내기 • 전체에 대한 분수만큼은 얼마인지 알아보기 • 진분수, 가분수, 대분수 이해하기 • 대분수를 가분수로, 가분수를 대분수로 나타내기 • 분모가 같은 분수의 크기 비교하기	• 동분모 분수끼리의 덧셈과 뺄셈의 계산 원리와 형식 알고 계산하기 • 분수의 덧셈과 뺄셈 사이의 관계 이해하기 • 분수의 덧셈과 뺄셈 검산하기 – 4-2-1. 분수의 덧셈과 뺄셈

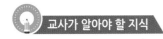

분수의 지도 방법

분수는 많은 학생들이 어려워하는 수학학습의 한 부분이다. 이는 분수에 대한 충분한 개념적인 이해가 이루어지지 않은 상태에서 먼저 분수를 기호화 하고 형식화하여 계산하는 작업이 이루어졌기 때문이라고 볼 수 있다. 학생들이 분수의 개념을 바르게 이해하고 분수의 의미를 자기화하기 위해서는 구체적인 상황을 제시하고 그 상황을 통해 개념을 견고히 하는 것이 필요하다.

초등학교 교육과정에서는 부분-전체를 다루고 있는데, 여기에서는 전체를 등분할하여 전체 중에서 부분이 차지하는 양이 얼마인지를 생각해 보도록 하고 있다. 이때 이산량 모델과 길이를 이용하여 전체와 부분을 설명하고 있다.

이산량 모델은 사물을 하나의 전체로 보기 때문에, 학생들로 하여금 어려움을 야기시킬 수 있다. 이는 지금까지 전체를 하나의 단위로 보아왔는데, 이번에는 전체를 이산량의 모임으로 보아야 하기 때문이다. 따라서, 이산량을 이용하여 분수를 도입해야할 때는 전체를 세어보고, 이 전체를 원하는 부분으로 나누어 보고, 나누어진 부분을 분수로 표현하는 단계를 거치는 것이 필요하다.

■ 참고문헌

- 교사용 지도서 3-2학기(2018), 교육부

참고자료

구체적인 과제를 해결하는 과정에서 주어진 문제의 분수를 면적도나 선분도로 나타내어 보는 활동들을 통하여, 크기가 같은 분수가 많이 있고, 임의의 분수의 분자와 분모에 각각 같은 수를 곱해줄 경우 같은 크기의 새로운 분수가 만들어진다는 것을 알아낼 수 있으며, 이러한 동치분수를 일상의 문제 해결에 활용할 수 있다. (참고문헌 : 초등학교 수학의 중요한 지도 내용(2011), 경문사)

교실 속 오류상황

(1) 전체의 $\frac{1}{5}$만큼을 색칠해 봅시다.

10(cm)의 $\frac{1}{5}$만큼을 색칠해 보라고 했을 때, 1만큼만 색칠하는 학생들을 볼 수 있다. 왜 그렇게 했냐고 물으면, $\frac{1}{5}$이니 분자의 1만큼 색칠했다고 대답한다. $\frac{1}{5}$의 '5'를 10(m)로 생각하려니 혼동이 생겨, 고민을 하다가, $\frac{1}{5}$을 구할 때 다섯으로 나누어진 부분 중에 하나의 부분만을 색칠했던 이전의 기억을 떠올려, 그 방식대로 분자만큼인 1만큼만 색칠했기 때문이다.

3학년 2학기 4. 분수 단원에서 학생들은 이산량과 길이에서 전체에 대한 부분을 분수로 나타내는 활동을 하게 된다. $\frac{1}{5}$은 전체를 5등분 한 것에서 1개를 모은 것의 크기라는 개념으로 접근할 때, 전체를 5등분하고 그중에 1만큼을 곧잘 구해내는 학생도 있지만, 전체를 $\frac{1}{5}$의 숫자 5만큼으로만 보는 시각에서 벗어나지 못하는 학생도 있다. 따라서, 이 부분을 지도할 때, 동치분수의 개념을 도입할 필요가 있다. 물론 동치분수의 개념을 나열하거나 설명할 필요는 없다. 다만, $\frac{1}{2}$이 $\frac{2}{4}$와 같고 또, $\frac{1}{2}$과 $\frac{2}{4}$가 $\frac{4}{8}$와도 같아진다는 것을 간단한 조작활동을 통해 이해하고 이와 마찬가지로 $\frac{1}{5}$ 또한 $\frac{2}{10}$와 같아지는 과정을 만들어 봄으로써, 전체의 $\frac{1}{5}$을 구할 때, 학생들은 전체에 대한 분수만큼이 얼마만큼인지를 판별하는 눈을 가지게 될 것이다.

1단계 – 색종이를 이용한 조작활동 시범 관찰 조작

교사는 문제 상황을 색종이를 이용한 간단한 조작활동으로 $\frac{1}{2}=\frac{2}{4}=\frac{4}{8}$의 상황을 만들어 갈 수 있다.

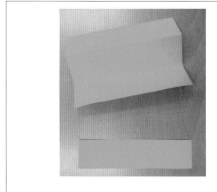

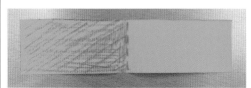

1단계]

학생들과 함께 먼저 색종이를 4등분하고, 한 조각을 잘라낸다. 그리고 그 한 조각을 반으로 접는다.

선생님: "전체를 몇 등분 했나요?"

학생들: "2등분 했어요."

선생님: "그럼, $\frac{1}{2}$만큼 색칠해 보세요."

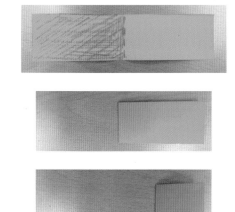

2단계]

학생들과 $\frac{1}{2}$만큼 색칠한 색종이를 다시 한 번 더 반으로 접어 본다.

선생님: "몇 등분 되었나요?"

학생들: "4등분이요"

선생님: "어? 그러면, 우리가 색칠한 부분을 분수로 나타내면 어떻게 되지요?"

학생들: "$\frac{2}{4}$입니다."

선생님: "처음 한번 접었을 때, 색칠한 부분을 분수로 나타내면 얼마였지요?"

학생들: "$\frac{1}{2}$이였습니다."

선생님: "우리가 색칠 한 부분은 그대로지요? 그렇다면 $\frac{1}{2}$과 $\frac{2}{4}$는 어떻지요?

학생들: "$\frac{1}{2}$이랑 $\frac{2}{4}$는 같아요."

|  | **3단계]**
4등분한 색종이를 한 번 더 접어서 8등분을 한다.

이와 같은 구체적 조작활동을 통해 학생들은 $\frac{1}{2}=\frac{2}{4}=\frac{4}{8}$라는 개념을 쉽게 이해할 수 있다. |

색종이를 접어서 $\frac{1}{2}=\frac{2}{4}=\frac{4}{8}$임을 조작 활동을 통해 이해하였다면, 이번에는 색종이를 5등분하여 $\frac{1}{5}$만큼 색칠해 보고, 이를 반으로 접어, $\frac{1}{5}=\frac{2}{10}$임을 이해하도록 한다.

| 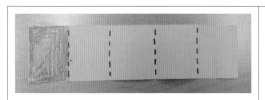 | 색종이의 $\frac{1}{5}$만큼을 색칠한다. |

|  | 5등분으로 접었던 색종이를 원래대로 접은 후, 다시 반으로 접는다. |

|  | $\frac{1}{5}$과 $\frac{2}{10}$가 같다는 것을 확인한다. |

2단계 – 다시 문제 풀어보며 개념 잡기 설명 시범 관찰

10(cm)의 $\frac{1}{5}$만큼을 1만큼 색칠한 이전의 문제를 다시 보여준다. 전체의 길이가 10으로 나누어져 있으니 전체를 1로 보고 5등분해야 함을 생각하고 먼저 5등분 한 후 문제를 해결하도록 했을 때, 스스로 오류를 찾아 2만큼을 색칠하는 모습을 볼 수 있었다.

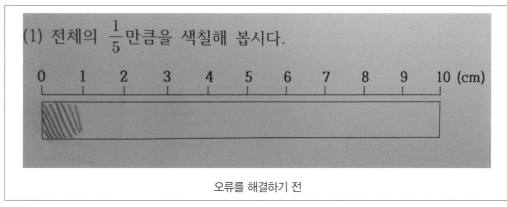

오류를 해결하기 전

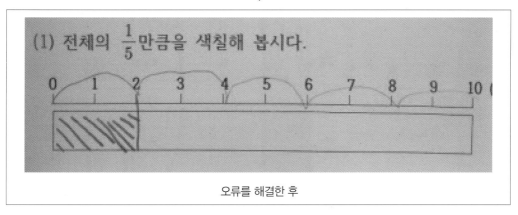

오류를 해결한 후

3단계 – 다양한 문제에 적용하기 설명 시범 관찰

매체를 활용한 구체적인 조작 활동을 통하여 획득한 개념을 견고히 하고 확장할 수 있는 다양한 문제를 제시하여, 전체에 대한 분수만큼이 얼마만큼인지 이해하고 확인할 수 있도록 한다. 학생들은 색종이를 사용하여 전체에 대한 부분의 개념을 이해한 후, 전체를 분모만큼으로 나누는 모습을 보였으며, 그 중에 분자만큼을 색칠하여 문제를 해결하였다.

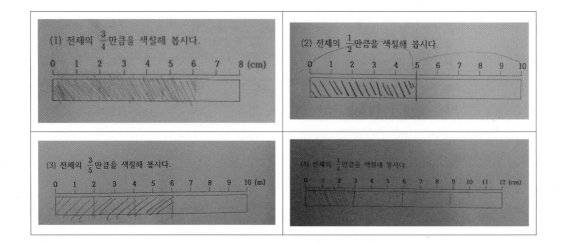

◉ 성취 기준을 바탕으로 다양하게 수업 설계를 해 보세요.

각도기를 어떻게 사용할까요?

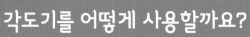

문제 상황 제시

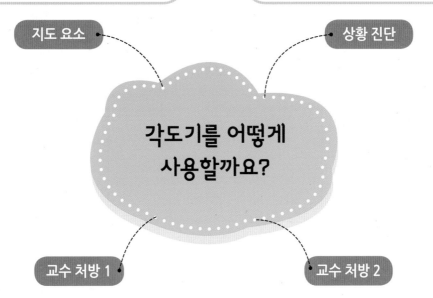

학습 주제

각의 크기는 얼마일까요

성취 기준

[4수03-12] 각의 크기의 단위인 1도(°)를 알고, 각도기를 이용하여 각의 크기를 측정하고 어림할 수 있다.

오개념 1

각도기의 밑금과 중심을 정확히 맞추지 못한다.

오개념 2

각도기 안쪽과 바깥쪽 숫자 중 아무거나 읽거나 한 쪽으로만 읽는다.

4학년
1학기

지도 요소

상황 진단

각도기를 어떻게 사용할까요?

교수 처방 1

교수 처방 2

오개념 1 처방

• 각도기를 직관적으로 관찰하며 살펴보고 각 부분의 명칭을 알게 한다.
• 각도기의 중심과 밑금을 맞추지 않은 사례를 통해 밑금과 중심을 정확히 맞추어야 함을 알게 한다.

오개념 2 처방

• 각도의 개념을 명확히 이해하고, 각의 두 변을 기준으로 각각 각을 재어보면서 각도기의 숫자가 시계방향과 반시계방향으로 표시된 이유를 깨닫도록 한다.

○ **성취 기준** 〔4수03–12〕 각의 크기의 단위인 1도(°)를 알고, 각도기를 이용하여 각의 크기를 측정하고 어림할 수 있다.

○ **관련 단원** 〔4학년 1학기〕 2. 각도

○ **학습 주제** 각의 크기는 얼마일까요

○ **학습 목표** – 각도를 나타내는 단위인도(°)를 알 수 있다.
　　　　　　 – 각도기의 이용법을 알고 주어진 각의 크기를 잴 수 있다.

상황 진단

아는 지식 (학생 실제 발달 수준)	교수 처방	알게 된 지식 (교육과정 성취 기준)

• 선분, 반직선, 직선을 알고 구별하기 • 각과 직각을 이해하기 ■ 각도기의 밑금과 중심을 정확히 맞추지 못함. ■ 각도기 안쪽과 바깥쪽 숫자의 양방향성을 이해하기 어려워 함.	• 각도를 나타내는 단위(°) • 각도기의 이용법 ■ 각도의 단위 도(°)를 앎. ■ 각도기를 이용하여 각의 크기를 잴 수 있음.

오개념, 난개념 처방

학습 계열

선수 학습	본 학습	후속 학습
• 각과 직각 이해하기 • 직각삼각형, 직사각형 이해하기 – 3–1–2. 평면도형	• 각도를 알고 각도기로 각도 재기	• 여러 가지 삼각형을 직각삼각형, 예각삼각형, 둔각삼각형으로 분류하기 – 4–2–2. 삼각형

1. 각

- 한 점에서 그은 두 반직선으로 이루어진 도형을 각이라고 한다.
- 각이 되려면 두 직선이 반드시 한 점에서 만나야 한다. 두 직선이 한 점에서 만나지 않거나 곡선으로 이루어져 있는 경우 각이 아니다.

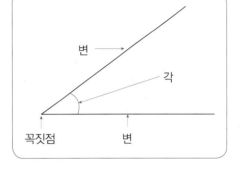

〈예 : 각이 아닌 경우〉

2. 각도

- 각의 꼭짓점에서 갈리어 나간 두 변의 벌어진 정도를 각도라고 한다.
- 직각을 똑같이 90으로 나눈 것 중의 하나를 **1도**라고 하고, **1°**라고 쓴다.
- 직각의 크기는 **90°**이다.
- 각도의 비교 및 측정

직관적 비교	각도가 분명하게 차이나는 경우 눈으로 보아 각의 크기를 비교할 수 있다.
직접 비교	각의 크기 비교를 눈으로 할 수 없는 경우 두 각의 꼭짓점과 한 변을 일치하도록 포개어 비교할 수 있다.
간접비교	투명 종이에 본을 떠서 다른 각에 겹쳐 비교할 수 있다.
임의 단위에 의한 측정	측정하고자 하는 각보다 작은 각을 임의 단위로 하여 몇 개가 포함되는지 확인한다. 임의 단위에 따라 측정 결과가 다르게 나올 수 있다.
표준 단위에 의한 측정	각도기의 눈금에 따라 그 수치로 각을 측정한다. 표준단위로 측정하며 그 결과가 일정하여 각도를 명확히 비교할 수 있다.

(참고문헌 : 교사용 지도서 4-1학기(2018), 교육부)

교실 속 오류상황

- 각도기의 가장자리에 각의 한 변을 맞추는 경우
- 각도기의 중심과 꼭짓점만 맞추는 경우
- 각도기의 밑금을 맞추었으나 중심을 오른쪽이나 왼쪽으로 치우쳐 맞추는 경우
- 각의 바깥쪽에 각도기를 맞추는 경우

- 각도기의 중심과 밑금을 각각 각의 꼭짓점과 한 변에 맞추는 과정을 잘 해놓고, 안쪽과 바깥쪽의 눈금 방향을 반대로 읽어내는 경우

60°, 120°
몇 도라고
읽어야 하지?

각도기를 처음 다루는 학생들은 많은 눈금과 숫자를 보면서 이용을 어려워 할 수도 있다. 처음에는 각도기의 중심과 밑금을 어디에 맞춰야할지 몰라서 엉뚱한 곳에 맞추거나 측정하는 동안 각도기가 움직이기도 한다. 또 각도기 안쪽과 바깥쪽의 눈금 방향이 서로 다른 이유를 이해하기 어려워 각도기의 중심과 밑금을 각각 각의 꼭짓점과 한 변에 잘

맞추어 놓고도 각의 크기를 잘못 잴 때가 많다. 어떤 경우에는 주어진 각의 변이 길이가 짧아 각도기 바깥쪽으로 보이지 않는 경우 잴 수 없다고 생각하여 각도기를 올려놓은 채 고민하는 아이들의 모습을 볼 수도 있다.

각도기를 이용하여 각의 크기를 재기 위해서는 올바른 각도기 사용법을 익혀야 한다. 학생들이 각과 각도의 개념을 확실히 이해한 뒤 각도기의 모습을 충분히 살펴보며 각도기의 명칭과 눈금의 양방향성을 찾아보도록 한다. 각의 두 변을 각각 각도기의 밑금과 맞추어 각을 측정해보면서 눈금의 양방향성을 이해하도록 돕는다.

1단계 – 각도기의 밑금과 중심 관찰 설명

각의 한 변을 고정하고 다른 한 변의 벌어진 정도를 달리하며 벌어진 정도를 어떻게 나타낼지 생각해보도록 하여 각도의 개념과 각을 재는 교구인 각도기를 도입한다. 이때 벌어진 정도가 다른 모든 각의 꼭짓점이 한 곳에 모아지고 각의 한 변이 고정되어 있음을 보여주면 각도기의 중심과 밑금을 이해하는데 도움이 될 수 있다.

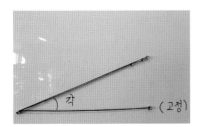 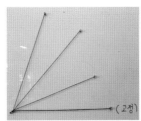 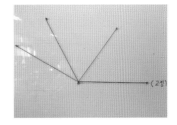

 Tip

고정된 기준이 되는 변을 기준으로 각이 벌어진 정도를 다양하게 나타내기 위해 장구자석과 색털실을 이용하면 쉽고 간단하게 보여줄 수 있다.

각도기를 처음 다루는 학생들은 각도기의 모습이 매우 복잡해 보일 수 있다. 각도기의 모습을 살펴보며 모양, 눈금, 표시된 선, 숫자 등을 천천히 살펴보도록 한다. 개인 활동으로 각도기의 모습을 관찰할 뒤, 모둠원들과 의논하여 알게 된 사실을 포스트잇에 정리해본다. 각 모둠의 관찰결과를 바탕으로 각도기의 모습과 눈금에 대하여 정리하고, 각 부분의 명칭에 대한 학습활동으로 이어간다.

【각도기의 모습을 살펴보기】 　【각도기의 모습을 살펴보기】 　【각도기의 모습을 살펴보기】

각도기의 모습①	각도기의 모습②
예전직선수에서 3점이며는 4개 그 둥글어마는 예가이되는 도점이 cd	수위에 가른 눈금이었다

각도기의 모습③	각도기의 모습④
반달이다	예각 둔각직각이 있다

각도기의 모습⑤	각도기의 모습⑥
투명하다	숫자가 0부터 180 까지 있다

각도기의 모습①	각도기의 모습②
반원 모양이다	반투명이다

각도기의 모습③	각도기의 모습④
눈금마다 숫자가 적혀있다	밑이 있다

각도기의 모습⑤	각도기의 모습⑥
90°가 중심이다	각5개의 양끝 끝이 180°가 0°이다

각도기의 모습①	각도기의 모습②
반달 5개 있다	투명하다

각도기의 모습③	각도기의 모습④
눈금이 1마다 있다	촘촘히 숫자가 있다

각도기의 모습⑤	각도기의 모습⑥
밑금이 있다	좌우의 크고 작은 눈금이 있다

- 각도기는 투명하다.
- 각도기의 모양은 원을 반으로 자른 모양이다.
- 각도기에는 0부터 180까지 10씩 커지는 숫자가 있다.
- 숫자는 시계방향과 반시계방향으로 두 개가 있다.
- 각도기의 눈금은 1°간격의 작은 눈금, 5°간격의 눈금, 10°간격의 눈금이 있다.

　학생들이 직접 관찰한 각도기의 모습을 정리하며 각도기의 중심과 밑금을 설명하고 각자 자신의 각도기에서 찾아본다.

2단계 – 각도기로 각도를 재는 방법 알아보기 시범 관찰 조작

　학생들이 각도기를 이용하여 각을 잴 때 어려워하는 것은 각도기를 어떻게 맞추어야 할지 헷갈린다는 것이다. 또 각도기를 좌우로 기울여 사용하지 않고 각도기의 밑금을 가로로 맞추어 놓고 재다보니 각의 두 변이 닿은 각도기의 눈금 중에서 어느 것을 읽어야 할지 망설인다.

　위와 같이 각도기의 밑금을 각의 한 변과 맞추지 못하거나 어느 방향으로 눈금을 읽어야 할지 모르는 학생들에게 교사는 각도의 개념을 다시 한 번 짚어줄 필요가 있다.

　각의 크기는 한 변을 기준으로 다른 한 변이 얼마나 벌어져 있는 지를 나타내는 것이므로 두 변 중에서 하나의 변을 기준으로 정해야함을 설명하고, 각각 두 개의 변을 기준으로 하여 각도를 재어보도록 한다.

1) 각도기의 밑금을 가로로 맞추어 놓고 재는 경우

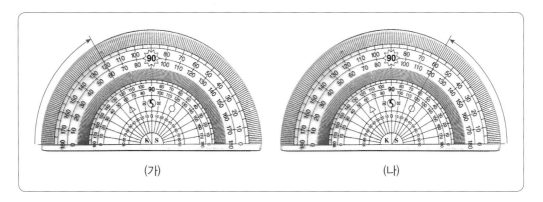

(가)   (나)

　각도기의 밑금을 가로로 맞추어 놓고 재는 것은 학생들에게 가장 익숙한 경우이다. 학생들은 어렵지 않게 각도기의 중심과 각의 꼭짓점을 맞추고 각도기의 밑금과 기준이 되는 한 변을 맞출 수 있다. 기준이 되는 변으로부터 각의 크기를 재어보면 (가)는 시계방향으로 (나)는 반시계방향으로 눈금을 읽게 된다.

2) 각도기를 좌우로 기울여 사용해야 하는 경우

① 두 변 중 한 변을 기준으로 정하고 각의 꼭짓점을 확인한다.

② 각의 꼭짓점과 각도기의 중심을 맞추고, 기준이 되는 한 변에 각도기의 밑금을 맞춘다.

③ 밑금과 맞춘 변에서 시작하여 나머지 변과 만나는 각도기의 눈금을 읽는다.

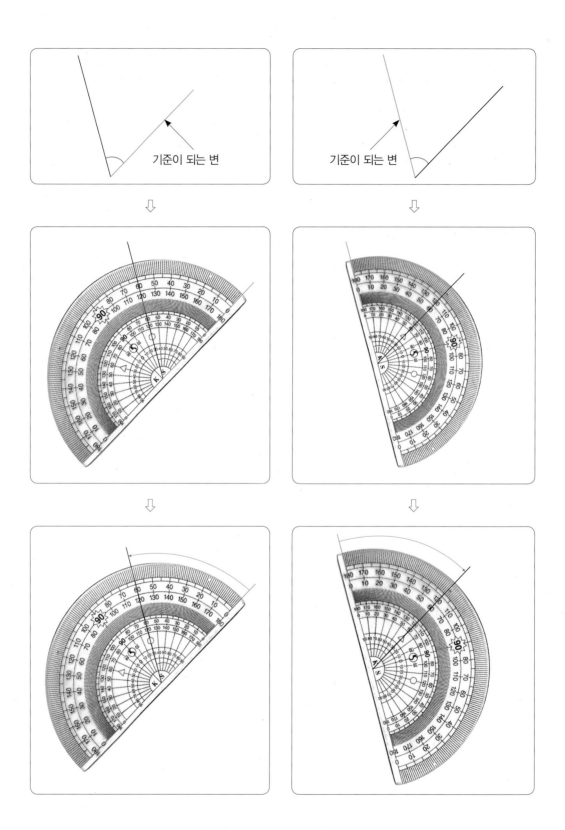

두 변을 각각 기준으로 하여 각도를 재어보면, 한 번은 시계방향으로 다른 한 번은 반시계방향으로 숫자 눈금을 읽게 된다. 학생들은 이러한 조작활동을 통해 각도기의 눈금이 양방향으로 쓰여 있는 이유를 알 수 있다. 또 각도기의 방향을 변에 맞추어 기울여 사용할 수 있다는 사실도 깨닫게 된다.

교실 속 오류상황에 제시된 사례를 학생들에게 보여주고 각도기를 바르게 사용하지 못한 예를 살펴보며 잘못된 부분을 찾아 바르게 수정해 보도록 한다. 이 과정을 통해 각도기를 사용할 때 주의해야 할 점을 찾고, 각도기를 이용하여 각을 재는 방법을 정리한다.

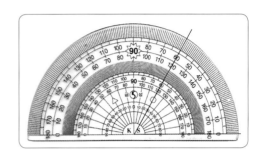

- 각도기는 중심과 각의 꼭짓점에 맞춘다.
- 각도기의 밑금과 각의 한 변을 맞춘다.
- 각의 다른 한 변이 각도기와 닿는 눈금을 읽는다.
- 눈금을 읽을 때는 밑금과 맞춘 곳을 0으로 하는 숫자의 방향을 찾아서 읽어야 한다.

tip

교실 속 오류상황에 제시된 사례를 학생들에게 직접 보여주고, 잘못된 부분을 찾아 설명하고 바르게 각도를 재려면 어떻게 해야 하는지 말해보도록 한다.

3) 각도기를 사용하여 각도를 재어보기

먼저 20°, 40°, 90°, 100°, 150°처럼 큰 눈금을 읽는 경우와 35°, 75°, 125°, 165°처럼 큰 눈금 사이를 읽는 경우를 익히도록 한다. 학생들이 각도기를 사용하여 각을 재는 것이 익숙해지면 실생활에서 각을 찾아 재어보도록 한다. 다른 나라의 국기 그림, 다각형, 생활 속에서 각이 이용되는 사례(경사로, 건축물 등)를 제시하고 학생들은 각도기를 이용해 직접 재어보는 활동을 한다. 이러한 활동을 통해 각도는 우리의 생활과 밀접한 관련이 있음을 느낄 수 있다.

〈세계 여러 나라의 국기를 보고 각을 재어보기〉

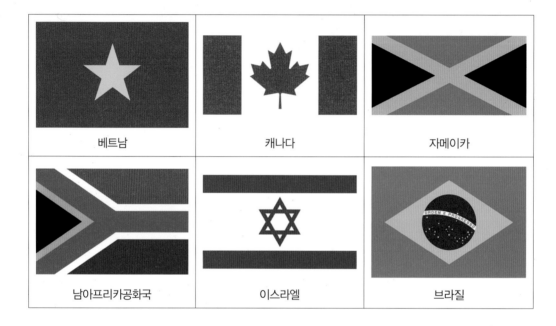

베트남	캐나다	자메이카
남아프리카공화국	이스라엘	브라질

 Tip

국기는 학생들에게 익숙한 자료이며, 국기마다 다른 그림이나 무늬는 다양한 각을 재어볼 수 있다. 각도기를 사용하여 각을 정확하게 측정하되 각도기의 눈금에 일치하지 않을 경우 '약'을 이용하여 표현하게 한다.

여기서 잠깐

⊙ 성취 기준을 바탕으로 다양하게 수업 설계를 해 보세요.

평면도형을 뒤집고 돌리면 어떻게 될까요?

단원명
4. 평면도형의 이동

한눈에 알아보기

1 2 3 4
5 6 7 8
9 ÷ × = 0

학습 주제

평면도형 뒤집고 돌리기

성취 기준

〔4수02-05〕 구체물이나 평면도형의 밀기, 뒤집기, 돌리기 활동을 통하여 그 변화를 이해한다.

오개념 1

평면도형을 뒤집고 돌리면 모양이 변한다.

난개념 2

평면도형을 뒤집고 돌리거나 돌리고 뒤집은 결과를 예상하고 추론하기 어렵다.

지도 요소

상황 진단

평면도형을 뒤집고 돌리면 모양이 변해요!

교수 처방 1

교수 처방 2

오개념 1 처방

• 모양조각을 이용하여 직접 조작하면서 도형의 움직임에 의한 방향성의 변화임을 이해하도록 한다.
• 무늬꾸미기에 사용된 기본도형을 알아보고, 모양조각을 움직였을 때 나타나는 상과의 관계를 이해하도록 한다.

난개념 2 처방

• 모양조각 1개로 만들 수 있는 무늬를 관찰하여 도형의 변화를 만드는 움직임을 찾도록 한다.
• 모양조각이나 알파벳을 뒤집고 돌려서 나타나는 변화를 추론하고 놀이 활동으로 시각적 기억 능력을 향상시킨다.

- **성취 기준** 〔4수02-05〕 구체물이나 평면도형의 밀기, 뒤집기, 돌리기 활동을 통하여 그 변화를 이해한다.
- **관련 단원** [4학년 1학기] 4. 평면도형의 이동
- **학습 주제** 평면도형을 뒤집고 돌려 볼까요?
- **학습 목표** 평면도형을 여러 방향으로 뒤집고 돌리고 그 변화를 이해한다.

상황 진단

아는 지식 (학생 실제 발달 수준)	교수 처방	알게 된 지식 (교육과정 성취 기준)
・삼각형, 사각형 알기 ・각과 직각 이해하기 ■평면도형을 밀었을 때의 변화를 말함 ■평면도형을 뒤집었을 때의 변화를 말함 ■평면도형을 돌렸을 때 의 변화를 말함	 오개념, 난개념 처방	・평면도형을 뒤집고 돌렸을 때의 변화를 말함 ■평면도형의 변환을 이해함 ■평면도형의 뒤집기, 돌리기를 한 결과를 예상하고 추론함

학습 계열

선수 학습	본 학습	후속 학습
・규칙이 있는 무늬를 찾고 만들기 - 2-2-6. 규칙 찾기 ・직각삼각형, 직사각형, 정사각형 알기 - 3-1-2. 평면도형 ・각과 직각 이해하기 - 4-1-2. 각도	・평면도형의 밀기 ・평면도형의 뒤집기 ・평면도형의 돌리기 ・**평면도형의 뒤집고 돌리기** ・규칙적인 무늬 만들기	・사다리꼴, 평행사변형, 마름모, 직사각형, 다각형, 정다각형 알기 - 4-2-4. 사각형 ・도형의 합동 이해하고 그리기 ・선대칭도형의 성질 이해하고 그리기 ・점대칭 도형의 성질 이해하고 그리기 - 5-2-3. 합동과 대칭

1. 공간 감각

가. 공간에서의 위치 지각(position-in-space) 능력

한 도형이 평행이동(밀기), 대칭이동(뒤집기), 회전이동(돌리기)에 의해 다른 상을 만들 때, 자신을 중심으로 사물들을 전후, 좌우, 상하로 다르게 지각하는 능력

나. 공간 관계에 대한 지각(perception of spatial relation) 능력

밀기, 돌리기, 뒤집기 등에 의해 변환된 도형이 변환하기 전의 도형과 합동임을 인식할 수 있는 능력

다. 시각적 기억(visual memory) 능력

밀기, 돌리기, 뒤집기 등을 두 번 이상 시행할 때, 한 번 시행한 후의 상을 머릿속에 기억하는 능력

2. 평면도형의 이동

평면도형의 이동에서는 어떤 도형을 변환하더라도 선분의 길이와 각의 크기가 변하지 않는 **합동변환**에 대한 직관적 이해를 다루며, 공간추론 능력을 기르도록 한다.

가. 밀기(평행이동)

구체물이나 도형을 어느 방향으로 밀어도 도형의 크기와 모양은 변하지 않는다는 사실을 감각적으로 익히고, 밀기한 결과의 도형의 모습을 추론한다.

나. 대칭이동(뒤집기)

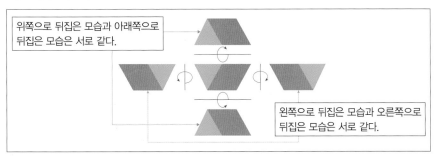

구체물이나 도형을 좌우로 뒤집으면 도형의 좌우가 서로 바뀌어 나타나고, 상하로 뒤집으면 도형의 상하가 서로 바뀌어 보인다. 도형의 **크기나 모양은 변하지 않는다.** 이러한 사실을 감각적으로 익히고, 뒤집기 한 결과의 도형 모습을 추론한다.

다. 돌리기(회전이동)

구체물이나 도형이 회전이동 하더라도 크기와 모양은 변하지 않고 **방향만 바뀐다**는 사실을 감각적으로 익히게 하고 돌리기한 결과의 도형 모습을 추론한다.

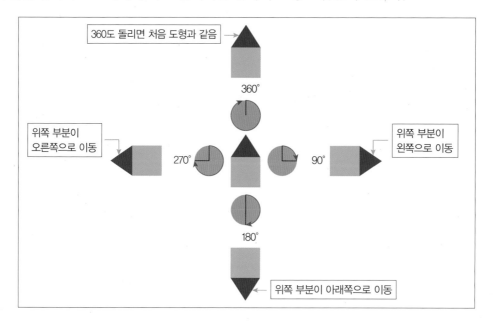

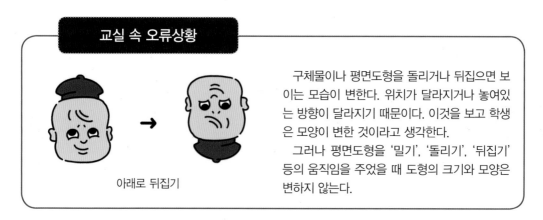

'돌리고 뒤집으면 모양이 변한다.'는 오개념이 생기는 이유를 살펴보면 다음과 같다.

첫째, 자료를 부적절하게 사용하여 생긴다.

사람의 웃는 얼굴을 뒤집으면 찡그린 모습이 되는 자료를 제시한 후, 투명필름으로 본을 떠서 뒤집어보는 활동은 부적절하다. 학생은 경험에 의해서 사람의 앞모습을 뒤집으면 뒷모습이 된다고 생각한다. 또한, '웃는 얼굴'이나 '찡그린 얼굴'이라는 것은 감각적 느낌에 가까운 것이므로 논리적으로 부적절한 추론이다. 물체의 성질 중에서 '**모양**'과 '**크기**'만을 고려 한 것을 도형이라고 한다. 그러므로 3차원인 구체물을 사용할 때는 앞과 뒤의 모양이 같은 것을 선택하여야 한다.

둘째, 부정확한 용어를 사용하여 생긴다.

도형을 뒤집거나 돌려서 생기는 도형의 모습을 물어볼 때 '모양'이라는 용어를 사용하는 경우이다. "오른쪽으로 뒤집었을 때 어떤 모양이 될까?" 라는 질문은 밀기, 뒤집기, 돌리기 등에 의해 변환된 도형이 변환하기 전의 도형과 합동임을 인식하지 못하게 한다. 그러므로 모양이 달라지는 것이 아니라 놓인 방향이나 위치가 달라지는 것이므로 모양이라는 용어를 사용할 때 주의를 해야 한다.

셋째, 평면도형의 이동을 지도할 때, '밀기', '돌리기', '뒤집기' 활동 자체에 집중한다.

평면도형의 이동은 구체물이나 평면도형을 밀고, 뒤집고, 돌리는 등의 다양한 활동을 통하여 결과를 예상하고 추론하는 등 공간감각을 기르고, 도형 변환의 기초 개념 형성을 위해 도입되었다. 그러므로 **도형 자체에 대한 인식** 뿐 아니라 **도형 사이의 관계**에 초점을 둔 경험을 많이 하도록 해야 한다.

또한, 시각적 기억 능력이 낮은 학생은 뒤집고 돌리거나 돌리고 뒤집은 결과를 예상하고 추론하는 것을 어려워하므로 이 차시를 학습할 때는 도형 사이의 관계에 초점을 두어 통합적으로 접근하고, 여러 대상 중 특정 대상을 찾고 기억하는 활동이나 충분한 조작활동의 기회를 제공하여 시각적 기억 능력을 향상시키도록 한다.

1단계 – 무늬꾸미기를 관찰하여 기본 도형 알기 `매체` `관찰` `추론`

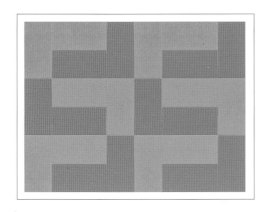

■ 무늬꾸미기에 어떤 도형이 사용되었을까 관찰하고, 무늬꾸미기를 할 수 있는 가장 작은 도형을 찾아보게 한다.

■ ▌과 ▌ 도형은 같은 도형일까? 같다면 다르게 보이는 이유가 무엇인지 질문한다. ▌ 도형을 어떻게 움직이면(밀기, 뒤집기, 돌리기) 무늬를 꾸밀 수 있는지 토의하

도록 한다.

– 두 도형은 크기와 모양이 같지만 놓인 방향이 다르다. ▮을 시계방향으로 90도 돌리면 ▬와 겹쳐진다. ▮ 도형을 밀고, 돌리고, 뒤집기하여 무늬를 꾸밀 수 있다.

2단계 – 별모양 무늬를 관찰하고 도형 사이의 관계 알기 [매체] [관찰] [조작] [토의]

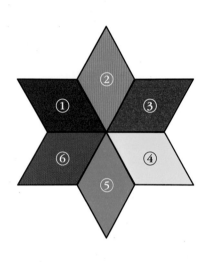

■ 별모양 무늬꾸미기에 사용된 6개 도형을 살펴보게 한다. 6개 도형은 같은 도형일까? 다른 도형일까? 그렇게 생각한 이유가 무엇인지 설명하게 한다.

– 6개 도형은 모양과 크기가 같지만 놓인 방향과 위치가 다르다. 겹쳐보면 모두 겹쳐진다.

■ 모양조각(마름모)을 이용하여 별모양 무늬를 꾸미게 한다. ① 모양조각을 뒤집기, 돌리기를 하여 놓인 방향과 위치가 다른 모양조각이 되도록 한다. 모양조각을 충분히 조작하도록 하여 도형을 뒤집거나 돌리면 놓인 방향에 따라 다르게 보이지만 같은 도형임을 인식할 수 있도록 한다.

■ ① 도형으로 ③, ④, ⑥인 상태로 만들려면 어떻게 움직이면 되는지 토의하게 한다. 마름모는 좌우상하 대칭이므로 뒤집고 돌려서 만들 수 있는 경우가 많다. 다양한 해답을 모두 수용하는 허용적 태도를 취하는 것이 좋다.

– ①을 오른쪽으로 뒤집으면 ③이 되고, 아래로 뒤집으면 ⑥이 된다. ①을 반바퀴(180도) 돌리면 ④가 된다.

■ ② 도형으로 ④, ⑥이 되도록 하려면 어떻게 만들 수 있는지 토의하게 한다. 돌려서 만들 때 몇 도 돌렸는지 발문하고, 360도 돌리면 제자리로 돌아온다는 사실을 확인한다. 이를 통하여 ① 도형을 60도 돌리면 ②의 위치에 놓이게 되며 6개 도형 모두 돌리기로 만들 수 있음을 감각적으로 체험하게 한다. 이전 단원에서 각도를 학습한 상태이므로 회전 이동 한 각도를 스스로 찾아내도록 격려한다. 이때, 각도기를 활용하도록 하는 것이 좋다.

– ②를 시계방향으로 120도 돌리면 ④가 되고 240도 돌리면 ⑥이 된다.

3단계 – 순서를 다르게 하여 모양조각을 움직여 비교하기 [매체] [추론] [조작]

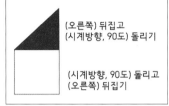

모양조각을

뒤집고 돌렸을 때와
돌리고 뒤집을 때

모양조각이 놓인 방향은
어떻게 될까요?

- 모양조각을 뒤집고 돌렸을 때와 돌리고 뒤집을 때 놓인 방향이 어떻게 될지 예상하게 한다. 왜 그렇게 생각하는지 설명하게 한다.
  - 놓인 방향이 다를 것이다.
  - 놓인 방향이 같은 경우도 있을 것이다.

- 순서를 다르게 하여 모양조각을 움직인다면 놓인 방향이 어떻게 될지 예상하게 한다.

- 짝과 함께 토의하고 그려보게 한다.

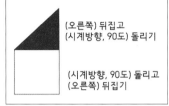

(오른쪽) 뒤집고
(시계방향, 90도) 돌리기

(시계방향, 90도) 돌리고
(오른쪽) 뒤집기

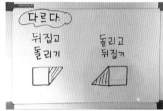

- 모양조각을 뒤집고 돌린 것과 돌려서 뒤집었을 때 모양조각이 놓이는 방향을 모양조각으로 조작하며 확인한다.

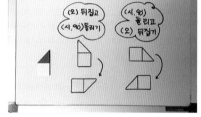

- 모양조각을 움직이는 순서(뒤집고 돌리기와 돌리고 뒤집기)가 달라도 놓인 방향이 같은 경우를 찾아 그려보게 한다.

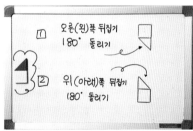

 Tip

손으로 만들고 그리고 생각하는 것은 무척 즐거운 일이다. 조작활동을 할 수 있도록 모양조각이나 칠교판 교구를 활용한다. 양면색종이로 칠교판을 만들어 사용할 수 있다.
시각적 기억 능력 향상을 위하여 모양조각을 돌리고 뒤집는 등 두 번 이상 움직일 때, 시행한 후의 상을 머릿속에 기억하도록 격려하고 조언하는 것이 좋다. 교수학습 상황에 따라 움직이는 순서는 다르지만 놓인 방향이 같은 경우 찾는 활동은 생략할 수 있다. 돌리기와 뒤집기를 어려워하는 학생은 돌리기와 뒤집기를 한 번 하였을 때 놓인 방향을 먼저 찾아서 그려보게 하는 것이 도움이 된다.

4단계 – 놀이 활동으로 시각적 능력 향상하기(2인~4인) 매체 조작 연습

- **'돌리고 뒤집고' 놀이판 만들기**
  - 움직이는 도형으로 사용할 모양조각을 선택한다.
  - 가운데에 모양조각을 따라 그린다.

  첫 번째 칸에서부터 가운데에 놓은 도형을 돌리기, 뒤집기, 돌리고 뒤집기, 뒤집고 돌리기, 여러 번 돌리거나 뒤집기 등 도형을 직접 움직여가면서 순서대로 따라 그린다. 이때, '도형을 돌리기'하여 그렸으면 그 상태에서 다시 '뒤집고 돌리기'를 하여 그린다.

- **'돌리고 뒤집고' 놀이하기**
  - 가위바위보를 하여 이긴 사람이 먼저 움직인다.
  - 그려진 모양에 맞게 움직이는 방법을 말하고 움직인다.
  - 점수는 돌리기(뒤집기) 1번은 1점, 2번 이상은 2점, 돌리고 뒤집거나 뒤집고 돌리면 3점을 얻는다.
  - 한 칸씩 움직여 점수를 얻고 마지막까지 도착하면 얻은 점수를 모두 더한다.
  - 점수가 높은 편이 이긴다.

Tip

모양조각이 없으면 두꺼운 종이에 그려서 사용할 수 있다. 모양판을 만들려면 뒤집고, 돌리는 활동을 반복해서 하게 되므로 놀이판을 만들어 사용하는 것이 좋다. 시범적으로 교사와 학생이 칠판에 차례로 도형을 그려서 놀이판으로 사용하고, '교사 대 학생'으로 놀이를 하는 것이 좋다. 놀이 규칙은 학생과 정할 수 있다.

▲ 2명이 하는 놀이이다. 알파벳을 선택하고 번갈아가며 알파벳을 움직여서 점수를 얻는다.

■ 참고문헌

• 교사용지도서 수학4-1, 236~237(교육부, 2018)

• 박동용, 이윤종, 배상호, 최혜영, 서준혁, 백승기(2012), 현직교사와 함께 쓴 오개념 바로잡기 수학 · 과학 · 사회편, 도서출판 희소, p87

• 강홍재, 권성용, 김성준, 김수환, 신준식, 이대현, 이종영, 최창우(2018), 2015 교육과정에 따른 초등수학 교수법, 동명사, 192-197

• 조성실(2009), 즐거운 수학 시간 만들기 2, ㈜우리교육, 95

분수의 뺄셈은 큰 분자에서 작은 분자를 빼면 될까요?

⊙ 학습 주제

분수 부분끼리 뺄 수 없는 분모가 같은 대분수의 뺄셈하기

⊙ 성취 기준

〔4수01-16〕 분모가 같은 분수의 덧셈과 뺄셈의 계산 원리를 이해하고 그 계산을 할 수 있다.

⊙ 난개념 1

대분수를 자연수 부분에서 1만큼 받아내림 한 가분수로 변환하지 못한다.

⊙ 오개념 2

뺄 수 없는 분모가 같은 진분수의 뺄셈을 할 때 큰 분자에서 작은 분자를 뺀다.

지도 요소

상황 진단

분수의 뺄셈은
큰 분자에서 작은 분자를
빼면 될까요?

교수 처방 1

교수 처방 2

⊙ 난개념 1 처방

• 조작활동을 통한 받아내림의 원리 이해하게 한다.
• 대분수의 구성 원리 이해 및 대분수와 가분수의 관계를 알게 한다.

⊙ 오개념 2 처방

• 분수의 뺄셈과 자연수의 뺄셈을 연결시킨다.
• 받아내림이 있는 분수의 뺄셈식 찾고 어림하게 한다.
• 계산 과정 중 잘못된 부분을 찾아 설명한다.

 **지도 요소**

- **성취 기준** 〔4수01-16〕 분모가 같은 분수의 덧셈과 뺄셈의 계산 원리를 이해하고 그 계산을 할 수 있다.
- **관련 단원** `4학년 2학기` 1. 분수의 덧셈과 뺄셈
- **학습 주제** 분수 부분끼리 뺄 수 없는 분모가 같은 대분수의 뺄셈하기
- **학습 목표** 받아내림이 있는 두 분수의 뺄셈 계산 원리와 형식을 이해하고 계산을 할 수 있다.

상황 진단

아는 지식 (학생 실제 발달 수준)	교수 처방	알게 된 지식 (교육과정 성취 기준)
• 대분수와 가분수 의미 • 분수의 덧셈과 뺄셈 ■ 분모가 같은 두 분수의 크기 비교 ■ 분수끼리 뺄 수 있는 분모가 같은 분수의 뺄셈 ■ 자연수 – 대분수의 뺄셈	관찰 ⇨ 매체 조작 ⇨ 토의 **오개념, 난개념 처방**	• 받아내림이 있는 대분수 – 대분수 ■ 받아내림이 있는 두 분수의 뺄셈 계산 원리와 형식을 이해함 ■ 대분수 – 대분수 계산 과정 중 오류를 찾아 설명함

학습 계열

선수 학습	본 학습	후속 학습
• 분수의 의미 알아보기 • 분수의 크기 비교하기 – 3-1-6. 분수와 소수 • 대분수와 가분수 알아보기 • 분수의 크기 비교하기 – 3-2-4. 분수	• 진분수의 덧셈과 뺄셈하기 • 분수 부분끼리의 합이 1이 넘지 않는 분수의 덧셈과 분수 부분끼리 뺄 수 있는 분수의 뺄셈하기 • 분수 부분끼리의 합이 1이 넘는 분수의 덧셈하기 • **분수 부분끼리 뺄 수 없는 대분수의 뺄셈**	• 분수의 덧셈과 뺄셈하기 – 5-1-5. 분수의 덧셈과 뺄셈

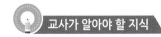 **교사가 알아야 할 지식**

1. 분수의 지도 방법

분수는 자연수로만 나타낼 수 없는 양의 크기를 나타내는 표현 방법이다. 분수의 덧셈과 뺄셈은 자연수에서 학습한 덧셈과 뺄셈의 적용 범위를 분수가 포함된 덧셈과 뺄셈으로 확장하는 것이다. 그러므로 분수는 특정 양을 나타내는 기호가 아니라 연산이 가능한 수임을 이해해야 한다. 전체를 똑같이 나눈 것 중의 일부분의 크기를 나타내는 분수의 의미와 분수의 크기에 대한 양감을 가질 수 있도록 한다.

도형, 수직선, 분수 막대 등 구체적 조작 활동을 충분히 하여 분수의 덧셈과 뺄셈의 계산 원리 이해 및 분수에 대한 감각이 발달되도록 한다. 또한, 분수의 덧셈과 뺄셈의 계산 결과를 어림하고 어림 결과의 타당성을 검토하며, 어림하는 과정을 친구에게 설명하도록 하여 추론 및 의사소통 능력이 향상되도록 지도한다.

2. 분모가 같은 분수의 덧셈과 뺄셈의 지도

가. 단위의 인식

분모가 같은 분수의 덧셈과 뺄셈에서 전체가 무엇인지, 즉 1이 무엇인지 이해해야 한다.

$$\left(\frac{1}{3}\right) \quad + \quad \left(\frac{2}{3}\right) \quad = \quad \left(\frac{1}{3}=1\right)$$

위 그림에서 3등분한 막대 하나가 1을 나타낸다는 것을 이해하지 못하면 6조각 중에서 3조각이 색칠되어 있으므로 $\frac{1}{3}+\frac{2}{3}=\frac{3}{6}=\frac{1}{2}$로 생각할 수 있다. 그러므로 주어진 덧셈과 뺄셈 상황에서 분수 막대로 나타내었을 때, 1이 무엇인지 파악할 수 있어야 한다.

나. 단위분수 활용

단위분수는 분자가 1인 분수이다. 주어진 분수는 단위분수가 몇 개인 분수인지 생각하도록 하여, 분수의 덧셈과 뺄셈이 자연수의 덧셈과 뺄셈과 본질적으로 같은 상황임을 이해하도록 한다.

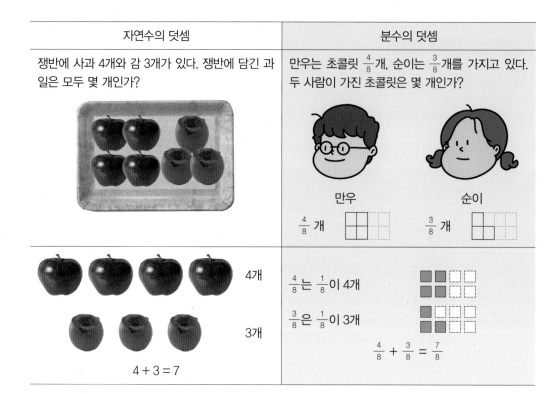

자연수의 덧셈	분수의 덧셈
쟁반에 사과 4개와 감 3개가 있다. 쟁반에 담긴 과일은 모두 몇 개인가?	만우는 초콜릿 $\frac{4}{8}$개, 순이는 $\frac{3}{8}$개를 가지고 있다. 두 사람이 가진 초콜릿은 몇 개인가?
4개 3개 $4+3=7$	$\frac{4}{8}$는 $\frac{1}{8}$이 4개 $\frac{3}{8}$은 $\frac{1}{8}$이 3개 $\frac{4}{8} + \frac{3}{8} = \frac{7}{8}$

다. 가분수와 대분수

대분수와 가분수는 1보다 큰 분수이다. 일반적으로 분수의 덧셈과 뺄셈의 결과는 대분수로 나타낸다. 대분수가 가분수보다 분수의 크기를 직관적으로 파악할 수 있기 때문이다. 그러나 대분수를 가분수로 변환하여 계산하는 방법도 지도해야 한다. 대분수가 있는 분수의 곱셈과 나눗셈은 가분수의 형태로 변환해야 계산 원리를 적용할 수 있기 때문이다.

 교수 처방 1, 2

교실 속 오류상황

① $4\frac{6\cancel{1}}{5} - 2\frac{4}{5} = 2\frac{2}{5}$

② $4\frac{1}{5} - 2\frac{4}{5} = 2\frac{3}{5}$

학생은 분수 부분끼리 뺄 수 없는 분모가 같은 대분수의 뺄셈에서 어려움을 느낀다. ①의 오류는 분수 부분끼리 뺄 수 없어서 자연수에서 1만큼을 받아내림하여 가분수로 바꾸었으나 자연수에서 받아내림을 하지 않았다.
②의 오류는 분수 부분의 뺄셈을 할 때 큰 수에서 작은 수를 빼주었다.

학생들은 3학년에서 학습한 분수의 의미와 대분수, 가분수의 이해를 바탕으로 4학년에서 분모가 같은 분수의 덧셈과 뺄셈을 학습하게 된다. 학생들은 분모가 같은 진분수의 덧셈과 뺄셈은 쉽게 계산하지만 받아내림이 있는 뺄셈에서 어려움을 느낀다. 오류 경향을 살펴보면, 대분수를 가분수로 고쳐서 계산하는 과정에서 오류가 생기거나 자연수에서 받아내림을 하지 않아 생기는 오류가 가장 많았고, 분자가 큰 수에서 작은 수를 빼주거나 분자를 분자끼리, 분모를 분모끼리 빼는 오류도 있었다. 이것은 대분수의 구성 원리와 대분수와 가분수의 관계에 대한 이해가 부족하기 때문이다.

따라서 이 차시를 학습할 때는 영역 모델, 분수 길이 모델, 수직선 모델 등을 이용하여 대분수의 구성 원리와 대분수와 가분수의 관계를 이해하며 뺄셈을 하도록 돕는다. 계산하기 전에 대분수의 크기를 직관적으로 파악하면서 그 결과를 어림해보는 활동으로 추론 능력을 기르도록 한다.

1단계 – 받아내림이 있는 분수의 뺄셈식 찾고 어림하기

어림을 통하여 수 감각을 기르고 어림 결과의 타당성을 검토하면서 추론 능력을 향상하며, 어림하는 과정을 친구에게 설명하는 활동을 통하여 의사소통 능력을 기른다.

해석 추론

받아내림 있는 뺄셈식 찾아 어림하기

① $3\frac{2}{3} + 1\frac{1}{3}$

② $3 - 2\frac{2}{3}$

③ $3\frac{1}{4} - 1\frac{3}{4}$

④ $4\frac{3}{5} - 2\frac{1}{5}$

- 다양한 대분수의 뺄셈식을 제시한다.
- 받아내림이 있는 뺄셈식을 찾게 한다.
- 계산 결과를 '~보다 크다.' 또는 '~보다 작다.'의 형태로 어림하게 한다.
  ② 1보다 작다
  ③ 1보다 크다 또는 2보다 작다
- 왜 그렇게 생각하는지 어림하는 과정을 짝에게 설명하도록 한다.

Tip

이전 차시에서 학습한 받아내림이 없는 분수의 뺄셈과 받아내림이 있는 (자연수)–(분수)의 뺄셈에 대한 학습 정도 및 오개념을 확인한다. 어림하는 과정을 통하여 1보다 작은 수가 있음을 감각적으로 이해하도록 하여 분수는 자연수로 표현할 수 없는 양을 표현하는 수이며 덧셈과 뺄셈이 가능하다는 것을 인식하게 한다. 이번 시간에는 진분수끼리 뺄 수 없는 대분수의 뺄셈 계산 원리와 형식을 학습하게 됨을 인지시킨다.

2단계 – 문제 상황을 파악하고 두 가지 방법으로 해결하기 | 매체 | 조작 | 토의 |

- 문제 상황을 들려준다.

> 주방에 파이를 $3\frac{1}{4}$개 두었는데, 그곳을 지나가던 아이들이 $1\frac{3}{4}$개를 먹었어요. 주방에 남은 파이는 몇 개일까요?

문제 상황을 파악하여 분수 부분끼리 뺄 수 없는 분모가 같은 대분수의 뺄셈임을 인지하도록 한다.

- 뺄셈식으로 나타내도록 한다. $3\frac{1}{4} - 1\frac{3}{4}$

- 두 대분수의 분수 부분을 비교하여 뺄 수 없을 때 어떻게 계산하여야 하는지 생각해 보게 한다.

〈방법 1〉 자연수에서 1만큼 받아내리기

- 문제를 해결하기 위하여 구체물을 이용하여 대분수의 크기를 직관적으로 알 수 있도록 색종이로 $3\frac{1}{4}$을 나타내도록 한다. $3\frac{1}{4}$은 $3+\frac{1}{4}$로 이루어짐을 확인한다.

$$3\frac{1}{4} = \boxed{3} + \boxed{\frac{1}{4}}$$

- 분수 부분을 뺄 수 없으므로 대분수의 자연수 부분에서 1만큼 받아내린 분수로 만든다. 이때, 분모만큼 분자가 커지는 원리를 지도하여 $1 = \frac{4}{4}$임을 이해하도록 한다.

$$3\frac{1}{4} = \boxed{2} + \boxed{\frac{5}{4}}$$

- 색종이로 나타낸 $2+\frac{5}{4}$에서 $1\frac{3}{4}$을 빼도록 한다.

$$2\frac{5}{4} - 1\frac{3}{4} = 1\frac{2}{4}$$

- 뺄셈 과정을 형식화하기 위하여 계산식으로 정리하도록 한다.

$$3\frac{1}{4} - 1\frac{3}{4} = 2\frac{5}{4} - 1\frac{3}{4} = (2-1) + \left(\frac{5}{4} - \frac{3}{4}\right) = 1 + \frac{2}{4} = 1\frac{2}{4}$$

〈방법 2〉 가분수로 변환하기

- 색종이를 이용하여 $3\frac{1}{4}$은 $\frac{1}{4}$이 몇 개인지 조작해 보고 왜 그렇게 생각하는지 설명하도록 한다. 대분수를 가분수로 변환할 때 분모의 크기에 따라 1이 달라진다는 것을 유의하도록 한다.

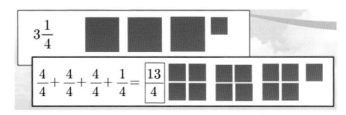

- 색종이를 이용하여 $1\frac{3}{4}$은 $\frac{1}{4}$이 몇 개인지 조작해 보고 왜 그렇게 생각하는지 설명하도록 한다.

- 두 분수의 양을 비교하여 어떤 분수가 얼만큼 큰 수인지 알아보도록 한다.

$$\frac{13}{4} - \frac{7}{4} = \frac{6}{4} = 1\frac{2}{4}$$

- 뺄셈 과정을 형식화하기 위하여 계산식으로 정리하도록 한다.

$$3\frac{1}{4} - 1\frac{3}{4} = \frac{13}{4} - \frac{7}{4} = \frac{6}{4} = 1\frac{2}{4}$$

- 두 가지 방법으로 계산한 결과를 1단계에서 어림한 값과 비교하도록 한다.

 Tip

수학책이나 수학익힘책을 이용하여 다른 문제를 해결하도록 안내한다. 이 때, 구체물이나 그림, 수직선 등을 이용하여 계산 원리를 나타낸 후 계산과정을 형식화하도록 한다. 교사는 학생 개개인이 받아내림이 있는 분수의 뺄셈 계산 원리를 얼마나 이해하였는지 파악하고, 보충 또는 심화학습을 하도록 지도한다.

3단계 – 계산 과정 중 잘못된 부분 찾기 해석 토의

친구야, 도와줘.
어디를 잘못 풀었는지 알려줘.

① $4\frac{6\!\!\!/\,1}{5} - 2\frac{4}{5} = 2\frac{2}{5}$

② $4\frac{1}{5} - 2\frac{4}{5} = 2\frac{3}{5}$

- 계산 상 오류과정을 제시한다.
- 잘못된 점을 찾아 친구와 논의하여 수정하도록 한다.

MEMO

① $4\frac{6\!\!\!/\,1}{5} - 2\frac{4}{5}$ ⟶ 자연수 부분 오류

$4\frac{1}{5} = 3\frac{6}{5}$

② $4\frac{1}{5} - 2\frac{4}{5} = 2\frac{3}{5}$ 뒤에서 $\frac{1}{5}$을 뺐다.

$3\frac{6}{5} - 2\frac{4}{5}$

$= (3-2) + (\frac{6}{5} - \frac{4}{5}) = 1\frac{2}{5}$

---

tip

친구를 가르쳐주면 더 잘 배울 수 있음을 안내하고, 꼬마 선생님이 되어 친구들이 한 계산 방법을 살펴보게 한다. 잘못된 점을 찾아보고 무엇을 잘못 알고 있는지 생각해보도록 한다. 친구의 오류를 어떻게 바로 잡을 수 있도록 도와줄 것인지 2인1조로 논의하여 발표하도록 한다. 이때, 대분수를 가분수로 변환하는 과정에서 생기는 오류나 학급에서 자주 보이는 오류를 파악하여 제시하는 것이 좋다.

4단계 – 받아내림이 있는 두 대분수의 뺄셈 계산 원리 설명하기 관찰 토의

분모가 같은 분수의 뺄셈 법칙 설명하기

① $3\frac{1}{3} - 1\frac{2}{3} = 2\frac{4}{3} - 1\frac{2}{3}$

$= (2-1) + (\frac{4}{3} - \frac{2}{3}) = 1 + \frac{2}{3} = 1\frac{2}{3}$

② $3\frac{1}{3}$은 $\frac{1}{3}$이 10개, $1\frac{2}{3}$은 $\frac{1}{3}$이 5개이므로

$3\frac{1}{3} - 1\frac{2}{3}$는 $\frac{1}{3}$이 5개이다.

$3\frac{1}{3} - 1\frac{2}{3} = \frac{10}{3} - \frac{5}{3} = \frac{5}{3} = 1\frac{2}{3}$

- 분수끼리 뺄 수 없는 분모가 같은 대분수의 뺄셈 과정이 나타난 뺄셈식을 제시한다.
- 짝에게 뺄셈 원리를 말로 설명하도록 한다.
  ① 빼어지는 수의 자연수에서 1만큼 받아내려 가분수로 만들고, 자연수는 자연수끼리, 분수는 분수끼리 뺀다.
  ② 대분수를 모두 가분수로 만들어 분자끼리 빼고, 결과가 가분수이면 대분수로 바꾸어 나타낸다.

오늘 해결해 본 것을 바탕으로 자신이 아는 만큼 친구에게 설명하도록 한다. 진분수끼리 뺄 수 없는 분모가 같은 대분수의 뺄셈 원리와 계산형식을 자신의 언어로 설명하여 정리하고, 교사는 학생의 오개념 부분이 있는지 확인한다.

■ 참고문헌

- 박동용, 이윤종, 배상호, 최혜영, 서준혁, 백승기(2012), 현직교사와 함께 쓴 오개념 바로잡기 수학·과학·사회편, 도서출판 희소, p40~46
- 교사용지도서 수학4-2, 118~125(교육부, 2018)

◎ 학습 주제

소수 두 자리 수의 덧셈을 해 볼까요

◎ 성취 기준

〔4수01-17〕 소수 두 자리 수의 범위에서 소수의 덧셈과 뺄셈의 계산 원리를 이해하고 그 계산을 할 수 있다.

◎ 오개념 1

자연수의 계산처럼 오른쪽으로 숫자를 맞추어 계산한다.

◎ 오개념 2

0.5와 0.50은 다르다.

지도 요소

상황 진단

소수의 덧셈은 오른쪽으로 숫자를 맞추나요?

교수 처방 1

교수 처방 2

◎ 오개념 1 처방

• 자릿값 표에서 소수점의 위치를 같게 하여, 소수점의 위치가 일치된 상태에서 덧셈과 뺄셈을 해야 한다는 것을 이해하도록 지도한다.

◎ 오개념 2 처방

• 모눈종이에 해당하는 만큼 색칠해보면서 소수의 덧셈원리를 이해하고 계산할 수 있게 한다.

- **성취 기준** 〔4수01-17〕 소수 두 자리 수의 범위에서 소수의 덧셈과 뺄셈의 계산 원리를 이해하고 그 계산을 할 수 있다.
- **관련 단원** 4학년 2학기 3. 소수의 덧셈과 뺄셈
- **학습 주제** 소수 두 자리 수의 덧셈을 해 볼까요?
- **학습 목표** − 소수 두 자리 수의 덧셈 계산 원리를 이해할 수 있다.
  − 소수 두 자리 수의 덧셈을 능숙하게 할 수 있다.

상황 진단

아는 지식 (학생 실제 발달 수준)	교수 처방	알게 된 지식 (교육과정 성취 기준)
• 분모가10인 진분수를 통하여 소수 개념 이해하기 • 소수의 크기 비교하기 ■ 소수점의 위치를 항상 계산 결과의 왼쪽에 찍음. ■ 자연수의 계산처럼 오른쪽으로 숫자를 맞추어 계산함.	시범관찰 → 설명 → 추론연습 오개념, 난개념 처방	• 소수 두 자리 수의 덧셈 계산 원리 이해 ■ 자릿수가 다른 소수의 덧셈을 계산하기 ■ 소수 두 자리 수의 덧셈 방법 형식화하기

학습 계열

선수 학습	본 학습	후속 학습
• 분모가 10인 진분수를 통하여 소수 개념 이해하기 • 소수의 크기 비교하기 − 3-1-6. 분수와 소수	• 소수의 덧셈과 뺄셈의 원리 알아보기 • 소수의 덧셈과 뺄셈 계산 익히기	• 소수의 곱셈 − 5-2-4. 소수의 곱셈 • 소수의 나눗셈 − 6-1-3. 소수의 나눗셈 − 6-2-2. 소수의 나눗셈

1. 소수의 덧셈과 뺄셈의 접근 방법

- 분모가 10, 100, 1000과 같이 10의 거듭제곱인 분수를 이용하여 소수의 개념을 도입하였으므로 분수의 덧셈과 뺄셈으로 접근할 수 있다.

$$1.47 + 1.81 = 1.47 + 1.81 = \frac{147}{100} + \frac{181}{100} = \frac{328}{100} = 3.28$$

$$2.47 - 1.81 = 2.47 - 1.81 = \frac{247}{100} - \frac{181}{100} = \frac{66}{100} = 0.66$$

- 소수점의 자리를 맞추어 세로로 배열하고 범자연수의 덧셈과 뺄셈처럼 각 자리의 수를 더하거나 빼는 방법으로 접근할 수 있다.

```
    0 . 8 7              0 . 8 7
  + 0 . 2 5            - 0 . 2 5
  ───────────          ───────────
    1 . 1 2              0 . 6 2
```

2. 소수 학습에 활용 가능한 시각적 모델

- 영역 모델

그림과 같이 전체는 1이고 10등분, 100등분, 1000등분하여 나타낸 모델로 각 부분의 크기와 모양은 같아야 한다. 색칠한 부분을 소수로 표현하거나 자릿값을 이해하는데 도움이 된다.

- 길이 모델

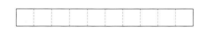 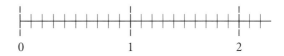

막대, 자, 수직선과 같이 띠 모양을 10등분, 100등분, 1000등분 하여 나타낸 것이다.

(참고문헌 : 교사용 지도서 3-1학기, 4-2학기(2018), 교육부)

교실 속 오류상황

$$\begin{array}{r} 0.5 \\ +\ 0.6 \\ \hline 0.11 \end{array}$$

$$\begin{array}{r} 0.5 \\ +\ 0.6 \\ \hline 0.1\ 1 \end{array}$$

$$\begin{array}{r} 0.7\ 6 \\ +\ \ \ 0.5 \\ \hline 0.8\ 1 \end{array}$$

$$\begin{array}{r} 0.9 \\ +\ 1.2\ 5 \\ \hline 1.3\ 4 \end{array}$$

소수의 덧셈과 뺄셈에서 많이 나타나는 오류는 받아올림으로 자릿값이 이동하는 것을 생각하지 않고 계산한 결과의 왼쪽에 항상 소수점을 찍거나 소수점을 맞추지 않고 숫자를 오른쪽으로 맞추어 계산하는 경우이다.

학생들은 3학년 1학기 6. 분수와 소수 단원에서 똑같이 10등분을 해보는 과정을 통해 소수의 의미를 이해하였다. 그리고 수직선 위에 분수와 소수를 동시에 나타내어서 0을 기준으로 위치적 표현을 해보았으며 그림을 그리거나 수직선을 이용하여 소수의 크기를 비교하는 활동을 했다. 수직선에 양이나 위치를 나타내거나 모눈종이를 활용하여 나타내어 보는 활동은 시각적 이해에 많은 도움을 줄 수 있다.

소수 두 자리 수의 덧셈방식을 형식화 하는 단계에서는 자연수의 덧셈을 할 때 자릿수를 맞추어야 하고, 받아올림으로 자릿값이 이동하는 내용이 소수의 덧셈에서도 적용된다는 것을 이해하도록 지도해야 한다. 이를 이해하지 못할 경우 소수점을 기준으로 왼쪽과 오른쪽으로 구분하여 각각 계산한 결과를 쓰기도 한다.

1단계 – 수직선과 모눈종이에 나타내기 시범 관찰 추론

시각적 이해를 돕기 위해 수직선을 활용한다. 먼저 수직선을 보며 큰 눈금 1칸과 작은 눈금 1칸의 크기를 생각해보도록 한다. 큰 눈금은 1을 10등분하였으므로 한 칸은 0.1이고, 작은 눈금은 소수 0.1을 다시 10등분하여 0부터 1까지를 100등분 하였으므로 0.01이라는 것을 이해한 뒤 덧셈식을 수직선에 나타내도록 한다.

- 큰 눈금은 1을 똑같이 몇으로 나누었나요?
- 큰 눈금 한 칸은 1을 10등분 하였으므로 $\frac{1}{10}$입니다. 소수로 나타낼 수 있나요?
- 작은 눈금은 소수 0.1을 똑같이 몇으로 나누었나요?
- 작은 눈금 한 칸은 0부터 1까지를 몇 등분 하였을까요?
- 작은 눈금 한 칸은 0부터 1까지를 100등분 하였으므로 $\frac{1}{100}$입니다. 소수로 나타낼 수 있을까요?

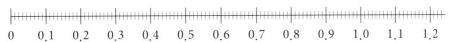

수직선에 0.87만큼 이동하여 표시한 후 0.25만큼 더 이동한 위치에 표시한다. 위치를 표시할 때 0.87은 0.01이 87개 또는 0.1이 8개, 0.01이 7개로 이루어졌음을 이해하며 위치를 표시하도록 한다. 0.25도 같은 방법으로 나타내고 표시한 수직선의 눈금을 읽어본다.

4
학년

2
학기

- 0.87+0.25를 수직선에 나타내어 봅시다.

  방법 1) 수직선 작은 눈금 한 칸의 크기는 0.01이고 0.87은 0.01이 87개 이므로 0부터 작은 눈금 87칸 간 곳의 위치가 0.87입니다.

  방법 2) 수직선 큰 눈금 한 칸의 크기는 0.1이고 작은 눈금 한 칸의 크기는 0.01 이므로 수직선 0.8에서 작은 눈금으로 7칸을 더 간 곳이 0.87입니다.

- 수직선에서 0.87만큼 이동한 다음 이어서 0.25만큼 더 이동하면 1.12가 됩니다.

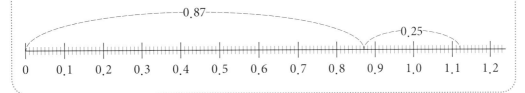

모눈종이에 나타낼 때는 0.1과 0.01의 색을 다르게 제시하여 시각적으로 구분되도록 한다. 먼저 0.87을 색칠해보고 이어서 0.25만큼 더 색칠하여 결과를 확인한다.

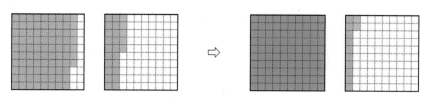

■ 0.87+0.25를 모눈종이 위에 나타내어 봅시다.

2단계 – 소수 두 자리 수의 덧셈방법 형식화하기

소수의 덧셈방법을 형식화 할 때는 자릿수를 바르게 이해하고 맞추어 계산할 수 있도록 해야 한다. 처음에는 각 자릿수의 색을 다르게 하여 쉽게 구분할 수 있도록 제시하면 어려워하는 학생들에게 도움을 줄 수 있다.

설명 추론

우선 덧셈방법을 형식화하기 위해 0.01이 몇 개인지 생각하여 자연수의 덧셈 계산 원리로 계산한다. 이를 통해 자연수의 덧셈을 할 때와 같이 받아올림으로 자릿값이 이동하는 것을 이해할 수 있다.

> ■ 0.01이 몇 개인지 생각하여 덧셈하기
>
> $$\begin{array}{r} 0.87 \\ +0.25 \\ \hline \end{array} \Rightarrow \begin{array}{r} 0.87 \text{은 } 0.01\text{이 } 87\text{개} \\ +0.25 \text{는 } 0.01\text{이 } 25\text{개} \\ \hline 0.01\text{이 } 112\text{개} \end{array} \Rightarrow \begin{array}{r} 0.87 \\ +0.25 \\ \hline 1.12 \end{array}$$

소수 두 자리 수의 덧셈은 소수점의 자리를 맞추어 세로로 쓰고 자연수의 덧셈과 같은 방법으로 받아올림이 있는 경우 자릿값을 이동하여 계산 한 다음 소수점을 그대로 내려서 찍는다.

> ■ 자릿수를 맞추어 세로로 계산하기
>
> $$\begin{array}{r} 1 \\ 0.87 \\ +0.25 \\ \hline 2 \end{array} \Rightarrow \begin{array}{r} 1\ 1 \\ 0.87 \\ +0.25 \\ \hline 1\ 2 \end{array} \Rightarrow \begin{array}{r} 1 \\ 0.87 \\ +0.25 \\ \hline 1.12 \end{array}$$

그런데 학생들 중에는 0.76 + 0.5와 같이 자릿수가 다른 소수의 덧셈을 할 때 소수점의 위치를 맞추지 않고 오른쪽 끝으로 숫자를 맞추는 경우가 많다. 이러한 오류를 제거하기 위해 0.5를 0.50으로 나타낼 수 있음을 이해하도록 한다.

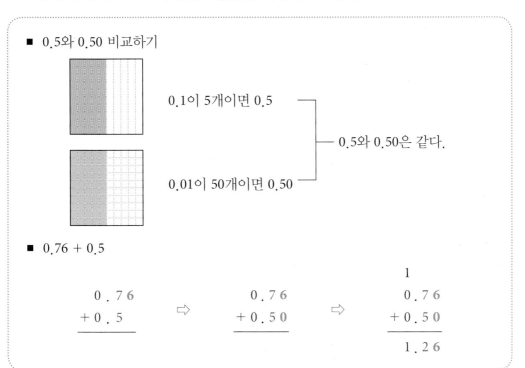

■ 0.5와 0.50 비교하기

0.1이 5개이면 0.5 ─┐
                    ├─ 0.5와 0.50은 같다.
0.01이 50개이면 0.50 ─┘

■ 0.76 + 0.5

$$
\begin{array}{r}
0.76 \\
+\,0.5 \\
\hline
\end{array}
\Rightarrow
\begin{array}{r}
0.76 \\
+\,0.50 \\
\hline
\end{array}
\Rightarrow
\begin{array}{r}
1 \\
0.76 \\
+\,0.50 \\
\hline
1.26
\end{array}
$$

3단계 – 소수의 덧셈 놀이하기 설명 시범 연습

소수의 덧셈 방법을 형식화하여 함께 정리한 후 놀이를 하며 반복연습을 하고 잘 할수 있는지 평가한다. 스스로 문제를 만들고 짝과 함께 계산과정의 오류를 점검하며 소수의 자리값에 대한 개념을 명확하게 이해하도록 한다.

1) 주사위 놀이

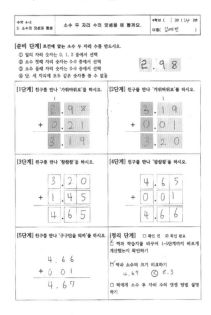

- **준비물**: 색이 다른 주사위 3개
- **방법**
① 주사위의 색과 소수의 자리 수의 색을 정한다.
② 주사위를 굴려 소수 두 자리 수를 만든다.
③ 소수 두 자리 수의 덧셈을 한다.
④ 모둠원들과 함께 계산 결과를 확인한다.
⑤ ②~④을 반복하며 문제를 해결한다.

2) 가위바위보 놀이

- **준비단계**
－조건에 맞는 소수 두 자리 수를 만들기
- **1~5단계**
－처음에는 자리수의 색을 구분하여 제시하고 마지막 문제는 소수점을 맞추어 직접 써서 풀기
- **정리단계**
－짝과 함께 계산 과정의 오류를 점검하기
－소수의 크기를 비교하기
－짝에게 소수 두 자리 수의 덧셈 방법을 설명하며 학습내용 정리하기

⊙ 성취 기준을 바탕으로 다양하게 수업 설계를 해 보세요.

정삼각형은 점대칭도형일까?

단원명
3. 합동과 대칭

한눈에 알아보기

1 2 3 4
5 6 7 8
9 ÷ × = 0

학습 주제

선대칭 도형과 점대칭 도형의 성질을 이해하고 그릴 수 있다.

성취 기준

[6수02-03] 선대칭도형과 점대칭도형을 이해하고 그릴 수 있다.

오개념 1

정삼각형은 선대칭도형도 되고 점대칭 도형도 된다.

오개념 2

선대칭 도형이 점대칭 도형이 될 수도 있음을 알지 못한다.

지도 요소

상황 진단

정삼각형은 점대칭도형일까?

교수 처방 1

교수 처방 2

오개념 1 처방

• 구체적 조작물을 가지고 도형을 돌려보는 연습을 통해 점대칭도형의 개념을 학습한다.

• 생활 속에서 점대칭도형과 선대칭 도형을 찾아보고 그림으로 완성해보기 활동을 한다.

오개념 2 처방

• 선대칭도형과 점대칭도형의 개념을 명확하게 이해할 수 있도록 나라별 국기를 활용하여 학습한다.

• 여러 도형을 선대칭도형, 점대칭 도형 중 어디에 해당하는지 정리하고 이야기하여 본다.

성취 기준 〔6수02-03〕 선대칭도형과 점대칭도형을 이해하고 그릴 수 있다.

관련 단원 　5학년 2학기　 3. 합동과 대칭

학습 주제 선대칭도형과 점대칭 도형의 성질

학습 목표 선대칭도형과 점대칭 도형을 이해하고 그릴 수 있다.

상황 진단

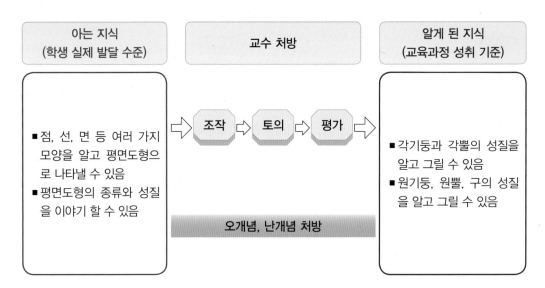

아는 지식 (학생 실제 발달 수준)	교수 처방	알게 된 지식 (교육과정 성취 기준)
■ 점, 선, 면 등 여러 가지 모양을 알고 평면도형으로 나타낼 수 있음 ■ 평면도형의 종류와 성질을 이야기 할 수 있음	조작 ⇨ 토의 ⇨ 평가 오개념, 난개념 처방	■ 각기둥과 각뿔의 성질을 알고 그릴 수 있음 ■ 원기둥, 원뿔, 구의 성질을 알고 그릴 수 있음

학습 계열

선수 학습	본 학습	후속 학습
– 1–1–2. 여러 가지 모양 – 1–2–2. 여러 가지 모양 – 2–1–2. 여러 가지 모양 – 3–1–2. 평면도형 – 4–1–3. 각도와 삼각형 – 4–2–3. 다각형 – 5–2–5. 직육면체	• 선대칭도형의 성질 이해하고 그리기 • 점대칭도형의 성질 이해하고 그리기	– 6–1–2. 각기둥과 각뿔 – 6–2–6. 원기둥, 원뿔, 구

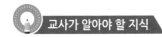

1. 도형의 대칭을 배우는 이유

좌우가 완전히 비대칭인 얼굴보다는 거의 대칭인 얼굴이 더 아름답게 느껴진다는 연구 결과가 있다. 또한 사람들은 반복되는 규칙성을 가진 것들 속에서 안정감과 아름다움을 느끼기도 한다. 이러한 대칭은 수학적 좌표와 방정식으로 나타내어 표현할 수 있다. 아름답다고 느끼는 것을 수학적으로 표현할 수 있는 것이다. 그러므로 수학적 감각은 미적 영역과도 관계가 있다고 할 수 있다.

대칭은 일상생활에서 쉽게 찾을 수 있으며 생활 곳곳에 그 원리가 적용되어 우리에게 안정감과 아름다움을 준다. 학생들은 이런 도형의 대칭의 학습을 통해 일상생활 속에서 응용할 수 있으며 주변 환경과 예술작품에 대한 소양을 기를 수 있다.

2. 선대칭도형이란?

선대칭도형이란? 어떤 도형이 그 도형의 내부를 지나는 한 직선에 의하여 두 부분으로 나누어지고 각 부분에 대응하는 모든 점들이 서로 선대칭이 될 때 그 도형을 선대칭도형이라고 한다. 두 부분으로 나누는 직선을 대칭축이라고 한다. 선대칭도형의 대응점을 이은 선분은 대칭축에 의하여 수직 이등분되며 대칭축은 여러 개 있을 수 있다.

선대칭도형의 예 : 선분, 이등변삼각형, 직사각형, 마름모, 부채꼴, 정육각형, 정오각형, 원 등

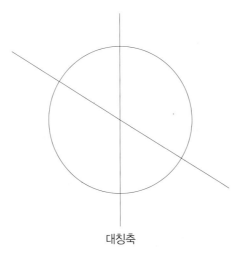

대칭축

개정교육과정에서는 선대칭의 위치에 있는 도형이라는 개념은 초등학교에서 지도하지 않는다.

3. 점대칭도형이란?

두 점 A, A'가 있을 때 선분 AA'의 중점을 O라 하면, 두 점 A와 A'는 점 O를 중심으로 하여 점대칭이라 하고 , 점 O를 대칭의 중심이라고 한다.

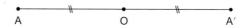

한 도형 위의 각 점의 점대칭인 점이 다시 그 도형 위에 있고 이들 대칭의 중심이 일치할 때 이 도형을 점대칭 도형이라고 한다. 점대칭 도형은 대칭의 중심을 중심으로 180° 회전이동하면서 자기 자신과 완전히 겹치는 합동이 된다.

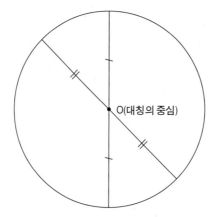

점대칭도형의 예: 선분, 정사각형, 직사각형, 마름모, 평행사변형, 정육각형, 원 등

개정교육과정에서는 점대칭의 위치에 있는 도형이라는 개념은 초등학교에서 지도하지 않는다.

교수 처방 1, 2

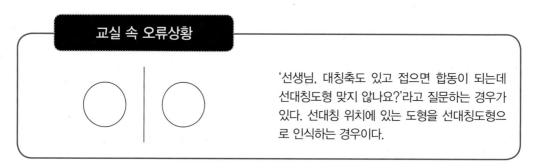

교실 속 오류상황

'선생님, 대칭축도 있고 접으면 합동이 되는데 선대칭도형 맞지 않나요?'라고 질문하는 경우가 있다. 선대칭 위치에 있는 도형을 선대칭도형으로 인식하는 경우이다.

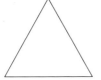

정삼각형이 선대칭도형 뿐만 아니라 점대칭도형이 된다고 대답하는 학생들이 있다. '어 돌려도 정삼각형이라서 똑같은데.'와 같은 대답을 하고는 한다.

학생들이 대칭과 관련된 단원을 학습하면서, 도형의 개념 그 자체는 크게 어려워하지 않는다. 하지만 선대칭도형, 점대칭도형의 정의를 제대로 생각하지 않고 쉽게 적용하거나 충분히 많은 사례들을 생각해보지 않아 오류를 보이곤 한다. 그래서 이 단원에서는 여러 가지 사례들을 살펴보고 도형을 직접 만들어보거나 생활 속에서 발견해 보면서 문제를 해결해 나가는 구체적이고 조작적인 활동이 많이 필요하다고 볼 수 있다.

1단계 - 구체적 조작 자료 활용을 통해 알아보기

학생들이 생활 속에서 발견할 수 있는 대칭을 이용한 물건이나 장소 등을 이야기 하게 해 본다. 교실에서부터 시작하여 세계적인 건축물들까지 다양한 사례들을 보여주고 수학적 특징을 찾을 수 있는지 질문한다.

교사 다음 그림들 중에서 어떤 것들을 발견할 수 있나요? 혹시 수학적인 것들을 발견할 수 있나요?

교사 발견한 수학적인 특징 중에 공통점등이 있나요?

교사 건축이나 물건을 만드는 일들은 수학은 관계가 있을까요?

우리 주변	칠판, 공책, 필통, 창문, 사물함, 책상, 드론, 기타, 드럼, 에어컨, TV, 알파벳, 한글, 나비 등
세계적인 작품이나 명소	타지마할, 타임브릿지, 이집트 피라미드, 로마 깜비톨리오 광장, 등

    사진들을 통해 대칭, 도형 등의 개념을 도출하고 이를 바탕으로 이번 차시에는 대칭 도형과 대칭에 대하여 학습하게 될 것임을 안내한다. 도형이 가지는 심미적 특성과 수학의 심미적 특성에 대해서도 언급하여 학생들이 수학의 가치에 대해서도 인식할 수 있도록 한다.

관찰 조작 토의

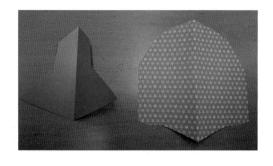

    선대칭도형의 특징을 살펴보기 위해 색종이를 반으로 접고 가위로 잘라보는 선대칭 도형 만들기 활동을 진행한다. 완성 후에는 학생들의 작품에 대해 이야기하면서 선대칭도형의 성질에 대해서 함께 이야기해 본다.

교사 색종이를 이용하여 선대칭 도형을 만들어 봅시다. 색종이를 반으로 접으면 접히는 부분이 대칭축이 됩니다.

교사 대칭축에 떨어져서 만들어진 도형들을 선대칭 도형이라고 할 수 있을까요?
할 수 없다면 왜 할 수 없을까요?

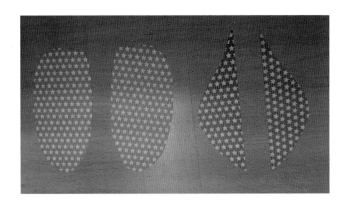

　만든 색종이를 보면서 대칭축, 대응점, 대응각 등을 찾아보고 양쪽을 이은 선분이 대칭축을 중심으로 수직을 이룸을 개념적으로 정의한다. 개념정의가 이뤄진 후 학생들이 헷갈려했던 선대칭도형과 선대칭 위치에 있는 도형에 대해서 이야기 한다. 개정 교육과정에서는 선대칭 위치에 있는 도형에 대해 지도하지 않도록 되어 있기 때문에 '도형이 대칭축을 포함하고 있을 때만 선대칭도형이라고 한다.'라는 정의로만 선대칭 도형이 될 수 있는 사례와 되지 않을 사례를 분류한다. 학생들이 색종이로 만든 선대칭 도형에서 대칭축을 포함하지 않고 떨어져 있는 것들은 선대칭도형이 아닌 것임을 함께 확인한다.

　점대칭 도형을 색종이로 만들어 보고 점대칭 도형을 확인하는 방법에 대하여 학습한다. 학생들이 각도기 없이 한번에 180°를 돌렸을 때의 모습을 어려워하거나 헷갈려 점대칭도형을 제대로 이해하지 못할 때가 많다. 그러므로 처음 학습할 때 각도기를 준비하여 학습한다. 학습 순서는 다음과 같다.

1. 자신이 만든 도형의 대칭의 중심을 찾는다.
2. 대칭의 중심에 각도기를 바르게 대고 90°를 표시하고 돌려본다.
3. 90°돌린 후 다시 90°를 돌려 180°를 돌리도록 하고 처음의 모습과 일치하는 지 확인한다.

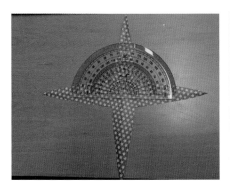

2단계 - 원리가 내재된 조작 자료를 활용 관찰 조작 토의

학생들이 만든 선대칭 도형과 점대칭 도형을 분류해보는 활동을 통해 선대칭 도형의 원리와 점대칭 도형의 원리를 깊이 이해할 수 있게 한다. 먼저 자신이 만든 도형이 선대칭 도형인지 점대칭 도형인지 확인하는 활동을 한다.

교사 자신이 만든 점대칭 도형과 선대칭 도형을 발표하여 봅시다.

이 도형은 왜 선대칭 도형입니까? 대칭축이 어디 있습니까?

이 도형은 왜 점대칭 도형입니가? 각도기를 이용하여 90°, 180°로 차례로 돌려보면서 발표하여 봅시다.

선대칭 도형을 발표할 때에는 도형 안에 있는 대칭축을 중심으로 접어보면서 설명할 수 있도록 하고 점대칭도형을 발표할 때는 각도기를 준비하여 90°, 180°로 두 번 돌려보면서 점대칭도형의 조건인 180°에 대한 감각을 기를 수 있도록 한다. 자신이 만든 조형에 대한 성질을 확인하였으면 분류를 해 본다.

교사 여러분이 만든 도형을 분류하여 봅시다. 어떻게 분류하는 것이 좋을까요?

학생들의 발표가 끝나면 학생들이 만든 기준에 따라 점대칭 도형과 선대칭 도형을 분류하여 칠판에 붙이도록 한다.

교사 이 도형은 알맞게 분류 된 것일까요?

질문을 통해 학생들이 선대칭도형과 점대칭도형이 둘 다 될 수 있음을 인식할 수 있도록 지도한다. 그리고 학생들과 함께 다시 분류를 해 보도록 한다.

선대칭 도형과 점대칭 도형이 둘 다 되는 도형을 도입할 때는 교사의 직접적인 발문 보다 간접적인 발문을 통해 학생 스스로가 문제 상황을 인지 할 수 있도록 한다. 선대칭 도형과 점대칭 도형을 고정적으로 인식하지 않고 유연하게 바라보기 위해서는 교사의 직접적인 발문보다 학생들의 탐구과정이 더 중요하기 때문이다.

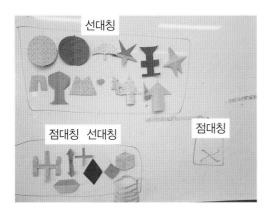

선대칭만 되는 도형, 선대칭과 점대칭이 되는 도형, 점대칭만 되는 도형으로 분류하여 본다.

분류할 때에는 선대칭도형과 점대칭도형의 성질인 대칭축과 대칭의 중심을 찾으면서 분류하도록 한다.

분류활동을 한 뒤에는 생활 속에서 발견할 수 있는 선대칭도형이자 점대칭도형인 드론을 활용하여 수업을 진행한다. 점대칭도형이나 선대칭도형이 될 수 있는 드론이나 드론 날개 디자인해보기 활동을 진행한다.

선대칭 도형과 점대칭 도형은 수학의 심미적 특성 및 가치를 경험하기 좋은 주제이다. 선대칭 도형과 점대칭 도형의 특징을 이용하여 생활 주변의 물품을 디자인해보거나 미술 작품 등을 만들어 보는 활동을 통해 수학의 심미적 특성 및 가치를 직접 체험하게 해보는 것이 좋다.

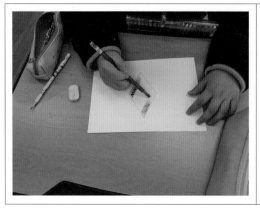
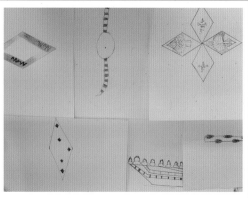

교사 이 날개는 선대칭도형과 점대칭 도형을 모두 만족하나요?

이 날개에서 발견할 수 있는 특징은 무엇이 있나요?

완성된 작품들을 함께 살펴보면서 선대칭도형과 점대칭도형의 성질을 찾고 이야기하며 마무리 한다.

3단계 – 원리의 형식화 토의 평가

선대칭도형과 점대칭도형 성질을 정리해보기 위하여 도형들을 분류하고 정리해보는 활동을 한다.

정삼각형 : 선대칭도형	정오각형 : 선대칭도형
이등변삼각형 : 선대칭도형	정육각형 : 선대칭도형, 점대칭도형
직사각형 : 선대칭도형, 점대칭도형	마름모 : 선대칭도형, 점대칭도형
평행사변형 : 점대칭도형	원 : 선대칭도형, 점대칭도형

교사 정삼각형이 점대칭도형이 될 수 있을까요?

평행사변형은 선대칭 도형이 될 수 있을까요?

선대칭도형과 점대칭도형의 성질을 바탕으로 정리해보면서 다양한 반례들을 들어 선대칭도형과 점대칭도형이 될 수 없음을 함께 정리한다.

정삼각형이 아니라 삼각형이 선대칭이 안 되는 경우, 직사각형이나 평행사변형이 아니라 사다리꼴이 점대칭이 안 되는 경우들을 함께 이야기해 보며 개념을 정리한다.

이후 국기를 통해 대칭의 심미적 가치 이야기하기와 함께 대응점, 대응변, 대응각 찾기, 대칭축, 대칭의 중심 찾기, 대응점을 이은 선분과 대칭축과 직각 표시하기 등의 활동을 통해 개념을 종합적으로 평가하고 완성한다.

교사 여러분이 국기에서 발견할 수 있는 여러 점대칭도형과 선대칭도형의 특징을 표시하고 찾아봅시다. 다 찾은 학생들은 다른 학생들과 비교하면서 자신이 찾은 부분과 못 찾은 부분을 파악하고 잘못된 부분이 있으면 수정하여 봅시다.

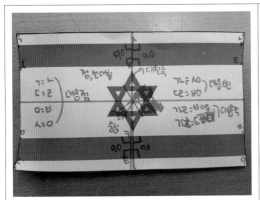
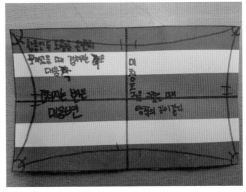

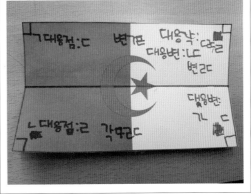

단원명
4. 소수의 곱셈

한눈에 알아보기

1234
5678
9 ÷×=0

학습 주제

곱의 소수점의 위치를 알 수 있어요.

성취 기준

〔6수01-13〕 소수의 곱셈의 계산 원리를 이해한다.

오개념 1

분수를 소수로 바꾸기 위해 약분을 할 때 무조건 기약 분수로 바꾼다.

오개념 2

소수의 곱셈 계산에서 소수점을 찍을 때 소수점의 위치가 매번 바뀐다.

지도 요소

상황 진단

소수의 곱셈에서
소수점의 위치는?

교수 처방 1

교수 처방 2

오개념 1 처방

· 수를 기록하는 기수법에 대한 소수와 분수의 관계를 살펴보고 여러 가지 소수와 분수를 수직선으로 표현하게 한다.
· 분수를 소수로 바꿔보고 분수와 소수를 이용한 규칙 만들어 보게 한다.

오개념 2 처방

· 소수와 분수에 10, 100, 1000을 곱하는 경우와 0.1, 0.01, 0.001을 곱하는 곱의 규칙을 찾아보도록 한다.
· 소수 곱셈의 알고리즘을 자연수 곱셈의 알고리즘을 적용하고 소수점의 위치를 바르게 찍어보도록 한다.

5
학년

2
학기

○ **성취 기준** 〔6수01-13〕 소수의 곱셈의 계산 원리를 이해한다.

○ **관련 단원** `5학년 2학기` 4. 소수의 곱셈

○ **학습 주제** 곱의 소수점의 위치를 알 수 있어요.

○ **학습 목표** 소수의 곱셈을 계산하고 알맞은 위치에 소수점을 찍을 수 있다.

■ 상황 진단

아는 지식 (학생 실제 발달 수준)	교수 처방	알게 된 지식 (교육과정 성취 기준)

• 자연수×자연수
• 분수×분수

■ 자연수 곱셈 알고리즘을 알고 계산할 수 있음
■ 분수를 크기가 같은 분수로 약분하거나 통분할 수 있으며 수직선에 나타내 수 있음
■ 분수의 곱셈을 분수의 곱셈 계산 원리에 따라 계산할 수 있음

설명 ⇒ 토의 조작 ⇒ 토의 발견

오개념, 난개념 처방

• 소수의 곱셈

■ 분수를 이용한 소수의 곱셈 계산 원리를 알고 바르게 계산함
■ 자연수의 곱셈 알고리즘을 이용하여 계산을 하고 소수점의 위치를 바르게 결정함

■ 학습 계열

선수 학습	본 학습	후속 학습
• 분수와 소수, 소수의 덧셈과 뺄셈, 분수의 곱셈 – 3-1-6. 분수와 소수 – 4-2-1. 소수의 덧셈과 뺄셈	• (자연수)×(소수)의 계산 원리를 알고 계산하기 • (소수)×(소수)의 계산 원리를 알고 계산하기	• 분수의 나눗셈, 소수의 나눗셈 – 6-2-1. 분수의 나눗셈 – 6-2-2. 소수의 나눗셈

1. 이해를 통한 곱셈 알고리즘 지도

알고리즘을 통한 수학 학습방법에 대한 다양한 접근 방법이 있다. 표준화된 알고리즘을 이용하기도 하고 표준화된 알고리즘이 아니라 학생들이 만드는 알고리즘을 이용하기도 한다. 계산기나 컴퓨터를 활용하여 알고리즘 그 자체 보다는 문제해결능력, 수학적 사고력 신장에 초점을 둔 방법 등 다양한 접근방법이 있다. 전통적 알고리즘을 바탕으로 수학교육을 진행하는 경우 학생들이 알고리즘의 의미를 이해하기보다 '기계적'으로 알고리즘을 적용하고 답을 구하는데 치중해 왔다. 이러한 부작용을 해결하기 위해 알고리즘에 대한 다양한 연구가 이루어지고 다양한 방법들이 수학교육에 적용되고 있다. 그래서 최근 알고리즘과 관련된 논란들은 전통적 알고리즘을 바탕으로 하는 수학교육을 약화시켜야 할 필요가 있다는 주장들이 힘을 얻고 있다.

하지만 알고리즘이 가지고 있는 효율성, 정확성, 신뢰성, 신속성 생각한다면 표준화된 알고리즘이든, 학생들이 스스로 만든 알고리즘이든 꼭 필요하다고 할 수 있다. 그러므로 수학 학습 방법 중 하나인 알고리즘 학습을 수학 개념과 원리의 이해, 문제해결 과정과 상호 보완인 측면에서 받아들여야 한다. 알고리즘의 절차가 왜 타당한지 언제 그러한 절차를 이용할 수 있는지를 이해하는 과정을 거친다면 알고리즘 학습이 문제해결능력 및 수학적 사고력 신장에 도움이 되기 때문이다.

다음은 소수의 곱셈 단원에서 활용하게 되는 간단한 알고리즘 들이다. 단순한 알고리즘 들이지만 학생들에게 복합적으로 작용할 때 학생들은 헷갈려하고 오류를 범하기도 한다.

2. 소수의 곱셈과 관련된 알고리즘과 오류

1) 약분과 기약분수

분모와 분자를 그들의 공약수로 나누어 분수를 간단히 표현하는 것을 약분한다고 한다.

$$\frac{4}{12} = \frac{4 \div 4}{12 \div 4} = \frac{1}{3}$$

이 때 분모와 분자의 공약수가 1뿐이어서 더 이상 약분이 되지 않는 분수를 기약분수라고 한다. $\frac{1}{3}$은 더 이상 약분이 되지 않는 기약분수이다. 하지만 위 상황에서 약분을 할 때 2로 나누어서 $\frac{2}{6}$로 답을 구해도 수학적으로 잘못되거나 틀린 것은 아니다.

기약분수는 크기가 같은 분수 중 가장 간단하므로 편리하다. 하지만 이어질 계산의 편리를 위해 약분하지 않은 채 분수를 그대로 사용하는 것이 바람직할 때도 있다. 그러므로 학생들이 모든 답을 기약분수로 답해야 하는 강박적 태도를 지니는 것은 유연하고 융통성 있는 수학적 사고를 위하여 바람직하지 않다. 교사 또한 기약분수만을 정답으로 인정하는 태도는 바람직하지 않으며 학생들이 수학적 감각을 가지고 자신의 편의에 따라 선택하여 사용할 수 있도록 지도하는 것이 바람직하다.

2) 십진분수에서 분모의 0의 개수가 소수점 아래의 수와 같다.

$\frac{1}{10}=0.1$ → 분모의 0의 개수가 1개이므로 소수점 아래 첫 번째 자리인 0.1

$\frac{1}{100}=0.01$ → 분모의 0의 개수가 2개이므로 소수점 아래 두 번째 자리인 0.01

$\frac{1}{1000}=0.001$ → 분모의 0의 개수가 3개이므로 소수점 아래 세 번째 자리인 0.001

$\frac{1}{10000}=0.0001$ → 분모의 0의 개수가 4개이므로 소수점 아래 네 번째 자리인 0.0001

$\frac{1}{100000}=0.00001$ → 분모의 0의 개수가 5개이므로 소수점 아래 다섯 번째 자리인 0.00001

3) 십진분수에서 분모를 거꾸로 나열하고 소수점을 찍어주면 된다.

$\frac{1}{10}=0.1$ → 분모를 거꾸로 나열하면 01 소수점 아래 첫 번째 자리인 0.1

$\frac{1}{100}=0.01$ → 분모를 거꾸로 나열하면 001 소수점 아래 두 번째 자리인 0.01

$\frac{1}{1000}=0.001$ → 분모를 거꾸로 나열하면 0001 소수점 아래 세 번째 자리인 0.001

$\frac{1}{10000}=0.0001$ → 분모를 거꾸로 나열하면 00001 소수점 아래 네 번째 자리인 0.0001

$\frac{1}{100000}=0.00001$ → 분모를 거꾸로 나열하면 000001 소수점 아래 다섯 번째 자리인 0.00001

4) 소수의 곱셈과 관련된 알고리즘 지도 순서

(소수)×(자연수)

곱셈의 계산 원리를 지도할 때는 동수누가의 개념을 가장 먼저 사용하는 것이 좋다. 선행 곱셈 학습 시 학생들이 동수누가의 방법으로 곱셈을 이해했기 때문이다. 그러므로 소수가 앞에오는 (소수)×(자연수) 계산을 통해 먼저 지도를 시작한다.

$$3.5 \times 3 = 3.5 + 3.5 + 3.5 = 10.5$$

⇩

(자연수)×(소수)

(자연수)×(소수)의 계산은 (소수)×(자연수)와 같다는 교환 법칙을 활용하여 지도한다.

$$3 \times 3.5 = 3.5 \times 3 = 3.5 + 3.5 + 3.5 = 10.5$$

교환법칙을 이해하여 소수의 곱셈을 계산 원리를 이해 한 뒤에는 소수의 분수 변환을 통해서 지도한다. 소수의 분수 변환을 통해서 계산하는 과정은 자연수 곱셈의 알고리즘을 소수의 곱셈에 적용하여 활용하기 위해 필요하다.

$$3 \times 3.5 = 3 \times \frac{35}{10} = \frac{3 \times 35}{10} = \frac{105}{10} = 10.5$$

⇩

(소수)×(소수)

(소수)×(소수)의 계산 원리는 분수의 곱셈 계산 원리를 적용하여 지도한다.

$$0.3 \times 0.8 = \frac{3}{10} \times \frac{8}{10} = \frac{24}{100} = 0.24$$

분수의 곱셈 계산 원리를 이해하면 마지막 소수 곱셈 방법에 대한 알고리즘을 지도한다. 소수의 표기법은 십진분수에 기반을 둔 위치적 기수법을 따른 것이다. 그러므로 자연수의 곱셈 알고리즘을 그대로 적용할 수 있다. 주의할 점은 소수점의 위치를 지도하는 부분이다. 소수점의 위치를 결정하는 단계에서 학생들의 오류가 많이 발생하므로 자연수 곱셈의 알고리즘 후 소수점을 찍는 과정에 대한 깊이 있는 지도가 필요하다. 단순 알고리즘만을 설명할 경우 학생들이 오개념이나 난개념을 가질 수 있기 때문이다. 소수점을 찍는 알고리즘은 곱하는 수의 소수점 위치의 수를 더해서 오른쪽부터 찍어준다.

$$
\begin{array}{r}
1\ 5 \\
\times\quad 3 \\
\hline
4\ 5
\end{array}
\qquad\Rightarrow\qquad
\begin{array}{r}
1\ .\ 5 \\
\times\quad 0\ .\ 3 \\
\hline
0\ .\ 4\ 5
\end{array}
$$

1.5은 소수점 아래 한 자리, 0.3은 소수점 아래 한 자리이므로 곱셈의 결과 소수점 아래 두 자리인 0.45가 정답이 된다.

교실 속 오류상황

$$\frac{4}{200}=\frac{4\div 4}{200\div 4}=\frac{1}{50}=\frac{1\times 2}{50\times 2}=\frac{2}{100}=0.02$$

분수를 소수로 나타내는 수학 수업을 하다보면 종종 이렇게 계산을 하는 학생을 만나게 된다. 왜? 라고 물어 보았을 때 학생의 답은 '약분했는데요.' 와 같은 반응을 보이는 경우가 많다.

학생들이 '약분했어요.'라고 말하면서 쉽게 지나치는 부분 중의 하나가 분수와 소수의 변환과정에서 일어난다. 분수를 소수로 나타내기 위해서는 분모를 10이나 100 혹은 1000과 같이 십진분수로 바꿔야 한다. 하지만 분수를 소수로 나타내기 위해서는 십진분수가 되도록 변환해야 한다는 생각보다 분수를 약분할 때는 기약분수로 표현해야 한다는 강박관념이 더 큰 경우가 있다. 결과적으로 이 학생은 수학적 사고의 융통성이 부족하고 약분과 통분을 활용한 소수의 변환이라는 알고리즘에 대한 이해가 낮거나 자신만의 알고리즘의 복잡성 때문에 계산과정에서 오류가 발생하곤 한다. 이러한 오류는 소수의 곱셈 알고리즘 적용에도 문제를 야기한다. 그러므로 소수의 곱셈을 올바로 지도하기 위해서는 분수와 소수의 관계에 대해서 먼저 명확히 지도해야 한다.

1단계 – 수직선을 통해 수 개념 형성하기

학생들은 '실수'를 나타내는 최적의 모양이 '수직선'임을 초등학교 저학년부터 간접적으로 탐구해 왔다. '실수'의 성질을 수직선을 통해 시각적으로 많이 접했기 때문이다. 수직선을 통해 수를 꾸준히 학습해 온 학생들의 학습 과정을 살펴볼 때 수직선은 소수와 분수 자연수의 관계를 가장 잘 이해할 수 있는 방법 중 하나이다. 수직선을 통해 수 개념을 되짚어보는 과정은 소수의 곱셈 알고리즘 형성을 위한 기초 과정이다. 교과서에서도 수직선을 활용한 분수와 소수의 변환에 대한 시각적인 안내를 제공하고 있지만 분모를 2, 5, 10 정도로 간단히 제시하고 있고 100이 넘어가는 부분은 모눈종이로 제시되어 있다. 그러다 보니 학생들은 분모가 100이 넘어가는 수에 대한 이해가 부족한 경우가 있다. 수적 감각을 익히고 소수와 분수를 변환하는 것이 아니라 단순 알고리즘을 이용하여 소수와 분수를 변환하고는 한다. 그래서 1단계에서는 분수와 소수를 수직선을 통해서 다양하게 변환해보고 수적 감각을 익히는 학습을 한다.

이를 위해서 분모가 100 이상까지 수직선으로 표현해보는 경험을 갖도록 한다. 분모가 100이 되는 경우를 학생들이 직접 그려보도록 단순 지도할 경우 지면이 부족하거나 포기하는 경우가 있으므로 교사가 시범을 보이고 학생들이 하는 과정을 관찰하여 부족한 부분을 지도 한다.

| 설명 | 시범 |

교사 수직선에서 살펴 볼 수 있
듯이 우리는 분수를 소수
로 표현할 수 있습니다.

$\frac{1}{10}, \frac{2}{10} \cdots \frac{1}{100}, \frac{2}{100} \cdots$

여러분이 살펴보고 있는 수
직선에서 찾을 수 있는 규칙
이나 특징, 소수와 분수와의
관계에서 발견할 수 있는 내
용이 있을까요?

$\frac{1}{10} = 0.1$　$\frac{5}{10} = 0.5$　1

$\frac{4}{100} = 0.04$　$\frac{50}{100} = 0.5$　1

교사는 수직선을 통해 분수와 소수의 표현 방법에 대하여 서로 질문하고 대답하며 이야기한다. 학생들이 분수를 소수로 표현하기 위해서는 분모가 10의 배수가 되어야 함을 대답한다면 우리가 사용하고 있는 수는 십진체계를 기반으로 하고 있음을 이야기한다.

| 토의 |

교사는 칠판에 100cm 크기의 수직선에 여러 가지 분수를 표시한다. 이후 학생들에게 분수를 소수로 표현하게 해 본다. 학생들은 짝 활동을 통해 분수를 소수로 나타내기 위해 통분을 하거나 분모를 10 혹은 100으로 만들어 주어야 함을 익힌다.

교사 $\frac{1}{4}$를 소수로 나타내려면 어떻게 해야 할까요?

$\frac{7}{50}$을 수직선에 표현하여 보고 소수로 나타내 봅시다.

교사의 활동 안내 후 문제를 제시하여 짝 토의활동을 통해 해결하도록 한다. 짝 토의활동을 통해 학생들은 분수를 소수로 나타내기 위해서는 분모가 10의 배수가 되어야 함을 확실히 인식하고 100까지 수직선을 그리고 나눠보는 활동을 통해 통분의 의미와 수 감각을 기를 수 있다. 이 활동은 교실에서 100cm의 활동지를 제작하여 실시하여도 좋고 운동장에서 자유롭게 수직선을 그리고 분수를 소수로 표현하게 해보는 활동으로 진행하여도 좋다. 활동지를 통한 수업의 경우 수직선을 100개로 엄밀히 나눌 수 있다는 장점이 있으며 운동장 활동의 경우 수직선을 엄밀히 나누기는 어렵지만 분수의 의미와 수 감각을 좀더 즐거운 활동을 통해 기를 수 있다는 장점이 있다.

교사는 분모를 10으로 바꿔야 소수가 될 수 있는 $\frac{2}{5}$, $\frac{1}{2}$과 같은 분수들을 제시하고 해결과정을 살펴본다. 학생들은 이 분수들을 계산만을 통해 해결하지 않고 수직선으로 그려보며 진행한다.

이 활동은 분수의 소수로의 변환 알고리즘을 단순 통분 계산에서 벗어나 시각적으로 이해하는데 그 목적이 있다. 또한 분수를 십진분수로 바꿔주는 알고리즘 활용 시 수학적 사고의 융통성이 필요한 이유와 과정을 경험하고 수 개념을 가질 수 있도록 지도하는데 의의가 있다.

다음은 활동의 예시이다.

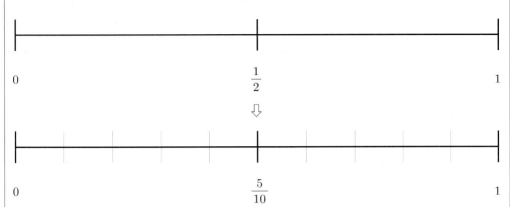

교사 0과 1사이의 수직선 한가운데는 분수로 $\frac{1}{2}$이다. $\frac{1}{2}$이 소수로는 얼마일까? 수직선을 그리고 짝과 이야기하여 봅시다.

문제 제시 후 교사는 '수직선을 소수로 나타낼 수 있는 십진분수로 만들기 위해 10칸으로 나누었을 때, 5번째인 $\frac{5}{10}$와 $\frac{1}{2}$이 같으므로 $\frac{1}{2}$은 0.5가 된다.'라는 토의를 할 수 있는지 관찰한다. 학생들이 이해하였다면 조금 더 어려운 문제를 추가로 제시한다.

다음은 수직선의 칸이 100이 되어야 하는 분수들을 제시하여 수직선을 그려보게 한다.

$\frac{3}{4}$, $\frac{1}{25}$과 같은 분수들을 제시하여 학생들이 수직선을 100으로 나눠볼 수 있도록 한다.

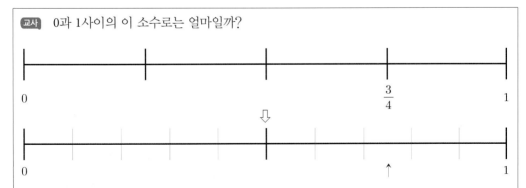

교사 0과 1사이의 이 소수로는 얼마일까?

학생들은 '십진분수로 만들기 위해 10칸으로 나누었을 때는 $\frac{3}{4}$을 소수로 나타낼 수 없다.'는 것을 인식하게 될 것이다. 그러면 교사는 '그렇다면 어떻게 해야 할까?' '수직선을 더 잘게 나눠 100이 되면 $\frac{3}{4}$과 만나는 칸이 생기지 않을까?'라는 질문들을 통해 학생들과 토의하고 의견을 나눈다.

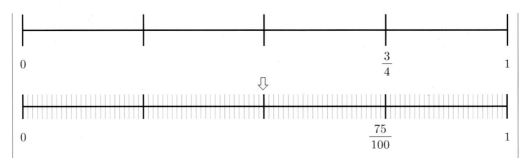

4칸으로 나눠져 있던 수직선을 한칸당 25칸으로 나누어 총 100칸을 만들면 100칸 중 75번째 인 $\frac{75}{100}$가 $\frac{3}{4}$과 같음을 알 수 있다. 즉 $\frac{3}{4}=\frac{75}{100}=0.75$임을 수직 선을 통해서 확인할 수 있다. 이 과정을 통해 분수를 소수로 표현하기 위해서는 분모를 10, 100, 1000과 같이 십진분수로 통분해야함을 이해할 수 있다.

> 운동장에서 수직선을 그려보는 활동은 넓은 공간에서 학생들이 서로 의사소통하며 수학적 개념을 학습하기 위함이다. 하지만 면밀한 의미에서 학생들이 운동장에 그린 수직선은 반듯하게 나눠진 것이 아니라 올바른 수학적 표현이라고 보긴 어렵다. 그러므로 교사는 학생들의 활동지도 시 모든 칸은 균등 분배되어야 함을 인지시킨다.

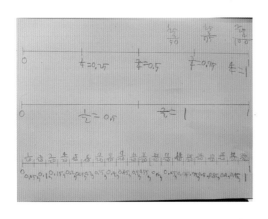

학생들에게 칸만 나눠져 있는 수직선을 학습지로 제공한다. 학생들은 먼저 분수로 칸을 채워본다. 그런 뒤 약분이나 통분, 혹은 수직선 칸 나누기 활동을 통해 십진 분수로 바꿔보고 소수로 다시 바꿔본다. 분수를 소수로 표현해 보는 경험을 갖게 한 뒤 왼쪽 학습지와 같이 $\frac{2}{4}=\frac{1}{2}=\frac{10}{20}=0.75$ 등의 같은 수 찾기와 같은 활동을 한다.

교사 $\frac{2}{4}$를 수직선에 표현해 볼까요?

$\frac{2}{4}$를 소수로 바꾸기 위해서 어떻게 계산하는 것이 가장 좋을까요?

교사 $\frac{2}{4}$를 $\frac{1}{2}$로 약분한 다음 다시 10으로 통분을 하는 것은 어떨까요?

학생들 간의 토의와 교사의 안내를 통해 학생들이 수 감각을 기르고 발휘하여 쉽게 소수로 바꿀 수 있도록 안내한다.

2단계 – 원리가 내재된 조작 자료를 활용(규칙을 만들어 수 카드 배열하여 보기)

조작

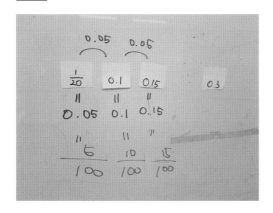

분수와 소수가 섞여 있는 숫자 카드를 활용하여 규칙을 찾고 만들어 배열하기 활동을 한다.

학생들은 약분과 통분을 활용하여 소수나 분수로 정리하고 비교하여 수 감각을 기를 수 있는 활동을 수행한다.

교사 다음 숫자카드 중 규칙을 찾고 순서대로 배열하여 봅시다.

이때 다른 분수와 쉬운 비교를 위해 $0.1=\frac{1}{10}=\frac{10}{100}$과 같이 기약분수가 아니어야 문제를 해결할 수 있는 상황들을 제시한다.

학생들이 이런 경험을 통해 기약분수로 표기해야 한다는 강박관념에서 벗어나 유연하고 융통성 있는 수학적 사고를 하도록 지도한다.

전부 분수로 바꿔 비교하게 하거나 전부 소수로 바꿔 비교하게 하는 활동을 통해 학생들이 분수와 소수 변환을 여러 번 반복하고 학습 할 수 있도록 한다.

학생들이 소수와 분수로의 변환 알고리즘이 익숙해지면 숫자 카드의 수를 늘려서 활동을 진행하도록 한다. 단, 숫자카드에는 기약분수뿐만 아니라 $\frac{50}{100}$, $\frac{2}{4}$, $\frac{2}{8}$ 등 여러 분수를 제시하여 상황에 따라 약분 또는 통분을 학생들이 할 수 있도록 제시한다.

3단계 – 원리의 형식화

관찰 토의

$$\frac{6}{50}=\frac{6\times2}{50\times2}=\frac{12}{100}=0.12 \qquad\qquad \frac{4}{200}=\frac{4\div2}{200\div2}=\frac{2}{100}=0.02$$

이런 형식화 과정은 교과서에도 제시되고 있다.

다만 간단한 수로서 형식화의 과정을 보여주고 지나쳐 학생들이 약분과 통분을 어떻게 사용해야 효과적인지, 어떻게 사용해야 계산이 더 편리한지에 대한 고민과 생각의 과정을 지나쳐 제시하고 있다. 그러므로 교사는 소수로 표현하기에 어떤 수의 변환이 더 편리한지에 대한 고민을 할 수 있는 수의 제시와 함께 토의 과정이 필요하다.

위의 수를 살펴보면 $\frac{6}{50}$의 경우 약분이 되지만 오히려 숫자를 크게 하여 100을 만드는 것이 숫자 변환에 용이하다. $\frac{4}{200}$의 경우도 분자와 분모의 최대 공약수로 약분을 하기 보다는 분모를 10이나 100이 될 수 있도록 나누는 것이 더 편리하다.

교사 이 분수를 약분하기 위해서 기약분수를 만드는 것이 좋을까요?

교사 약분을 할 때 어떤 수로 나누는 것이 좋을 까요? 최대 공약수인 4로 나누는 것이 좋을까요? 짝 활동을 통해 의견을 나눠봅시다.

교실 속 오류상황

0.15	0.1 5
× 0.03	× 0.3
0.45	0.4 5

자연수의 곱셈 알고리즘을 이용하여 소수의 곱셈을 계산한 후 소수점을 찍을 때 소수점을 그대로 내려서 찍거나 잘못 찍는 경우가 많다. 그런 학생들의 경우 '자리 값에 맞게 찍었는데.' '저번에는 이렇게 해서 맞았는데' 와 같은 반응을 보이곤 한다.

이러한 실수의 원인을 살펴보면 알고리즘의 단순 암기나 자신만의 알고리즘을 잘못 형성하여 적용하는 경우에 발생한다. 그러므로 알고리즘을 점검하고 원리를 탐구하는 과정이 필요하다. 특히 교사는 자연수의 곱셈과정을 소수의 곱셈 알고리즘으로 적용하는 것은 구체적 조작 활동에서 직접 도출 될 수 없는 이차적 사고 또는 형식적 사고를 요한다는 점을 명확하게 인식하고 알고리즘을 지도할 때 단순암기가 되지 않도록 학생들의 학습 수준과 학습 과정을 면밀히 관찰해야 한다.

1단계 – 알고리즘의 원리를 탐구하여 올바른 개념 형성하기 관찰 토의

(소수)×(소수)의 계산 원리는 동수누가의 개념 적용이 자연스럽지 못하다. 그래서 소수를 분수로 고쳐서 분수의 곱셈을 통해서 답을 도출해 내는 이차적 사고가 필요하다. 그 과정을 살펴보면 다음과 같다.

$$0.15 \times 0.03 = \frac{15}{100} \times \frac{3}{100} = \frac{45}{10000} = 0.0045$$

이 과정을 지도할 때 분수의 곱셈 과정에서 약분을 하지 않는 것이 소수로 변환할 때 더 용이 함을 복습한다.

교사 15와 100은 서로 약분할 수 있습니다. 약분을 하는 것이 좋을까요?

약분을 하지 않아야 한다면 왜 하지 않는 것이 좋을까요?

교사 $\frac{45}{10000}$는 $\frac{1}{10000}$이 몇 개 있는 것일까요?

교사 $\frac{1}{10000}$을 소수로 어떻게 표현할 수 있을까요? 쉽게 표현할 수 있는 방법이 있다면 이야기 해 볼까요?

$\frac{45}{10000}$는 $\frac{1}{10000}$이 45개가 있는 것이므로 0.0001이 45개가 있다는 의미가 됨을 학습한다. 또 소수로 변환 시 소수점 아리 4번째 자리까지 자리 값이 이루어져야 함을 이야기한다.

$\frac{1}{10000}$을 소수로 변환하는 과정에서 실수 하지 않도록 '0의 개수만큼 소수점 아랫자리가 된다.', 혹은 '10000을 그대로 뒤집어 00001을 쓰고 가장 앞부분의 0 다음에 소수점을 찍어주면 된다.'와 같은 기초적인 혹은 개인적인 알고리즘들의 원리와 방법들을 다시 한 번 점검하도록 하여 분수의 계산 이후 소수점을 찍을 때 실수하지 않도록 지도 한다. 소수의 곱셈 원리에 대한 개념적 이해가 완성되면 소수 곱셈 방법에 대한 알고리즘 도입을 위해 토의한다.

소수의 표기법은 십진분수를 바탕으로 하기 때문에 위치적 기수법을 따른다. 그러므로 위치적 기수법을 바탕으로 한 자연수 곱셈의 알고리즘을 그대로 적용할 수 있다. 학생들 또한 직관적으로 소수의 곱셈방법을 자연수의 곱셈방법을 활용가능 함을 금방 인식한다. 교사는 자연수의 곱셈 알고리즘을 활용한 소수의 곱셈 알고리즘과 분수의 곱셈을 통한 소수의 곱셈 과정을 동시에 제시하고 학생들과 토의를 통해 수업을 진행할 필요가 있다.

0.15×0.03	⇨	$\dfrac{15 \times 3}{100 \times 100}$	⇨	$\dfrac{45}{10000}$	⇨	0.0045
0.15×0.03	⇨	$\begin{array}{r} 1\ 5 \\ \times\quad 3 \\ \hline 4\ 5 \end{array}$	⇨	$\begin{array}{r} 0.\ 1\ 5 \\ \times\quad 0.\ 0\ 3 \\ \hline 0.\ 0\ 0\ 4\ 5 \end{array}$	⇨	0.0045
		분수의 곱셈 과정과 자연수의 곱셈 과정을 살펴보면 자연수의 곱셈 과정이 분수의 분자의 곱셈 과정과 같음을 발견할 수 있다.		소수점을 찍는 위치는 분모의 곱셈을 통해 생성된 분모의 크기에 따른 것임을 발견할 수 있다. 분모가 10, 100, 1000 등 분모의 크기가 바뀜에 따라 소수점의 위치가 바뀌는 것이다.		

학생들이 자연수의 곱셈 알고리즘을 활용한 후 소수점의 위치를 실수하는 이유는 대부분은 소수의 곱셈 알고리즘을 단순 암기 후 적용하기 때문에 발생한다. 그러므로 소수의 곱셈 원리를 이해하는 방법인 분수의 곱셈방법을 통해 소수의 곱셈 알고리즘 과정을 과정별로 비교하고 그 규칙과 유사성을 학생들이 스스로 깨닫게 지도하여 학생들의 알고리즘의 이해도를 향상 시키도록 한다.

교사 선생님이 칠판에 작성한 식을 살펴봅시다. 두 가지 방식으로 소수의 곱셈을 계산하였는데 두 가지 방법에서 공통점을 찾을 수 있을까요?

교사 분자의 곱셈과 자연수 곱셈 방법이 같나요?

교사 $\dfrac{1}{10000}$과 소수점을 찍는 위치와는 어떤 관계가 있을까요?

교사 자연수의 곱셈 방법을 활용한 후 소수점을 찍을 때 어떤 규칙을 발견할 수 있을까요?

교사 소수점의 위치와 분모는 어떤 관계가 있을까요?

교사의 이런 발문과 토의 안내를 통해 학생들이 소수의 곱셈 알고리즘 적용 시 소수점의 위치를 쉽게 이해하고 적용할 수 있도록 한다.

2단계 – 원리가 내재된 조작 자료를 활용(규칙을 만들어 수 카드 배열하여 보기)

`시범` `관찰` `조작`

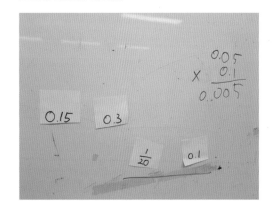

분수와 소수가 섞여 있는 숫자 카드를 활용하여 소수의 곱셈을 연습하도록 한다. 이 때 다양한 발문을 통하여 학생들이 수 감각을 기르고 소수점의 위치를 학습할 수 있도록 한다.

–질문 예시–
① 숫자 카드 중 2개를 골라 소수점 아래의 숫자의 수가 가장 많이 되도록 곱셈식을 만들고 곱셈을 해보시오.
② 숫자 카드 중 2개를 골라 소수점 아래의 숫자의 수가 가장 적도록 곱셈식을 만들고 곱셈을 해 보시오.

③ 숫자 카드 중 2개를 골라 곱셈 값이 가장 크게 되도록 곱셈을 해보시오.

④ 숫자 카드 중 2개를 골라 곱셈 값이 가장 작게 되도록 곱셈을 해보시오.

학생들이 소수의 곱셈 알고리즘이 익숙해지면 자연수, 소수, 분수 숫자카드들을 추가하여 학생들의 수감각과 소수의 곱셈 알고리즘이 능숙해 질 수 있도록 한다.

3단계 – 평가를 통한 원리의 적용 토의 평가

학생들에게 잘못된 풀이 과정을 제시하고 바른 방법으로 풀게 될 경우의 정답을 요구하는 문제를 제시한다. 학생은 잘못된 풀이과정을 설명하는 평가를 통해 올바른 알고리즘에 대한 자신의 생각을 정리하고 표현할 수 있도록 한다.

교사 다음 풀이과정은 잘못된 부분이 있습니다. 어느 부분에서 잘못되었는지 이야기하여 봅시다.

| 0.15×0.03 | $\Rightarrow$ | $\begin{array}{r} 1\ 5 \\ \times\quad 3 \\ \hline 4\quad 5 \end{array}$ | $\Rightarrow$ | $\begin{array}{r} 0.\ 1\ 5 \\ \times\quad 0.\ 0\ 3 \\ \hline 0.\ 4\ 5 \end{array}$ | $\Rightarrow$ | 0.45 |

0.15와 0.03의 곱셈은 15×3을 한 다음 그 값이 소수점 네 번째 자리까지 표시해야 한다. 0.15와 0.03은 소수점 아래의 수가 각각 2개이다. 분수로 표현하게 될 경우 분모가 각각 100이 되고 곱하면 10000이 되기 때문에 소수점 네 번째 자리가 된다. 하지만 이 풀이 과정에서는 소수점을 그대로 내려서 찍었기 때문에 오류가 된다. 이 상황을 학생들에게 설명하게 하고 바른 방법으로 계산하면 어떻게 되는지를 함께 이야기하도록 한다.

자연수의 곱셈 알고리즘을 그대로 가져와서 사용하는 소수의 곱셈 알고리즘에서 가장 유의할 점은 소수점의 위치다. 분수의 곱셈 방법을 통해 이 과정을 충분히 이해하였다면 학생들은 충분히 형식화를 이루고 적용이 가능하다. 나아가 보다 효율적인 알고리즘의 형성을 위해 자신만의 알고리즘이 있는지 토의하도록 한다.

교사 위의 풀이과정과 같은 실수를 하지 않기 위해서는 어떻게 하는 것이 좋을까 요? 실수하지 않기 위한 나만의 방법이 있다면 이야기해 볼까요?

'소수점의 위치는 곱하는 수들의 소수점 아래 수의 개수를 더한 것과 같다.'와 같은 알고리즘을 학생들만의 언어로 표현하고 나눌 수 있다면 충분히 학습된 것으로 판단할 수 있다.

직육면체의 전개도는 한 가지밖에 없죠?

단원명
5. 직육면체

한눈에 알아보기

1 2 3 4
5 6 7 8
9 ÷ × ÷ = 0

학습 주제

직육면체의 전개도를 알 수 있어요.

성취 기준

〔6수02-05〕 직육면체와 정육면체의 겨냥
도와 전개도를 그릴 수 있다.

난개념 1

직육면체의 전개도를 잘 이해하지 못한다.

오개념 2

직육면체의 전개도는 한 가지뿐이다.

지도 요소

상황 진단

직육면체의 전개도는
한 가지밖에 없죠?

교수 처방 1

교수 처방 2

난개념 1 처방

- 직육면체를 그려보는 것이 아닌 색종이로
만드는 활동을 통해 쉽게 직육면체와 그
전개도를 만들 수 있게 하여 직육면체와
그 전개도를 이해할 수 있도록 한다.

오개념 2 처방

- 실생활에서 쉽게 구할 수 있는 직육면체
모양의 과자 상자를 이용하여 직접 잘라
보면서 직육면체의 전개도가 여러 가지
임을 알게 한다.

5
학년

2
학기

- **성취 기준** 〔6수02-05〕 직육면체와 정육면체의 겨냥도와 전개도를 그릴 수 있다.
- **관련 단원** 5학년 2학기 5. 직육면체
- **학습 주제** 직육면체의 전개도를 알 수 있어요.
- **학습 목표** – 직육면체의 전개도를 이해한다.
  – 직육면체의 전개도를 찾을 수 있다.

상황 진단

아는 지식 (학생 실제 발달 수준)	교수 처방	알게 된 지식 (교육과정 성취 기준)

- 직육면체의 개념
- 직육면체의 겨냥도 그리기
- 정육면체의 개념
- 직육면체의 성질
- ■직육면체의 전개도가 한 가지라고 생각함.

시범 ⇨ 관찰 ⇨ 매체 조작 ⇨

오개념, 난개념 처방

- 직육면체의 전개도
- ■직육면체의 전개도를 이해함.
- ■직육면체의 전개도에는 여러 가지가 있음을 알게 됨.

학습 계열

선수 학습	본 학습	후속 학습
– 1-1-2. 여러 가지 모양 – 3-1-2. 평면도형 – 4-2-4. 사각형	• 직육면체의 전개도 이해하기	– 6-1-2. 각기둥 – 6-1-6. 직육면체의 겉넓이와 부피 – 6-2-3. 공간과 입체

1. 면

면의 개념을 이해해야 직육면체를 정의할 수 있다. 평면과 곡면의 구분이 가능하고 무한히 뻗은 평면과 유한인 평면을 구분할 수 있으면 면의 개념을 정확히 정의하는 것이 가능하다. 하지만 무한 평면과 유한 평면을 구분하는 수학적 용어는 존재하지 않는다. 그러므로 초등학교 수학에서 면의 개념을 분석적으로 지도하는 것은 너무 어렵고 큰 의미가 없다. 초등 수학에서는 선분 또는 변의 개념과 네모 상자 모양의 개념을 이용하여 면의 개념을 도입하고, 그 후 직육면체의 면을 가르친다. '입체도형' 용어도 '평면도형'처럼 정의하지 않고 수업에 사용한다.

2. 직사각형(직육면체의 면)

직육면체는 직사각형 모양의 면 6개로 둘러싸인 도형이다. 따라서 직육면체의 면은 직사각형 모양을 의미한다. 그런데 직사각형은 수직으로 만나는 선분 4개가 둘러싸고 있는 도형이다. 집합론적으로 말하면 직사각형은 면이 아니고 수직으로 연결된 선분 위에 있는 점들의 집합이다. 직사각형은 그 변을 경계로 내부와 외부로 자신이 속한 평면을 분할하듯이 직육면체는 그 면을 경계로 자신이 속한 3차원 공간을 내부와 외부로 분할 한다.

따라서 수학적 용어를 사용하기를 고집하는 사람들은 '직육면체는 6개의 직사각형으로 둘러싸인 도형'이라는 정의가 틀렸다고 주장한다. 그러나 수학은 우리의 삶을 편리하게 하기 위하여 존재하는 것이다. 엄밀한 개념이 필요한 경우에는 집합론적인 개념을 사용하여 엄밀하게 용어를 사용하는 것이 좋겠지만 대충 말하여도 뜻이 통할 경우에는 편리함을 위하여 몇 가지 말을 생략한다. 그러한 의미에서 직육면체는 6개의 직사각형으로 둘러싸인 도형이라고 말할 때, 그것을 틀렸다고 지적하기 보다는 '직사각형 모양의 면'이라는 말을 줄여서 '직사각형'이라고 말한 것으로 이해하는 것이 원활한 의사소통을 위해 바람직한 일이다. 직육면체를 지도할 때에는 '밑면'이나 '옆면'이라는 용어를 사용하지 않도록 한다. '밑면'이나 '옆면' 등의 용어는 기둥이나 뿔을 만들 때 사용하는 용어이다.

3. 평면도형과 입체도형

입체도형(solid figure)은 입체(solid) 또는 공간도형(space figure)이라고도 불린다. 이때의 공간은 3차원 공간을 의미한다. 그러나 현대 수학에서 공간은 1차원, 2차원, 3차원,

4차원 등 다양하게 논의될 수 있기 때문에 특별히 3차원 공간도형을 의미할 때에는 공간도형이라는 말보다는 입체도형이라는 말이 뜻을 더 정확하게 전달할 수 있다. 평면도형(plane figure)은 2차원 공간도형을 의미한다.

평면도형이나 입체도형이라는 용어는 수학적으로 엄밀하게 정의하지 않고 사용된다. 도형을 점의 집합으로 간주하는 현대 기하학에서는 특별히 평면도형이나 입체도형을 구분하여 정의할 필요가 없다는 뜻이 된다. 그러나 구체적 조작 단계에 있는 초등학생들에게 평면도형이나 입체도형이라는 용어를 구분하여 사용한다. 이때에는 특별한 정의 없이 생활 용어로서, 직관적 의미에서 평면도형 또는 입체도형이라는 용어를 사용하여 지도한다. 다시 말하면, 평면도형이나 입체도형을 수학적으로 엄밀하게 정의하기가 곤란할 뿐만 아니라 초등학생들에게 그러한 정의는 반힐(Van Hieles)의 기하학적 사고 수준 이론에 비추어 볼 때 적합하지 않다는 뜻이다.

4. 기둥체

직육면체를 다룰 때에는 '밑면'이나 '옆면'이라는 용어를 사용하지 않는다. 이들 용어는 각기둥이나 각뿔 등을 다룰 때 사용하는 용어이다.

직육면체는 사각기둥의 특별한 경우라고 볼 수 있다. 직육면체를 각기둥에 근거하여 논의할 때에는 밑면이나 옆면이라는 용어를 사용할 수 있으나, 각기둥에 근거하지 않고 직육면체 자체만을 가지고 논의할 때에는 밑면과 옆면의 구분이 불분명하여 "밑면이 3쌍이다."라고 말하게 되는 등 밑면이라는 용어의 의미에 혼란을 줄 수 있어서 수학적으로 가치가 없으므로 사용하지 않는 것이 바람직하다.

(참고문헌 : 교사용 지도서 5-1학기(2015), 교육부)

교실 속 오류상황

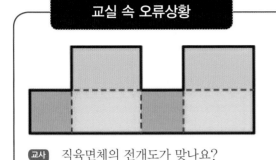

직육면체 단원의 초반은 아이들이 크게 어려워하지 않는다. 하지만 직육면체의 전개도부터는 고개를 가우뚱하는 아이들이 보인다. 그리고 아이들은 '직육면체의 전개도는 한 가지에요'라고 대답한다.

교사 직육면체의 전개도가 맞나요?

그동안 여러 가지 평면도형을 학습해왔고, 4학년 2학기 4단원에서는 사각형에 대해 배웠다. 하지만 처음 입체도형을 배우며 전개도를 접었다 폈다 하는 직육면체의 전개도를 배우려 하니 제대로 이해하지 못하고 오개념을 가질 가능성이 크다.

따라서 이 차시를 학습을 할 때는 직접 눈으로 직육면체를 확인하는 활동을 통해 오개념을 가지지 않도록 하는 것이 중요하다.

어린이 대부분은 과자를 좋아한다. 그리고 그 과자 상자는 직육면체로 이루어진 것들이 많다. 그냥 직육면체 모양의 상자가 아닌 아이들이 쉽게 접할 수 있고 흥미를 가지고 참여할 수 있는 직육면체 모양의 과자 상자를 준비하여 수업을 진행한다.

과자 상자를 활용하여 교사가 먼저 시범을 보여 준다.

1단계 – 구체적 조작 자료를 활용을 통해 알아보기

교사는 과자 상자를 보여 주며 직육면체에 대해 복습한다. 과자 상자에서 마주 보고 있는 면은 서로 평행하며, 면과 면은 수직으로 만난다는 점을 다시 상기시킨다. 학생들이 상자를 돌려가며 스스로 상기할 수 있도록 시간을 준다.

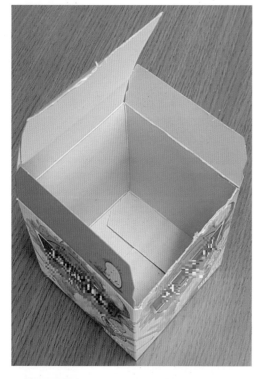

직육면체 모양의 과자 상자를 펼치면 어떤 모양이 될지 머릿속으로 상상하게 한다.

교사가 먼저 과자 상자를 자르는 것을 시범 보여 준다. 그리고 학생들에게 선생님이 무엇(모서리)을 따라 잘랐는지 질문한다.

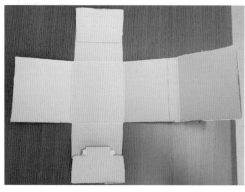

Tip

과자 상자의 경우 일부 면은 칼을 사용하는 것이 더 직육면체를 잘 이해하기에 좋다.

이제 학생들이 과자 상자를 자를 차례다.

과자 상자의 특성상 똑바로 놓았을 때 아래에 있는 면과 위에 있는 면은 두 모서리만 자르는 것이 가능하므로 두 모서리 중 학생들이 자르고 싶은 면을 자르게 한다.

 Tip

이때 학생들에게 자유롭게 자르라고 하면 한 면의 모든 모서리를 다 자르거나 교사와 똑같은 모양으로만 자르려고 할 수 있어 어느 모서리를 잘라야 하는지 교사가 몇 가지만 정해주도록 한다.

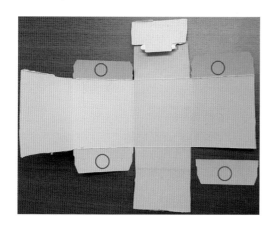

과자 상자를 자르면 전개도에 필요하지 않은 부분이 존재한다. 빨간색으로 동그라미 친 부분을 다 제거하여 직육면체 전개도를 이해하는 데 헷갈리지 않게 한다.

직육면체의 옆에 있는 모서리 4개는 그중 한 개만 자르게 한다.

모두 자른 과자 상자를 펼쳐보게 한다. 그리고 잘리지 않은 모서리는 점선으로 표시하게 한다.

이와 같이 직육면체의 모서리를 잘라서 펼쳐 놓은 그림을 직육면체의 전개도라고 설명한다.

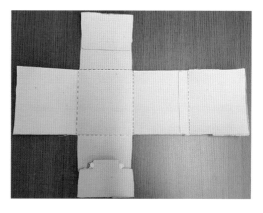

교사가 자른 전개도와 학생들이 자른 전개도의 모양을 비교해본다.

전개도의 모양에는 여러 가지가 있음을 아이들이 스스로 비교하면서 확인한다.

2단계 – 원리가 내재된 조작 자료를 활용 시범 관찰 조작

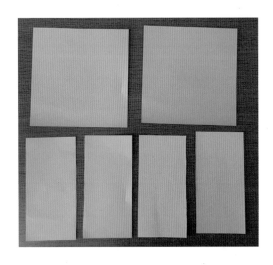

서로 다른 색깔의 색종이 3장을 준비하여 그중 2장은 반으로 자른다. 그리고 학생들에게 질문한다.

교사 '직육면체를 만들려면 색종이 몇 장이 필요할까요?'

교사 '직육면체는 마주 보는 면이 몇 쌍일까요?'

교사 '마주 보는 면을 같은 색으로 만들기 위해서는 총 몇 가지 색깔의 색종이가 필요할까요?

학생들에게 답을 끌어낸 후 3가지 색깔의 색종이를 나눠 주고 직육면체의 전개도를 만들기 시작한다. 전개도의 모양은 자유롭게 만들되 마주 보는 면은 같은 색의 색종이로 만들 수 있도록 한다.

색종이를 서로 이을 때는 테이프로 살짝 붙여서 만들도록 한다.

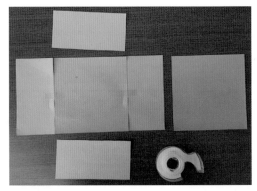

이 과정에서 학생들은 면과 면이 만나 모서리가 만들어짐을 이해한다. 그리고 모서리와 모서리가 만나 꼭짓점이 만들어짐을 이해한다.

Tip

직육면체의 전개도를 잘못 만드는 것에 대한 부담감을 줄이기 위해 테이프를 이용한다. 잘못 붙인 테이프는 색종이 반대편으로 넘겨서 붙이거나 가위로 자르면 전개도를 수정하는 것이 매우 간편하다.

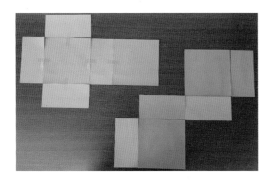

만든 전개도를 여러 명의 친구와 비교하게 한다. 아이들은 자연스럽게 정육면체의 전개도에는 다양한 모양이 있다는 것을 이해하게 된다.

완성한 전개도를 정육면체 모양으로 만들게 한다. 정육면체로 만들 때도 마찬가지로 테이프를 이용하여 살짝 붙여서 만들도록 한다. 완성한 후에는 서로 마주 보는 면이 같은 색깔이 색종이로 이루어져 있는지 확인한다. 완성한 정육면체는 서로 비교해본다.

부록–정육면체의 전개도와 정육면체 만들기

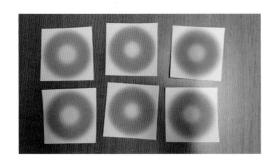

서로 다른 새깔의 4등분한 색종이 또는 학종이를 준비한다. 그리고 학생들에게 질문한다.

- 교사 '정육면체를 만들려면 색종이 몇 장이 필요할까요?'
- 교사 '정육면체는 마주 보는 면이 몇 쌍일까요?'
- 교사 '마주 보는 면을 같은 색으로 만들기 위해서는 총 몇 가지 색깔의 색종이가 필요할까요?'

학생들에게 답을 끌어낸 후 3가지 색깔의 색종이를 2쌍씩 주고 정육면체의 전개도를 만들기 시작한다. 전개도의 모양은 자유롭게 만들되 마주 보는 면은 같은 색의 색종이로 만들 수 있도록 한다. 색종이를 서로 이을 때는 테이프로 살짝 붙여서 만들도록 한다.

이 과정에서 학생들은 면과 면이 만나 모서리가 만들어짐을 이해한다. 그리고 모서리와 모서리가 만나 꼭짓점이 만들어짐을 이해한다.

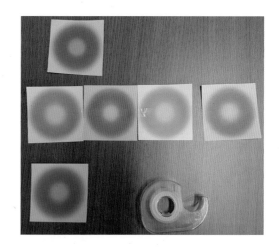

정육면체의 전개도를 잘못 만드는 것에 대한 부담감을 줄이기 위해 테이프를 이용한다. 잘못 붙인 테이프는 색종이 반대편으로 넘겨서 붙이거나 가위로 자르면 전개도를 수정하는 것이 매우 간편하다.

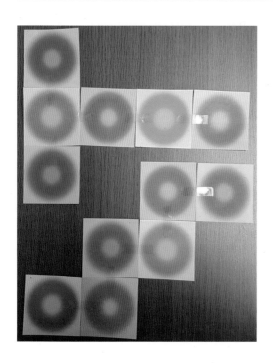

만든 전개도를 여러 명의 친구와 비교하게 한다. 아이들은 자연스럽게 정육면체의 전개도에는 다양한 모양이 있다는 것을 이해하게 된다.

완성한 전개도를 정육면체 모양으로 만들게 한다. 정육면체로 만들 때도 마찬가지로 테이프를 이용하여 살짝 붙여서 만들도록 한다. 완성한 후에는 서로 마주 보는 면이 같은 색깔이 색종이로 이루어져 있는지 확인한다. 완성한 정육면체는 서로 비교해본다.

3단계 – 원리의 형식화 설명 시범 관찰

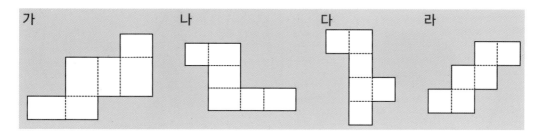

가   나   다   라

배운 내용을 토대로 여러 가지 전개도를 주고 직육면체의 전개도를 찾게 한다. 이러한 형식화 과정은 교과서에도 제시되어 있다. 하지만 직육면체의 전개도인 것을 찾고 확인하는 과정에서 끝이 난다. 따라서 학생들이 직육면체가 되지 못하는 이유를 자신의 말로 정리하여 발표하게 한다. 그리고 직육면체의 전개도를 접어서 직육면체를 만들어보도록 한다.

봄이반 제기차기 평균이 높으니 봄이도 제기를 잘 차겠죠?

단원명
6. 평균과 가능성

한눈에 알아보기

1 2 3 4
5 6 7 8
9 ÷ × = 0

◉ 학습 주제

평균을 구할 수 있어요(2)

◉ 성취 기준

[6수05-01] 평균의 의미를 알고, 주어진 자료의 평균을 구할 수 있으며, 이를 활용할 수 있다.

◉ 오개념 1

최빈값이 곧 평균이다.

◉ 오개념 2

봄이 반 제기 차기 평균이 가을이 반 제기 차기 평균보다 높으면 봄이가 가을이보다 제기를 잘 찬다.

지도 요소

상황 진단

1. 가장 많이 보이는 숫자가 평균이죠?
2. (봄이 반 평균)>(가을이 반 평균)이면 봄이가 가을이보다 제기를 더 잘 차겠죠?

교수 처방 1

교수 처방 2

◉ 오개념 1 처방

• 막대 그래프 그리기를 통해 최빈값을 찾아 평균으로 예상해보고 최빈값이 무조건 평균이 되지는 않음을 이해한다.

◉ 오개념 2 처방

• 쌓기나무 활동을 통해 평균이 더 높다고 자료 개개의 값이 모두 큰 것이 아님을 직관적으로 확인할 수 있도록 한다.

지도 요소

- ✪ **성취 기준** 〔6수05−01〕 평균의 의미를 알고, 주어진 자료의 평균을 구할 수 있으며, 이를 활용할 수 있다.
- ✪ **관련 단원** 5학년 2학기 6. 평균과 가능성
- ✪ **학습 주제** 평균을 구할 수 있어요(2)
- ✪ **학습 목표** 여러 가지 방법으로 평균을 구할 수 있다.

상황 진단

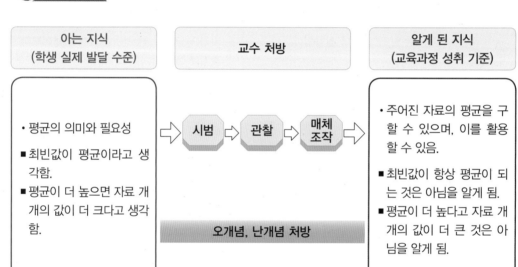

아는 지식 (학생 실제 발달 수준)	교수 처방	알게 된 지식 (교육과정 성취 기준)

- 평균의 의미와 필요성
- 최빈값이 평균이라고 생각함.
- 평균이 더 높으면 자료 개개의 값이 더 크다고 생각함.

시범 ⇨ 관찰 ⇨ 매체 조작

오개념, 난개념 처방

- 주어진 자료의 평균을 구할 수 있으며, 이를 활용할 수 있음.
- 최빈값이 항상 평균이 되는 것은 아님을 알게 됨.
- 평균이 더 높다고 자료 개개의 값이 더 큰 것은 아님을 알게 됨.

학습 계열

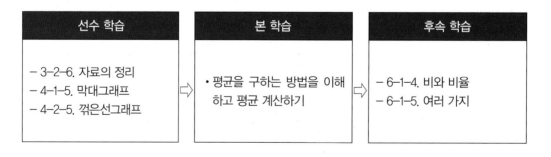

선수 학습	본 학습	후속 학습
− 3−2−6. 자료의 정리 − 4−1−5. 막대그래프 − 4−2−5. 꺾은선그래프	• 평균을 구하는 방법을 이해하고 평균 계산하기	− 6−1−4. 비와 비율 − 6−1−5. 여러 가지

1. 평균의 개념

대푯값이란 통계 집단의 변량 전체를 대표하여 그 자료 전체의 특징을 하나의 수로 나타내는 값을 말한다. 평균(mean), 중앙값(median), 최빈값(mode) 등이 대푯값에 속하며 평균이 가장 많이 사용된다. '평평하고 반듯하다'는 뜻의 평균(平均)은 여러 사물의 질이나 양 따위를 통일적으로 고르게 하는 것을 말한다. 수학에서 자료 값의 총합을 공평하게 나누었을 때의 값을 산술 평균이라 하는데, 이는 각 변량 값들의 총합을 변량의 수로 나누어 구한다. 예를 들어, n개의 변량

$$x_1, \ x_2, \ x_3, \ x_4, \ \cdots\cdots, \ x_n$$

의 평균 M은

$$M = \frac{x_1, \ x_2, \ x_3, \ x_4, \ \cdots\cdots, \ x_n}{n}$$

과 같이 나타낼 수 있다. 산술 평균은 다음의 성질을 가진다.

❶ 평균은 변량 중 가장 큰 값과 가장 작은 값 사이에 존재한다. 예를 들어, 어떤 단체 구성원들의 나이를 변량으로 하였을 때 이 변량들의 평균은 가장 많은 나이와 가장 적은 나이 사이에 존재한다.

❷ 변량에서 평균을 뺀 값을 그 변량의 편차라고 한다. 모든 편차의 합은 0이다.

❸ 평균은 변량 중의 어느 하나와 일치하여야만 하는 것은 아니다. 예를 들어, 1과 3의 평균은 2이다.

❹ 평균은 비현실적 수치가 될 수도 있다. 예를 들어, 6일 동안 어떤 야구팀의 득점이 33점이면 하루에 평균 5.5점을 득점한 셈이다. 이때 5.5점은 현실적으로 존재하지 않는다.

자료에 극단적인 값이 포함되었다면 최빈값이나 중앙값이 평균보다 더 적당한 대푯값이 될 수 있다. 최빈값은 자료 중 가장 높은 빈도를 가지는 변량이다. 예를 들어,

$$2, \ 6, \ 2, \ 3, \ 2, \ 4, \ 4$$

에서 2가 가장 많으므로 2가 최빈값이다. 점수가

$$6, \ 6, \ 6, \ 6, \ 7, \ 7, \ 7, \ 8, \ 8, \ 8, \ 8, \ 8$$

으로 나왔을 때 6점이 네 번, 7점이 세 번, 8점이 다섯 번 나타나므로 최빈값은 8이 된다. 예를 들어, 신발 가게와 같은 상점에서 중요하게 생각하는 대푯값은 최빈값이다. 신발

치수의 평균은 의미가 없고 그보다는 현실적으로 최빈값이 의미를 지닌다.

중앙값은 변량들을 크기 순서로 열거했을 때 가장 중앙에 위치하는 값으로 자료의 가운데 값을 의미한다. 중앙값보다 작은 변량과 큰 변량의 수는 같다. 중앙값은 구하기가 쉽고 이해하기도 쉽다. 예를 들어,

4, 11, 9, 15, 7, 19, 23

이라는 7개의 변량을 작은 수부터 차례대로 나열하면

4, 7, 9, 11, 15, 19, 23

이다. 이때 4번째 변량, 즉 11이 가장 가운데에 있는 수로 중앙값이다. 주어진 변량의 수가 홀수이면 정중앙의 값이 중앙값이 되지만, 짝수이면 중앙에 위치하는 변량이 두 개이므로 이 경우에는 두 변량의 평균을 중앙값으로 한다. 점수를 크기에 따라 늘어놓아

6, 6, 6, 6, 7, 7, 7, 8, 8, 8, 8, 8

이라 할 때 중앙에 위치한 6번째와 7번째 값이 모두 7이므로 중앙값은 7이 된다.

(참고문헌 : 교사용 지도서 5-2학기(2015), 교육부)

 교수 처방 1, 2

교실 속 오류상황

4, 5, 8, 8, 10의 평균은 몇일까요?
8이요.

평균을 구할 때 평균을 최빈값으로 생각하는 학생들이 있다. 그 이유를 물어보면 가장 많이 등장하는 수이기 때문에 평균을 구하면 같은 값이 될 것이라고 답한다.

교실 속 오류상황

제기차기 평균

봄이네 반	6
가을이네 반	5

봄이가 가을이보다 제기를 많이 찼어요.

평균이 더 높으면 자료 개개의 값도 더 크다고 생각하는 학생들이 많다. 평균을 제대로 이해하지 못하여 벌어지는 상황이다.

3학년 2학기 6. 자료의 정리 단원과 4학년 1학기 5. 막대그래프 단원, 4학년 2학기 5. 꺾은선그래프 단원에서 표와 그래프로 자료를 정리하는 방법을 학습했다. 하지만 자료를 정리하는 방법만 배운 학생들은 평균을 처음 배우는 이번 단원에서 평균의 의미와 평균의 필요성에서부터 의문을 가진다. 평균의 의미를 제대로 파악하지 못하면 위와 같은 오개념을 가지게 되는 경우가 있다.

따라서 이 차시를 학습할 때는 그래프와 쌓기나무를 이용하여 평균을 직관적으로 이해시켜주는 것이 필요하다.

아이들은 놀이와 스포츠에서 다른 반에게 경쟁심을 가지는 경우가 많다. 제기차기 대회라는 설정을 해두고 우리 반과 옆 반을 비교하면서 평균을 배운다면 아이들은 더 큰 관심을 가진다.

그래프를 활용하여 평균을 구해보는 과정을 보여 준다.

1단계 – 구체적 조작 자료를 활용을 통해 알아보기

평균을 구하는 식만 알려준다면 학생들이 평균의 진정한 의미를 잘 모르고 지나가게 된다. 따라서 간단한 이야기를 통해 평균의 의미를 다시 한번 짚고 넘어간다.

5학년 2학기

> 선생님이 2개, 지민이가 6개, 민수가 4개의 과자를 가지고 있어. 그런데 만약 우리 3명이 모두 똑같이 과자를 나눠 갖는다면 몇 개씩 가질 수 있을까? 많은 사람이 적은 사람에게 나눠주면 될 것 같아. '그럼 가장 많은 과자를 가진 지민이가 선생님에게 2개의 과자를 주니 선생님도, 지민이도, 민수도 모두 4개씩 과자를 가질 수 있겠구나' 이렇게 예상해보는 게 평균이야.

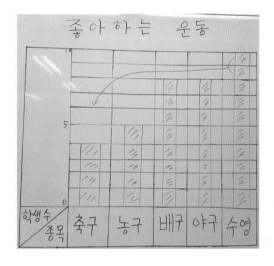

교사는 4학년 때 배웠던 막대그래프를 이용하여 평균을 구한다. 칠판에 막대그래프를 그리고 학생들이 그래프를 보며 평균을 직관적으로 이해할 수 있게 한다.

그래프를 그린 후 학생들에게 질문한다.

교사 가장 많이 나오는 값은 무엇인가요?

교사 그렇다면 8이 평균이 될 수 있을까요?

평균이 8인지 확인하기 위해 8보다 큰 막대의 부분을 떼어서 8보다 작은 막대로 이동시켜본다.

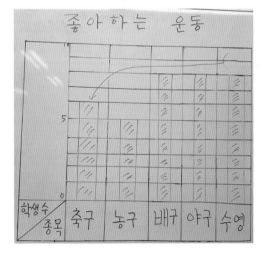

10의 값을 가진 막대에서 2를 떼어 4의 값을 가진 막대로 이동시켜 6을 만든다.

다시 막대그래프를 비교해보면 6, 5, 8, 8, 8로 모두의 값이 똑같지 않게 된다.

이를 통해 최빈값이 곧 평균이 되지 않음을 이해시킨다.

학생들에게 다시 평균을 예상해보게 한다. 예상한 평균보다 많은 것을 부족한 쪽으로 채우며 평균을 구한다. 막대그래프의 높이가 모두 같아져 평균을 구했다면 주어진 자료 전체를 더한 값을 자료의 수로 나누어 구한 평균값과 일치하는지 확인한다.

2단계 – 원리가 내재된 조작 자료를 활용 시범 관찰 조작

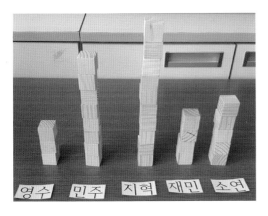

쌓기나무를 준비하여 학생들에게 나눠준다. 학생들이 스스로 쌓기나무를 조작하여 평균을 구해보도록 한다.

제기차기 대회

	대표 1	대표 2	대표 3	대표 4	대표 5
영수반	영수	민주	지혁	재민	소연
	3	8	10	4	5
수미반	수미	찬수	세진	희혁	주영
	5	8	2	6	4

표를 보고 학생들이 직접 표에 있는 개수만큼 쌓기나무를 쌓아보도록 한다.

학생들이 각자 평균을 예상하게 한다. 예상한 평균보다 많은 것을 부족한 쪽으로 옮겨본다. 쌓기나무의 높이가 같아지지 않는다면 다시 평균을 예상하여 쌓기나무를 이동시켜본다.

평균을 구했다면 이제 평균을 구하는 식을 이용하여 평균을 계산해본다. 주어진 자료 전체를 더한 값을 자료의 수로 나누어 평균을 구한 뒤 쌓기나무로 구한 평균과 일치하는지 확인한다.

[교사] 제기차기 대회에서 평균이 더 높은 반이 어디일까요?

그리고 영수와 수미의 제기차기 수를 비교해본다. 영수의 반 평균이 더 높지만, 영수가 수미보다 제기차기 수가 더 낮음을 확인하게 한다. 이를 통해 평균이 더 높다고 하여 자료 개개의 값도 더 크다는 오개념을 갖지 않게 한다.

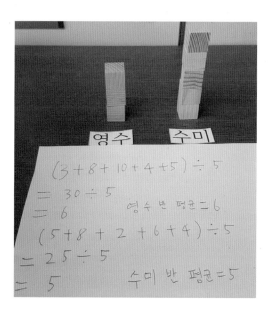

3단계 – 원리의 형식화 [설명] [시범] [관찰]

문제 : 다음은 지난번 우리 학교 티볼 대회에서 우리 반이 경기마다 낸 점수입니다. 우리 반은 경기마다 평균 몇 점을 냈습니까?

경기	1경기	2경기	3경기	4경기
점수	12	9	13	6

방법 1 : 10점을 평균으로 예상한다. 1경기는 평균보다 +2점 2경기는 −1점, 3경기는

+3점, 4경기는 −4점이므로 10점보다 많은 점수를 부족한 쪽으로 채우면 모두 10점이 되므로 평균은 10이다.

방법 2 : $(12 + 9 + 13 + 6) ÷ 4 = 10$

교과서에 여러 가지 평균 문제가 있지만, 그것보다 우리 반에 있는 것을 조사하여 평균을 내는 활동을 한다면 학생들이 더 즐겁게 활동할 수 있다. 교사가 우리 반에 관련된 문제들을 준비하여 제시해준다. 그리고 학생들은 그 문제를 일정한 기준을 정해 기준보다 많은 것을 부족한 쪽으로 채우며 평균을 구하는 방법과 주어진 자료 전체를 더한 값을 자료의 수로 나누어 평균을 구하는 방법을 모두 사용하여 평균을 계산해본다.

1학기 2단원

각기둥의 전개도는 한 개뿐일까요?

단원명
2. 각기둥과 각뿔

한눈에 알아보기

1 2 3 4
5 6 7 8
9 ÷ × = 0

학습 주제

각기둥의 전개도를 그리기

성취 기준

〔6수02-07〕 각기둥의 전개도를 그릴 수 있다.

오개념

각기둥의 전개도는 한 가지뿐이다.

난개념

3차원 공간의 각기둥을 2차원 공간인 전개도로 바꾸는 것이 어렵다.

지도 요소

상황 진단

각기둥의 전개도는 한 개뿐일까요?

교수 처방 1

교수 처방 2

오개념 처방

• 같은 각기둥을 보고 학생들에게 전개도를 그려보게 한 후, 학생들이 그린 다양한 전개도를 보여주어 전개도는 한 가지 모양으로 나타나는 것이 아님을 알도록 한다.

난개념 처방

• 각기둥을 직접 잘라보고 전개도를 그리도록 한다.
• 다양한 교구를 사용하여 직접 만들어 보며 이해를 돕도록 한다.

6
학년

1
학기

- **성취 기준** 〔6수02-07〕 각기둥의 전개도를 그릴 수 있다.
- **관련 단원** `6학년 1학기` 2. 각기둥과 각뿔
- **학습 주제** 각기둥의 전개도를 그리기
- **학습 목표** 각기둥의 전개도를 그릴 수 있다.

상황 진단

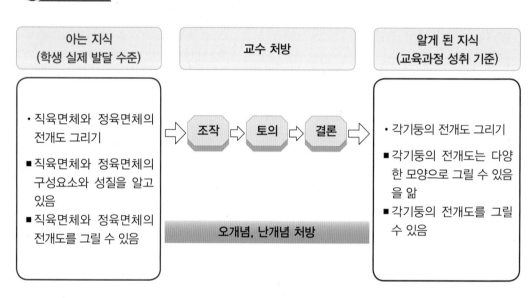

아는 지식 (학생 실제 발달 수준)	교수 처방	알게 된 지식 (교육과정 성취 기준)
• 직육면체와 정육면체의 전개도 그리기 ■ 직육면체와 정육면체의 구성요소와 성질을 알고 있음 ■ 직육면체와 정육면체의 전개도를 그릴 수 있음	조작 ▷ 토의 ▷ 결론 오개념, 난개념 처방	• 각기둥의 전개도 그리기 ■ 각기둥의 전개도는 다양한 모양으로 그릴 수 있음을 앎 ■ 각기둥의 전개도를 그릴 수 있음

학습 계열

선수 학습	본 학습	후속 학습
• 직육면체와 정육면체의 전개도 그리기 – 5-2-5. 직육면체	• 각기둥의 전개도 알기 • 각기둥의 전개도 그리기	• 원기둥의 전개도 그리기 – 6-2-6. 원기둥, 원뿔, 구

1. 기하 학습 사고 수준

반 힐(Van Hieles) 부부는 많은 학생들이 어려움을 느끼는 기하학습을 어떻게 지도하는 것이 좋을지 연구하여, 학생들의 기하학적 사고 수준 발달을 다음과 같이 정리하였다.

1) 제1 수준(시각적 인식 수준) : 도형의 구성 요소에 대해 고려하지 않고 전체의 시각적 외관에 의해 인식

2) 제2 수준(도형 분석적 수준) : 구체물을 대상으로 관찰 등을 통해 구성 요소나 성질을 분석할 수 있는 수준

3) 제3 수준(비형식적 추론 수준) : 도형들 사이의 기하학적 성질의 논리적 관계를 파악할 수 있는 수준

4) 제4 수준(연역적 추론 수준) : 공리적 체계 속에서 기하학적 성질에 대해 형식적 추론을 할 수 있는 수준

5) 제5 수준(기하학의 엄밀화 수준) : 비유클리드 기하학을 이해할 수 있는 수준

초등학교에서 다루어지고 있는 수준은 제1 수준부터 제3 수준 정도로 보인다. 6학년에서 제3수준의 사고 수준을 가지고 있다고 본다면 정의를 형식화할 수 있고, 도형의 성질을 추론하고 성질들 사이의 관계를 파악할 수 있다.

2. Van Hieles의 수준에 근거한 학습 단계

반 힐(Van Hieles) 부부는 각 수준 구조 안에서 사고 수준을 높이기 위한 교수 학습적 수단을 다음과 같이 개발하였다.

1) 1단계 – 질의 안내 단계(Inquiry/Information) : 교사와 학생이 어떤 수준의 지도를 위해 학습 목표를 확인하는 단계로 교사는 학생들에게 과제에 대해 알고 있는 지식이 무엇인지 확인하고 학생은 과제를 관찰하고 질문하도록 한다.

2) 2단계 – 안내된 탐구 안내(Directed Orientation) : 학생들이 교사가 제시한 활동 자료를 보면서 과제를 능동적으로 수행하는 단계로 학생들은 계열화된 활동을 통해 새로운 개념을 알아가게 된다.

3) 3단계– 명료화 단계(Explication) : 2단계에서 얻어진 경험에서 관찰된 자기의 과정을 토론하는 단계로 자신의 의견을 개념화한다.

4) 4단계 – 자유 탐구 단계(Free Orientation) : 많은 사고 단계로 해결할 수 있는 2단

계보다 복잡한 과제를 해결해 보는 단계로 학생들은 자신이 배운 것들을 종합적으로 적용해 보며 자신의 방법을 찾는 학습을 하게 된다.

5) 5단계 – 통합 단계(Integration) : 학생들이 배운 것을 요약하는 단계로 학생들은 배운 내용을 요약하며 지식을 쉽게 기술하고 대상과 관계의 새로운 망을 형성한다.

5단계의 학습이 끝나면 다음 수준의 학습으로 넘어갈 수 있다.

3. 각기둥

각기둥에는 옆면이 직사각형인 직각기둥과 옆면이 직사각형이 아닌 평행사변형인 빗각기둥이 있다. 각기둥과 빗각기둥을 관찰하여 비교하고, 분석적 사고를 통해 그 구성요소를 정의하는 것은 초등학교 학생들에게 다소 무리가 있다. 그러한 이유에서 초등학교에서는 직각기둥만을 다루도록 하고 있다.

4. 각기둥의 밑면

각기둥에서 밑면은 평행한 두 면을 말한다. 밑면은 밑에 있는 면이라는 뜻과 함께 기본이 되는 면이라는 뜻도 있으며 그 입체도형의 고유한 이름을 짓는 면이라고 볼 수 있다. 즉 삼각기둥, 오각기둥과 구별할 수 있는 면은 삼각형과 오각형이므로 이렇게 구별이 가능한 한 쌍의 면이 밑면이다. 사각기둥은 밑면을 말할 수 있으나, 직육면체로 볼 경우에는 밑면과 옆면의 구분이 불분명하므로 밑면과 옆면 같은 용어를 사용할 필요가 없다.

■ 참고문헌

- 교사용 지도서 6-1학기(2018), 교육부
- 초등수학에서 유시스킨의 반 힐레 수준 검사지의 문제점 분석 및 개선 연구-2006 백은자 , 전주교육대학교 교육대학원
- 초등학교 학생들의 입체도형 개념 이해 정도와 오개념 연구-2013. 김명지, 대구교육대학교 교육대학원

교실 속 오류상황

1cm
1cm
5cm
3cm
1cm

〈각기둥의 전개도를 잘못 그린 예〉

학생들은 3차원 공간의 각기둥을 2차원 공간인 전개도로 바꾸는 과정에서 시각적 인식에 어려움을 느낀다. 또한, 하나의 각기둥의 전개도는 한 개뿐이라고 생각하기도 한다.

5학년 2학기 5. 직육면체 단원에서 학생들은 직육면체와 정육면체의 전개도 그리기를 학습을 하였고, 6학년에서는 각기둥의 전개도를 알아보고 전개도를 그리는 활동을 하게 된다. 학생들은 3차원 공간의 각기둥을 2차원 공간인 전개도로 바꾸는 과정에서 크기가 같은 3쌍의 면이 마주보게 된다는 것을 시각적으로 인식하는 것과 입체도형에서 맞닿는 면을 고려하여야 함에 어려움을 느낀다. 또한, 하나의 입체도형의 전개도는 위와 아래에 밑면이 나타나는 형태로 고정되어 있다고 생각하기도 한다.

따라서 이 차시를 학습을 할 때는 사각기둥인 상자를 다양한 방법으로 잘라보거나 폴리드론, 지오픽스 등의 교구를 사용해 입체도형을 만들고 펼쳐보는 등 학생들이 직접 조작함으로 입체도형과 전개도의 관계를 이해하도록 돕는다. 하나의 각기둥으로 다양한 전개도를 만들어 본 후 전개도를 분석하여 전개도의 특징을 알도록 한다. 알아낸 전개도의 특징을 바탕으로 가장 간단한 방법의 전개도 그리는 방법을 교사 시범보이고 학생들이 직접 그려보며 전개도에 대해 제대로 이해하도록 돕는다. 전개도를 그리는 방법을 제대로 이해한 후에 다양한 각기둥의 겨냥도를 보고 기본 전개도와 변형 전개도를 그려보는 활동을 한다.

1단계 – 제시된 각기둥을 만들 수 있는 전개도 찾기 　매체　관찰　추론

교사는 학생들에게 여러 가지 전개도를 보여준다. 이 때, 학생들이 전개도를 관찰하고 제시된 각기둥을 만들 수 있는 것은 무엇인지 이야기를 나누도록 한다.

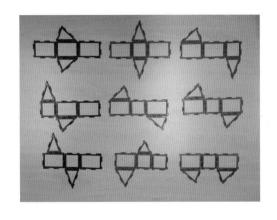

학생들은 제시된 전개도 중에 겨냥도로 제시된 각기둥을 만들 수 있는 전개도를 선택하고 그 이유를 발표하도록 한다. 이 때 학생들은 하나의 각기둥의 전개도가 한 가지로 나타나는 것이 아니라 다양한 모습으로 나타날 수 있다는 것을 알도록 한다. 이 단계에서는 답은 찾지 않고 이야기를 통해 추론하는 활동만 한다.

2단계 – 조작하며 다양한 각기둥 전개도 만들기 매체 조작 발표

삼각기둥의 전개도를 이해하기 위해 학생들에게 폴리드론 등의 교구를 활용하여 삼각기둥을 만들도록 한다. 모둠별로 만들어진 삼각기둥을 분해하며 가능한 전개도를 최대한 많이 찾도록 한다.

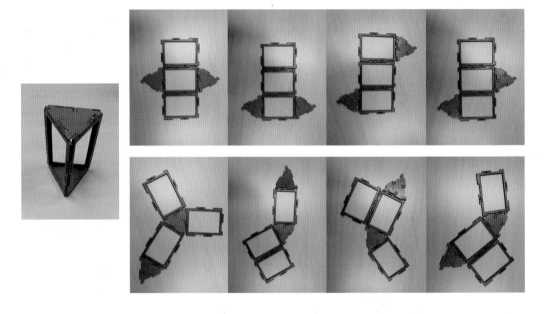

다음 활동으로 학생들은 폴리드론들을 활용하여 모둠별로 삼각기둥, 사각기둥, 오각기둥, 육각기둥을 만든다. 학생들은 삼각기둥으로 다양한 전개도를 만들어 본 경험을 바탕으로 4개의 각기둥을 펼쳐서 원하는 모양의 전개도를 만들고 다른 모둠 친구들과 공유한다.

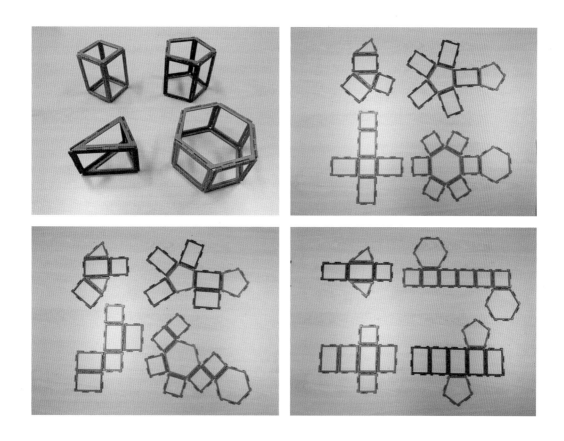

3단계 – 전개도의 특징 정리하기 분석 토의 발표 결론

　세 번째 활동에서 찾은 전개도들을 각기둥별로 묶어서 제시하고, 다양한 전개도를 분석하여 전개도의 특징을 찾아 정리하도록 한다.

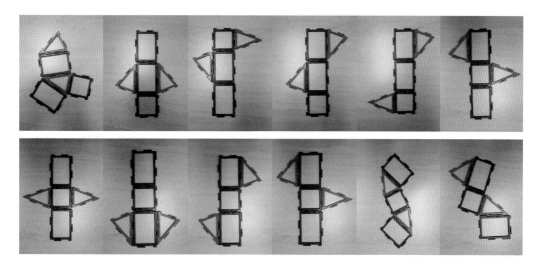

〈예시〉– 삼각기둥

공유한 전개도를 각기둥별로 정리해 보면 전개도의 특징이 더 잘 보인다. 학생들은 모둠 활동을 통해 전개도의 특징을 토의하도록 한다.

토의한 내용을 모둠 칠판에 기록하고 칠판에 게시하여 반 전체와 공유한다.

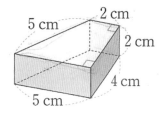

학생들이 발표한 내용을 중심으로 전개도의 중요한 특징을 정리한다.

〈기둥의 전개도 특징〉

1. 밑면은 2개이고 옆면은 직사각형으로 밑면의 변의 수만큼 있어요.
2. 2개의 밑면은 합동이에요.
3. 접었을 때 맞닿은 부분의 선분의 길이는 같아요.
4. 접었을 때 겹치는 부분이 없어요.

4단계 - 다양한 각기둥의 전개도 그리기 시범 조작

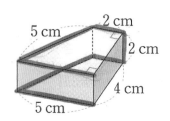

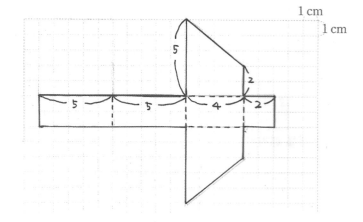

〈전개도 그리는 방법〉

1. 옆면이 몇 개가 필요한지 생각해 보고 밑면의 변의 길이에 따라 옆면을 그린다.
2. 밑면의 어느 부분을 자를지 생각해 보고 맞닿은 부분을 중심으로 밑면을 그린다.
3. 이 때 맞닿은 부분의 길이가 같은지 확인하도록 한다.

기본 전개도의 밑면을 잘라 움직여 보며 다양한 전개도를 그려 보도록 한다.

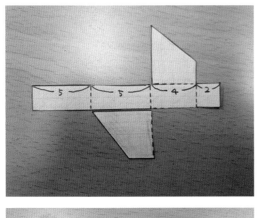
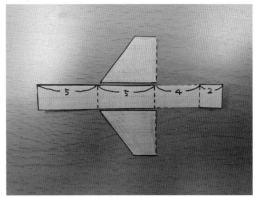
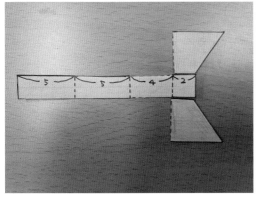
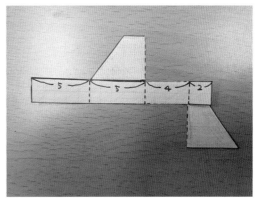

5단계 – 전개도 그리는 법 정리하기 해석 결론

학생들은 공부한 내용을 바탕으로 처음 보았던 전개도를 보고 삼각기둥의 전개도와 삼각기둥을 만들 수 없는 것을 다시 찾아보고 만들 수 없는 것의 이유를 이야기해 본다.

마지막으로 전개도에 대해 알게 된 점과 전개도 그리는 법을 각자 공책에 정리한다.

삼각기둥 전개도

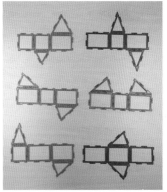

삼각기둥 전개도 아닌 것

2:3과 3:2는 같은 거지요?

◉ **학습 주제**

비의 뜻을 알고 비로 나타내기

◉ **성취 기준**

〔6수04-02〕 두 양의 크기를 비교하는 상황을 통해 비의 개념을 이해하고, 그 관계를 비로 나타낼 수 있다.

◉ **오개념 1**

2:3과 3:2는 같다.

◉ **난개념 2**

두 수를 비로 나타낼 때 비교하는 양과 기준량을 구분하여 나타내지 못한다.

지도 요소

상황 진단

**2:3과 3:2는
같은 거지요?**

교수 처방 1

교수 처방 2

◉ **오개념 1 처방**

- 2:3과 3:2가 다름을 이해할 수 있도록 학생들의 관심도가 높은 문제를 제시하고 설명한다.
- 실생활의 문제를 제시하여 비와 비율을 만들어보도록 한다.

◉ **난개념 2 처방**

- 실생활의 문제에서 비교하는 양과 기준량을 구분하는 방법을 찾아보는 활동을 한다.
- 다양한 문제풀이를 통해 형식화하도록 한다.

- **성취 기준** 〔6수04-02〕두 양의 크기를 비교하는 상황을 통해 비의 개념을 이해하고, 그 관계를 비로 나타낼 수 있다.
- **관련 단원** 6학년 1학기 4. 비와 비율
- **학습 주제** 비의 뜻을 알고 비로 나타내기
- **학습 목표** – 비의 뜻을 알고 비로 나타낼 수 있다.
  – 생활 속의 문제 상황을 비로 나타낼 수 있다.

상황 진단

아는 지식 (학생 실제 발달 수준)	교수 처방	알게 된 지식 (교육과정 성취 기준)
• 자료의 표현 • 두 수를 비교하는 방법 △:□ ■ 2:3과 3:2의 차이를 정확히 인식하지 못함 ■ 생활 속의 문제에서 비교하는 값과 기준값을 구분하지 못함	설명 ⇨ 시범 ⇨ 적용 오개념, 난개념 처방	• 제수가 1보다 작을 경우 몫이 나누어지는 수보다 작아짐 • (분수)÷(분수)의 계산 원리 ■ 분수의 나눗셈 계산 원리를 알고 바르게 계산함 ■ 나눗셈의 몫은 나누어지는 수보다 커지거나 작아질 수 있음을 이해함

학습 계열

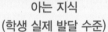

선수 학습	본 학습	후속 학습
– 5-1-5. 분수의 덧셈과 뺄셈 – 5-2-4. 소수의 곱셈 – 5-2-6. 평균과 가능성	• 비의 개념	– 6-2-4 비례식과 비례배분

1. 비와 비율의 개념

비

비는 두 수를 비교할 때 사용한다. 두 수를 비교하는 방법에는 두 수의 차를 알아보는 방법과 두 수의 비를 알아보는 방법이 있는데 전자는 뺄셈, 후자는 나눗셈을 사용한다.

같은 종류의 두 양 a와 b에 대하여 'a와 b의 비'는 a의 크기를 b의 크기에 비추어 생각하는 것으로 수학적으로는 'a : b'로 나타낸다. 비에서 기호 ':'의 왼쪽에 있는 a를 '비교하는 양'이라고 하고, 오른쪽에 있는 b를 '기준량'이라고 한다.

비의 개념은 두 양 사이의 관계에 초점을 두는 것으로 비율 및 비례적 추론 개념의 초석이 된다. 실생활에서는 운동 경기나 게임에서 두 팀 사이의 득점을 비교하여 나타낼 때 많이 쓰인다.

비의 사전적 의미는 '1) 어떤 두 개의 수 또는 양을 서로 비교하여 몇배인가를 나타내는 관계. a, b의 형태로 표시한다. 2) '비율'의 뜻을 나타내는 말', 2가지이다.

비율

비율은 비를 하나의 수치로 나타낼 때 쓰이는 개념이다. 2:5라고 하면 2와 5 두 개의 수치를 사용하지만 0.4라고 하면 하나의 수치만 사용할 수 있다.

비교하는 양을 기준량으로 나눈 몫을 '비의 값' 또는 비율이라고 한다. 같은 종류의 두 양 a, b에 대하여 'a와 b의 비율은 수학적으로 $a \div b$ 또는 $\frac{a}{b}$로 나타낸다. 비율은 비의 값을 수량적으로 활용하기 위해 사용하며 분수와 소수로 나타낼 수 있다.

비율의 사전적 의미는 '다른 수나 양에 대한 어떤 수나 양의 비'이다.

백분율

백분율은 비율, 즉 비의 값에 100을 곱한 값이다. 백분율은 숫자에 기호 %를 붙여 사용하며 실생활에서 백분율의 개념은 '비가 올 확률 90%, 50% 할인한 가격' 등과 같이 활용된다.

백분율의 사전적 의미는 '전체 수량을 100으로 하여 그것에 대해 가지는 비율. 또는 그것을 나타내는 단위'이다. 초등학교에서는 이러한 사전적 의미를 설명하지 않는다.

2. 비, 비의 값, 비율의 수학적 의미

비, 비의 값, 비율은 수학적으로 같은 의미이다. 굳이 차이를 말하자면, 비는 식이고 비의 값 또는 비율은 수이다.

수학적 내용으로 두 수 a와 b에 대하여 $\frac{a}{b}$를 일컬을 때 비, 비의 값, 비율이라는 용어를 공통으로 사용한다.

비, 비의 값, 비율이 수학적으로 동일한 것을 뜻한다고는 하지만, 그러한 용어가 발생하고 사용되는 역사적, 문화적 맥락은 다양하다.

교수 처방 1, 2

교실 속 오류상황

"2:3과 3:2가 다른 거야?"

2:3 = ?   3:2 = ?

생활 속에서 접하는 비(몇대몇)는 비교하는양과 기준량에 대한 구분이 명확하지 않다. 그래서 학생들은 2:3과 3:2가 다른 값이라고 생각하지 못하는 경우가 있다.

우리는 일상생활에서 '~의 반', '~의 몇 배'와 같이 비와 비율과 관련된 개념을 많이 사용한다. 요리 재료의 비율이나 물건의 할인율, 야구 선수의 타율이나 농구 선수의 자유투 성공률, 비 올 가능성 등 경험을 통해 비와 비율에 대한 비형식적 지식을 가지고 있다.

학생들이 두 수를 비교할 때 기호 ':'을 사용하여 비로 나타내는 방법을 정확히 이해하지 못하는 경우 기호 ':' 앞의 비교하는 양과 뒤쪽의 기준량을 구분하지 않고 사용하거나, 비교하는 양과 기준량 찾기를 어려워한다.

비교하는 양과 기준량을 바꾸었을 때의 차이점을 느낄 수 있는 문제상황을 제시하여 비교하는 양과 기준량을 찾아본 후 비로 나타내어 보는 활동을 통해 순차적으로 비와 비율의 개념을 명확히 이해하도록 한다.

1단계 – 생활 속에서 문제 인식하기

교사는 실제 생활 속에서 비와 비율이 활용되는 사례를 통해 자연스럽게 비와 비율의 개념을 알 수 있도록 설명한다.

학생들이 가장 친근하게 느낄 수 있는 예화를 통해 비교하는 양과 기준량을 확인하도록 제시하면 비와 비율의 개념을 확실히 알 수 있다.

[설명] [시범] [관찰]

비에 대해 틀리게 표현하는 상황을 제시한 후 질문을 통해 학생들 스스로 잘못된 점을 찾아낼 수 있도록 한다.

[교사] 학생들의 대화에서 잘못된 부분을 찾아 봅시다.

한국과 일본 축구경기 결과가 2:3이라고 했으므로 한국이 2점, 일본이 3점이 되므로 한국이 이겼다는 것은 틀린 내용이다. 만약 한국이 이긴 상황을 표현하려면 한국과 일본 축구경기 결과는 3:2가 되어야 한다.

비에서 자리가 바뀌면 안 된다는 것을 상황 속에서 인식할 수 있도록 설명한다.

[교사] 그림 (1)과 (2) 중 알맞게 표현한 것은 어느 것일까요?

그림 (1)은 밀가루 : 우유 = 2:3, 그림 (2)는 밀가루 : 우유 = 3:2이 된다.

2:3과 3:2에서 기호 ':'의 앞쪽과 뒤쪽 수가 바뀌면 안 된다는 것을 알게 된 후 비를 나타내는 방법, 그리고 비의 값을 어떻게 표현할 수 있을 지에 대해 생각할 수 있도록 한다.

2단계 – 비교하는 양과 기준량 이해하기

비와 비율에서 학생들은 어떤 것이 비교하는 양이고 기준량인지 혼동하는 경우가 많다. 비와 비율이 생활 속에서 적용되는 다양한 예를 이용하여 헷갈리지 않도록 정확히 지도한다.

[시범] [설명] [관찰]

학생들이 가장 좋아하는 게임 아이템 구입 상황을 제시하며 비와 비율에 자연스럽게 접근하도록 한다.

학생들은 반값이라거나 $\frac{1}{2}$이라고 자연스럽게 표현할 것이다.

이때 두 수(정가와 구입가)를 비교하는 것이 바로 '비'이며, 반값 또는 $\frac{1}{2}$은 두 수를 비교하여 나온 수 '비율'임을 알려준다.

비가 두 수를 비교하는 것임을 이해했다면 비를 표현하는 방법을 설명하여 이해시킨다.

수학적 개념으로 들어갈 때 학생들의 흥미가 떨어질 수 있으므로 게임아이템 가격을 강조하여 학생들의 흥미를 이어갈 수 있도록 한다.

[교사] 비는 ':'를 사이에 두고 두 수를 비교하는 것으로 ':' 뒤쪽은 기준량, 앞쪽은 비교하는 양이라고 합니다.

이번엔 비율의 개념을 설명할 차례이다. 역시 학생들이 아이템을 절반 가격에 샀을 경우를 떠오르게 하여 설명한다.

교사 절반이라거나 $\frac{1}{2}$이라고 표현한 것을 비의 값 또는 비율이라고 합니다. 이 수는 어떻게 나온 것일까요?

학생들 나름대로 예측하여 대답하도록 기다린 후 비율을 구하는 방법을 설명하는 것이 좋다.

교사 비를 비의 값으로 나타내면 ':'를 '/'로 바꾸어서 나눗셈 식이 됩니다. 즉, $\frac{1}{2}$ 또는 0.5가 되므로 우리는 이럴 경우 반값에 샀다거나 $\frac{1}{2}$ 가격에 샀다고 표현하는 거죠.

비율

비교하는 양 ÷ 기준량

$$\frac{비교하는\ 양}{기준량}$$
$$= 1만\ 원 ÷ 2만\ 원$$
$$= 1 ÷ 2$$

또는 $\frac{1만\ 원}{2만\ 원}$
$$= \frac{1}{2}$$

3단계 – 다양한 실생활 문제로 적용하기

비에서 비교하는 양과 기준량의 위치를 정확히 이해하고, 비율 구하는 방법까지 알았다면 이제 실생활 문제에서 비와 비율을 구하는 연습을 해보도록 한다.

시범 관찰 적용

먼저 일반적인 예를 들어 설명해 준다. 판서를 통해 학생들이 계속해서 비와 비율에 대해 확인하며 상황 속에서 단서를 찾을 수 있도록 해도 좋다.

〈 비 〉	〈 비의 값(비율) 〉	〈 비를 표현하는 예 〉
A : B	$A ÷ B = \frac{A}{B}$	A대 B
A: 비교하는 양		B에 대한 A의 비
B: 기준량		A와 B의 비
		A의 B에 대한 비

문제 1]

서울의 넓이는 약 600km²이고

수원의 넓이는 약 120km²입니다.

서울의 넓이에 비해 수원의 넓이는 어떠한지 비와 비율로 나타내 보세요.

〈단서찾기〉

　비와 비율을 구할 때 먼저 문제를 읽고 비교하는 두 수를 찾아보도록 질문한다.

(교사) 문제에서 비교하는 두 수를 찾아보자.

(학생) 서울의 넓이 약 600km², 수원의 넓이 약 120km²입니다.

(교사) 비교하는 양과 기준량을 찾아보세요.

　비교하는 양과 기준량을 찾을 때에는 위에서 제시한 비를 읽는 방법에서 단서를 찾을 수 있다.

　'서울의 넓이에 비해'라고 했으므로 서울의 넓이가 기준량이 되고 수원의 넓이가 비교하는 양이 된다.

〈비와 비율로 나타내기〉

　이제 위의 단서를 가지고 비로 나타내어 보도록 한다. 이때 기호 쌍점(:)의 앞쪽에 비교하는 양이 오고, 뒤쪽에 기준량이 온다.

　비율을 비교하는 양 ÷ 기준량이 된다. '~에 비해' 또는 '~에 대해'라는 말이 나오면 기준량이 됨을 파악할 수 있도록 설명한다.

〈비와 비율 나타내기〉

비로 나타내면

수원의 넓이 : 서울의 넓이

$= 120 : 600$

비율로 나타내면

$120 ÷ 600 = \dfrac{120}{600}$

$= 약 \dfrac{1}{5} 또는 0.2$

옷가게에서 4만 원짜리 바지를 3만 원에 샀다면 정가에 비해 얼마나 할인받은 걸까?
할인가와 정가의 비, 비율(할인율)을 구하시오.

〈단서찾기〉

학생들이 두 수를 찾아보고, 비교하는 양과 기준량을 구분하도록 한다.

'정가에 대한 할인가의 비와 비율'을 구하는 문제이다. 또는 '할인가와 정가의 비와 비율'을 구하는 문제이다.

할인가와 정가의 비라고 했으므로 할인가는 비교하는 양, 정가는 기준량이 되어야 한다.

비율
할인가 : 정가
= 1만 원 : 4만 원

비율
$$1만 원 \div 4만 원 = \frac{1만 원}{4만 원}$$

〈비와 비율로 나타내기〉

할인가는 정가에 비해 할인받은 가격이다. 그러므로 이 문제에서는 4만 원에서 3만 원을 뺀 1만 원이 할인가가 된다.

이 과정을 학생들 스스로 찾아내어 비와 비율을 구해 보도록 유도한다.

흔히 할인율을 말할 때에는 비율보다 백분율로 표현한다. 백분율은 비율에 100을 곱한 값임을 알려주고 할인율을 생활 속에서 많이 활용되는 백분율로 구할 수 있도록 해도 좋다.

분수의 나눗셈, 왜 그럴까?

2학기 1단원

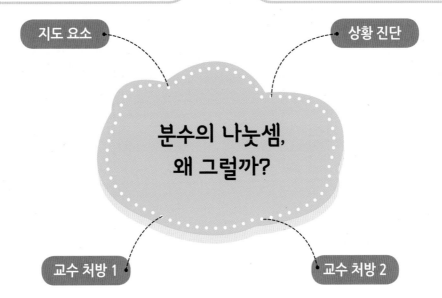

학습 주제

분수의 나눗셈 계산 원리를 이해하고 설명하여 봅시다.

성취 기준

〔6수01-11〕 분수의 나눗셈의 계산 원리를 이해하고 그 계산을 할 수 있다.

오개념 1

나눗셈을 하면 당연히 몫이 작아진다.

난개념 2

분수의 나눗셈을 할 때 나누는 수의 역수를 곱해 주는 계산원리를 설명하지 못한다.

지도 요소

상황 진단

분수의 나눗셈,
왜 그럴까?

교수 처방 1

교수 처방 2

오개념 1 처방

• 나누는 수가 1보다 큰 경우, 1인 경우, 1보다 작은 경우로 나누어 체험하도록 한다.
• 나누는 수가 1보다 작은 경우를 계산하여 몫을 비교해 보도록 한다.

난개념 2 처방

• 분수의 나눗셈 알고리즘을 이해시킨다.
• 분수의 나눗셈 알고리즘 설명방법을 찾아 표현해 보며 알고리즘 절차가 왜 타당한지 언제 그러한 절차를 이용할 수 있는지 이해하도록 한다.

6
학년

2
학기

- ⊙ **성취 기준** 〔6수01-11〕 분수의 나눗셈의 계산 원리를 이해하고 그 계산을 할 수 있다.
- ⊙ **관련 단원** <u>6학년 2학기</u> 1. 분수의 나눗셈
- ⊙ **학습 주제** 분수의 나눗셈을 해 봅시다.
- ⊙ **학습 목표** − (분수)÷(분수)의 계산 원리를 이해하고 계산할 수 있다.
  − 나누는 수가 더 큰 (분수)÷(분수)의 계산원리를 이해하고 계산할 수 있다.

상황 진단

아는 지식 (학생 실제 발달 수준)	교수 처방	알게 된 지식 (교육과정 성취 기준)

아는 지식 (학생 실제 발달 수준)

- • 분수의 곱셈
- • 자연수÷자연수=분수
- ■ 나눗셈의 몫은 항상 나누어지는 수보다 작다고 생각함
- ■ 나눗셈의 원리를 설명하지 못하고 공식에 따라 계산만 함

교수 처방

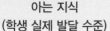
시범 ⇨ 형식화 ⇨ 적용

오개념, 난개념 처방

알게 된 지식 (교육과정 성취 기준)

- • (분수)÷(1보다 작은 분수)
- • (분수)÷(분수)의 계산원리
- ■ 나눗셈의 몫은 나누어지는 수보다 커지거나 작아질 수 있음을 이해함
- ■ 분수의 나눗셈 계산 원리를 알고 바르게 계산함

학습 계열

선수 학습	본 학습	후속 학습
− 5−1−4. 약분과 통분 − 5−1−5. 분수의 덧셈과 뺄셈 − 5−2−2. 분수의 곱셈	• (분수)÷(분수)	− 6−2−2. 소수의 나눗셈

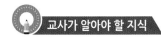 **교사가 알아야 할 지식**

분수의 연산

자연수 연산에서 주어졌던 의미가 분수 연산으로 확장될 수 있도록 의미가 충실한 학습을 제공해야 알고리즘에 의존하는 기계적 계산이 아닌 분수의 연산을 제대로 이해하고 연산할 수 있다.

그리고 분수의 연산을 하려면 동치분수에 대한 개념을 형성하여야 한다. 즉, 동치분수에 대한 이해와 분수의 모형화 같은 분수에 대한 배경 지식이 필요하다.

> **동치분수**는 분모와 분자가 다르지만, 크기가 같은 분수를 말한다. 동치분수를 찾으려면 분모와 분자에 각각 0이 아닌 같은 수를 곱하거나 0이 아닌 같은 수로 나누면 된다. 0을 곱하면 $\frac{0}{0}$인데 분모가 0인 분수는 성립되지 못하기 때문이다. 예를 들어 $\frac{1}{2}$과 크기가 같은 분수(동치분수)를 구하려고 한다면 분모와 분자에 0이 아닌 같은 수를 곱하면 $\frac{1}{2}$과 크기가 같은 분수 ($\frac{2}{4}$, $\frac{3}{6}$, $\frac{4}{8}$, $\frac{5}{10}$, $\frac{6}{12}$ 등)를 찾을 수 있다. $\frac{1}{2}$과 크기가 같은 분수는 무수히 많이 있다.

분수의 나눗셈

학생들이 분수 나눗셈을 어려워하는 이유는 자연수 나눗셈에서 익히게 된 '곱셈을 하면 결과 값이 커지고 나눗셈을 하면 결과 값이 작아진다.'는 잘못된 믿음 때문이다.

분수 나눗셈의 경우 등분제로 접근하기보다는 포함제로 접근하는 것이 학생들의 이해를 돕는데 더 수월하다. 즉, 처음 분수의 나눗셈을 도입할 때 가장 쉬운 동수누감의 원리로 접근하여 학생들 스스로 나눗셈의 원리를 터득하도록 한 후 형식화 단계로 나아갈 수 있도록 한다.

1) 포함제, 측정나눗셈 : 한 수에 다른 수가 몇 번 들어있는지 알아보는 상황의 나눗셈. 같은 수를 거듭 덜어내는 경우, 주어진 양을 일정한 크기로 묶으면 몇 묶음이 되는지 **묶음의 수**를 구하는 나눗셈으로 분수로 나눌 때 적용하기 쉽다. 그러나 몇 개, 몇 번, 몇 사람과 같이 몫이 이산량으로 주어지면 분수의 나눗셈 계산 결과와 일치하지 않는 상황이 발생할 수 있다.

예) 선생님이 커피 $1\frac{3}{4}$L를 가지고 있다. 한잔에 $\frac{1}{4}$L씩 담아서 마신다면 몇 잔을 마실 수 있나?

$$1\frac{3}{4}L \div \frac{1}{4}L = 7$$

이산량 : 비연속적인 양으로, 이산적으로 흩어진 양 – 인간의 명 수(사람 1/2명은 불가능)

연속량 : 연속적으로 변화할 수 있는 것으로 이론적으로는 얼마든지 작은 단위로 분할할 수 있는 양 – 비율, 단위 등

동수누감 : 포함제 중 덜어낸 횟수를 세는 경우. 나뉘는 수가 나누는 수보다 커야 한다.

예) 피자 2판을 $\frac{1}{4}$씩 주면 몇 명에게 줄 수 있을까?

$$2 - \frac{1}{4} - \frac{1}{4} - \frac{1}{4} - \frac{1}{4} - \frac{1}{4} - \frac{1}{4} - \frac{1}{4} - \frac{1}{4} = 0 \ \text{총 8명}$$

2) 등분제, 분할나눗셈 : 한 사람에게 돌아가는 몫을 구하는 경우. 똑같이 나누는 나눗셈. 주어진 대상을 몇 묶음으로 똑같이 나누었을 때 한 **묶음의 크기**를 구하는 경우이다. 분수를 자연수로 나눌 때 활용할 수 있다.

 교수 처방 1

교실 속 오류상황

$6 \div \frac{1}{2} = 12$

어? 몫이 나누어지는 수보다 커졌어. 나눗셈 계산이 잘못된 거 아닌가?

나눗셈에서 무조건 몫이 나누어지는 수보다 작아진다고 생각하는 학생들이 있다. 이런 학생들은 계산을 잘 하고도 몫이 커지면 잘못 계산했다고 생각하여 혼란스러워 한다.

자연수의 나눗셈에서 몫은 나누어지는 수보다 작거나 같다. 지금까지 배운 나눗셈에서는 주어진 수를 나누어 갖는 경우가 대부분이었으므로 몫이 작아지는 것을 당연하게 여길 수 있다. 그러나 분수의 나눗셈에서는 나누는 수가 1보다 작은 경우 몫이 커지는데 이것을 이해하지 못한 학생들은 계산 결과에 당황하거나 자신이 잘못 계산하였다고 생각하는 경우가 있다.

나누는 수가 점점 커지는 경우의 계산을 순차적으로 보여줌으로써 학생들 스스로 몫이 달라지는 것을 이해하고 찾아낼 수 있도록 한다면 이러한 오류를 해결할 수 있다.

1단계 – 순차적으로 이해하기

학생들이 쉽게 이해할 수 있도록 이미 알고 있고 잘 풀 수 있는 문제부터 풀어보도록 하는 것이 좋다.

나누는 수가 자연수인 나눗셈 문제부터 시작하여 나누는 수가 점점 작아지는 문제를 풀어보도록 하고 이때 몫이 어떻게 달라지는 지 찾아내 보도록 한다면 학생들 스스로 몫이 나누어지는 수보다 더 커질 수 있다는 것을 알아낼 수 있다. 문제를 제시하고 해결하는 중간에 교사가 생각해 볼 질문을 던져주면 규칙성을 이해하는데 도움이 된다.

설명 시범 관찰

먼저 이리 알고 있는 문제를 순차적으로 제시하고 풀어보게 한다. 나눗셈을 어려워하는 학생들을 위해 그림과 함께 나눗셈 문제를 표현해 준다면 더욱 좋다.

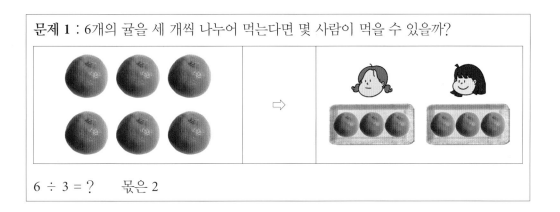

문제 1 : 6개의 귤을 세 개씩 나누어 먹는다면 몇 사람이 먹을 수 있을까?

$6 \div 3 = ?$ 몫은 2

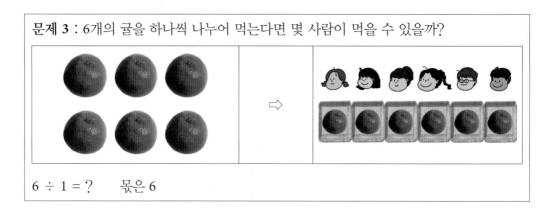

문제 2 : 6개의 귤을 두 개씩 나누어 먹는다면 몇 사람이 먹을 수 있을까?

6 ÷ 2 = ?   몫은 3

문제 3 : 6개의 귤을 하나씩 나누어 먹는다면 몇 사람이 먹을 수 있을까?

6 ÷ 1 = ?   몫은 6

　문제 1, 문제 2, 문제 3을 차례로 풀면서 나누어지는 수는 일정한데 나누는 수가 달라지고 있음을 학생들이 자연스럽게 알아채도록 하고, 나누는 수가 작아지면 몫은 점점 커진다는 것을 찾아낼 수 있도록 하는데 중점을 둔다.

교사　나누는 수가 작아질수록 몫은 어떻게 변하고 있나요?

　위의 문제에서 알아낸 사실로 나누는 수가 1보다 작아지는 경우의 몫을 예상하여 보도록 한 후 계산 방법 및 결과를 제시하여 설명한다.

교사　나누는 수가 1보다 작아지면 어떻게 될까요? 예상하여 봅시다.

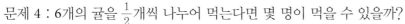

문제 4 : 6개의 귤을 $\frac{1}{2}$개씩 나누어 먹는다면 몇 명이 먹을 수 있을까?

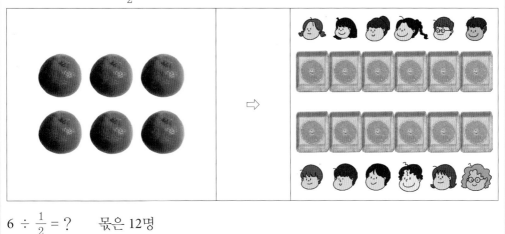

$6 \div \frac{1}{2} = ?$ 몫은 12명

지금까지 계산한 결과를 식으로 정리하여 보면 나누는 수가 달라짐에 따라 몫이 어떻게 변화하는 지 쉽게 이해할 수 있다. 알게 된 사실을 학생들이 스스로 정리하여 써 보도록 한다.

교사 이 식을 보고 알아낸 것을 이야기해 봅시다.

한번에 정리하기	알아낸 내용
$6 \div 3 = 2$ $6 \div 2 = 3$ $6 \div 1 = 6$ $6 \div \frac{1}{2} = 12$	– 나누어지는 수가 일정할 때 나누는 수가 작아지면 몫이 점점 커진다. – 나누는 수가 1보다 작아지면 몫이 나누어지는 수보다 커진다.

2단계 – 조작활동으로 이해하기

초등학교 6학년이면 형식적 조작기에 들어서는 시기이기는 하나 아직 구체물로 조작활동을 해야 쉽게 이해하는 수준의 학생들도 많다. 이런 학생들은 1단계 시범활동만으로는 분수의 나눗셈 원리를 완전히 이해했다고 보기 어렵다. 그래서 실제 문제풀이 단계에서 다시 당황하거나 오류를 범하는 경우가 있다.

이런 학생들을 위해 색종이를 오리고 접어보면서 구체적으로 조작하여 문제를 해결해 보도록 하면 좀 더 쉽게 이해할 수 있다.

색종이로 종이학을 접으려고 한다. 친구들과 나누어 접으려고 하는데 몇 명의 친구들이 필요할지 색종이를 직접 나누어 보며 계산하여 본다. 식으로도 표현해 보도록 한다.

모둠 친구들과 색종이로 종이학을 접으려고 합니다.

색종이 8장을 4장씩 나누어 종이학을 접는다면 몇 명이 종이학을 접어야 할까?

식으로 나타내면?   8 ÷ 4 = 2

2명이 접어야 한다.

색종이 8장을 2장씩 나누어 종이학을 접는다면 몇 명이 종이학을 접어야 할까?

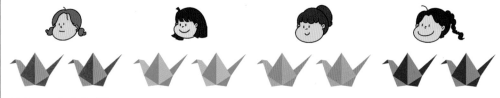

식으로 나타내면?   8 ÷ 2 = 4

4명이 접어야 한다.

색종이 8장을 1장씩 나누어 종이학을 접는다면 몇 명이 종이학을 접어야 할까?

식으로 나타내면?   8 ÷ 1 = 8

8명이 접어야 한다.

색종이 8장을 $\frac{1}{4}$장씩 나누어 종이학을 접는다면 몇 명이 종이학을 접어야 할까?

식으로 나타내면

$$8 \div \frac{1}{4} = 32$$

이렇게 총 32명이 접어야 한다.

단, 이번에 접은 종이학은 $\frac{1}{4}$ 크기의 작은 것이 될 것이다.

이번 활동에서도 나누는 수에 따라 몫이 어떻게 변화하는 지 학생들이 스스로 생각하여 알게 된 사실을 정리하여 써 보도록 한다. 교사는 학생들이 몫(종이학을 접는 학생 수)은 커지지만 한 명에게 돌아가는 색종이의 양(크기)이 점점 작아진다는 것도 깨달을 수 있도록 유도한다.

교사 위의 활동을 통해 알아낸 것을 이야기해 봅시다.

한번에 정리하기	알아낸 내용
$8 \div 4 = 2$ $8 \div 2 = 4$ $8 \div 1 = 8$ $8 \div \frac{1}{4} = 32$	−나누어지는 수가 일정할 때 나누는 수가 작아지면 몫이 점점 커진다. −나누는 수가 1보다 작아지면 몫이 나누어지는 수보다 커진다. −몫이 나누어지는 수보다 커질 수 있다.

교수 처방 2

교실 속 오류상황

$$\frac{2}{5} \div \frac{3}{4} = \frac{2}{5} \times \frac{4}{3} = \frac{8}{15}$$

나누는 수의 역수를 곱해 주면 돼.

왜 그런 거지?

고학년 학생들은 복잡한 연산 문제가 나왔을 때 그 원리를 이해하지 못하는 상태에서 공식대로만 문제를 푸는 경우가 많다. 학습할 당시에는 쉽게 문제를 해결하던 학생들이 나중에 같은 문제가 주어져도 풀이 방법을 전혀 기억하지 못하는데, 계산 알고리즘을 이해하지 못하고 기계식으로만 풀었기 때문이다.

6학년 정도 되면 학생들에게 수학 문제는 교과서에서만 다루어지는 현실과 동떨어진 학문이 된다. 실생활에 전혀 필요없는 계산문제를 끝없이 푸는데 지쳤기 때문이다. 분수의 나눗셈 학습의 핵심은 계산 알고리즘 이해를 통해 나눗셈의 원리를 터득한 후 기능을 숙달하도록 되어 있는데 학생들은 기능숙달에만 전념하여 왜 그러한지 이해하지 못한다.

계산 원리를 모르고 학원에서 푸는 방식만 익혀 기계적으로 풀기 때문에 수학이 더 지루하고 힘들어진다. 분수의 나눗셈 알고리즘을 이해하기 위해서는 나눗셈의 원리를 이해하고 학생들이 설명할 수 있도록 지도해야 한다. 분수의 나눗셈 알고리즘이 만들어지는 과정에 대해 알고리즘 원리를 이해하고 터득할 수 있도록 지도하는 것이 중요하다.

Tip

분수의 나눗셈에서 자연수 ÷ 자연수를 다루는 것은 분수의 나눗셈이 자연수의 나눗셈과 분수의 곱셈 단계를 기초로 하고 있기 때문이다.

예를 들어 가래떡 2개를 3명에게 나눠 주려고 할 때 계산식은 $2 \div 3 = \frac{2}{3}$로 한 사람이 가져갈 몫은 $\frac{2}{3}$이다. 이때 분수의 곱셈으로 접근하면 2를 3묶음으로 묶을 때 1묶음, 즉 $\frac{1}{3}$을 구하는 것과 같다. 즉 $2 \div 3 = 2 \times \frac{1}{3} = \frac{2}{3}$가 된다. 이 과정을 반복하여 개념을 이해하도록 한다.

1단계 – 나눗셈의 계산원리 이해하기

분수의 나눗셈 알고리즘을 이해하기 위해서는 나눗셈의 계산원리를 확실하게 이해하고 있어야 한다. 먼저 분수의 나눗셈 문제를 쉬운 것부터 단계적으로 제시하여 등수누감의 원리로 이해할 수 있도록 설명한다. 특히 나눗셈을 이해하지 못하는 학생들을 위해 문제를 식으로 나타내서 보도록 한 후 그림으로도 표현하여 설명해 준다.

`설명` `시범` `관찰`

분모가 같은 분수의 나눗셈은 분자끼리의 나눗셈과 같다.

〈문제 1〉

피자 $\frac{5}{6}$개를 $\frac{1}{6}$씩 나누어 먹으면 몇 명이 먹을 수 있을까?

–문제를 식으로 나타내기

$$\frac{5}{6} \div \frac{1}{6} = ?$$

-그림으로 이해하기

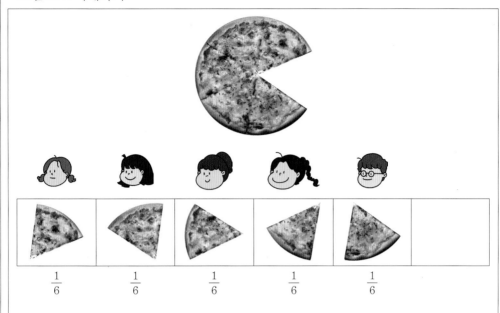

숫자를 없애보면 다음과 같다.

$$\frac{5}{6} \div \frac{1}{6} = 5 \div 1$$

-등수분할로 이해하기

$$\frac{5}{6} \div \frac{1}{6} = 5 \div 1 = 5$$

$$\frac{5}{6} - \frac{1}{6} - \frac{1}{6} - \frac{1}{6} - \frac{1}{6} - \frac{1}{6} = 0 \qquad \text{묶은 } 5$$

$$5 - 1 - 1 - 1 - 1 - 1 = 0 \qquad \text{묶은 } 5$$

-공식으로 이해하기

$$\frac{5}{6} \div \frac{1}{6} = \frac{5}{6} \times (1 \div \frac{1}{6}) = \frac{5}{6} \times (1 \times 6) = \frac{5}{6} \times 6 = 5$$

이 과정을 간단하게 만든 것이 <u>나누는 수의 역수를 곱해준다</u>는 공식이 된다.

2단계 – 알고리즘 원리 이해하기

분수의 나눗셈 문제풀이의 알고리즘은 계산하기 편리하도록 만들어진 것이다. 그러나 알고리즘 대로 문제를 푸는 것과 알고리즘이 왜 그렇게 되는 지 이해하는 것은 별개의 문제이다. 그 과정을 이해하기 위해서는 교사의 질문을 통해 좀더 많은 단서를 주고, 학생들에게 단계별로 생각해 볼 시간을 주어야 한다.

분수의 나눗셈 문제 풀이과정을 살펴보고 앞에서 배운 알고리즘을 적용하여 '÷(분수)'가 '×(분수의 역수)'로 바뀌는 과정을 설명하여 준다. 다만, 이 알고리즘은 수학적으로 명확하게 정리되어 설명될 수 있음을 강조한다. 이 알고리즘의 이해를 통해 학생들이 문제를 기계적으로 푸는 것이 아니라 계산 원리를 제대로 이해하고 해결하는 것임을 인식시켜야 한다.

설명 시범 관찰

다음 분수의 나눗셈 계산 과정이 정확히 진행되었는지 살펴보도록 한다. 주어진 질문에 대답하기 위해 식을 자세히 살펴보면서 학생들이 스스로 알고리즘이 생성되는 과정을 이해하는 것이 중요하다.

식 (가)

$$\frac{3}{5} \div \frac{7}{12} = \frac{3 \times 12}{5 \times 12} \div \frac{7 \times 5}{12 \times 5} = 3 \times 12 \div 7 \times 5 = \frac{3 \times 12}{7 \times 5} = \frac{3 \times 12}{5 \times 7} = \frac{3}{5} \times \frac{12}{7}$$

$$\text{(a)} \qquad \text{(b)}$$

식 (나)

$$\frac{3}{5} \div \frac{7}{12} = \frac{3}{5} \times \frac{12}{7}$$

식 (가)를 살펴보고 다음 질문에 대하여 답하여 봅시다.

교사 식 (가)의 (a)와 (b) 부분에서 무엇이 달라졌나요?

교사 (a)의 분모가 (b)처럼 달라져도 이 식은 성립하나요?

교사 7과 5의 자리를 바꾼 이유는 무엇일까요?

교사 식 (나)가 성립할 수 있는 이유를 설명하여 봅시다.

교사 식 (가)를 식 (나)와 같이 단순화하여 문제를 풀면 어떤 점이 편리할까요?

위와 같은 과정을 거쳐 만들어진 알고리즘이 문제를 편리하게 풀 수 있도록 해 주지만 그 과정과 원리를 이해할 수 있어야 함을 설명해 준다.

3단계 – 알고리즘 원리 적용하기

앞에서 배운 내용을 문제에 적용하는 단계이다. 학생들이 문제를 해결하면서 앞에서 배운 내용대로 단계에 맞게 문제를 풀고 그 원리를 설명할 수 있다면 나눗셈 계산 원리를 완전히 익혔다고 볼 수 있다. 아직도 정확히 이해하지 못하였다면 앞의 단계를 다시 되새겨 보거나 반복하도록 한다.

적용 **풀이**

문제 1. 다음 계산 문제를 위의 문제풀이 과정대로 풀어보세요. 그리고 분수의 나눗셈 계산원리 1과 2 중 어느 것을 적용하였는지 설명하여 봅시다.

$$\frac{5}{6} \div \frac{3}{4} = \frac{10}{12} \div \frac{\Box}{12} = 10 \div \Box = \frac{10}{\Box} = \Box$$

학생: 나눗셈 계산 원리 1로 계산할 수 있다. 분모를 같은 수로 만들고 분자끼리의 나눗셈으로 바꾸어 계산한다.

문제 2. 다음 계산 문제를 위의 문제풀이 과정대로 풀어보세요. 그리고 분수의 나눗셈 계산원리 1과 2 중 어느 것을 적용하였는지 설명하여 봅시다.

1) $\frac{2}{5} \div \frac{3}{4} = \frac{2 \times 4}{5 \times 4} \div \frac{3 \times 5}{4 \times 5} = \frac{\Box}{3 \times 5} = \frac{\Box}{5 \times \Box} = \frac{2}{5} \times \frac{\Box}{\Box}$

2) $\frac{8}{9} \div \frac{4}{5} = \frac{8}{9} \times \frac{\Box}{\Box} = \frac{\Box}{9} = \Box$

학생: 나눗셈 계산 원리 2를 이용하여 계산할 수 있다.

　　　문제 1에서 나누는 수의 역수를 곱해 주기 위해 3×5를 5×3으로 바꾸었다.

보이지 않는 쌓기나무는 어떻게 세어야 할까요?

학습 주제

쌓은 모양을 보고 사용된 쌓기나무의 수 구하기

성취 기준

〔6수02-10〕 쌓기나무로 만든 입체도형을 보고 사용된 쌓기나무의 개수를 구할 수 있다.

오개념

겉으로 보이는 부분의 쌓기나무의 수만 센다.

난개념

3차원 공간 안에서 물체의 위치와 관계를 파악하기 어렵다.

지도 요소

상황 진단

보이지 않는 쌓기나무는 어떻게 세어야 할까요?

교수 처방 1

교수 처방 2

오개념 처방

- 직접 쌓기나무를 쌓는 활동을 통해 겉으로 보이지 않는 부분에도 쌓기나무가 있음을 알도록 한다.
- 쌓기나무를 층별로 나누어서 층별 개수를 구하도록 한다.

난개념 처방

- 쌓기나무를 짧은 시간 보여주고 몇 개인지 알게 하는 활동을 통해 쉽게 기억하는 방법을 토의를 통해 알도록 한다.
- 쌓기나무를 다양한 방법으로 조각내어 개수를 구하도록 한다.

○ **성취 기준**　〔6수02-10〕 쌓기나무로 만든 입체도형을 보고 사용된 쌓기나무의 개수를 구할 수 있다.

○ **관련 단원**　6학년 2학기　3. 공간과 입체

○ **학습 주제**　쌓은 모양을 보고 사용된 쌓기나무의 수 구하기

○ **학습 목표**　쌓기나무로 쌓은 모양을 보고 사용된 쌓기나무의 수를 구할 수 있다.

상황 진단

아는 지식 (학생 실제 발달 수준)	교수 처방	알게 된 지식 (교육과정 성취 기준)
• 쌓기나무를 사용하여 여러 가지 모양 만들기 ■ 쌓은 모양을 보고 쌓기나무의 수를 셀 때 겉으로 보이는 부분을 셀 수 있음 ■ 쌓기나무로 보이는 모양대로 쌓을 수 있음	매체 ⇨ 토의 ⇨ 결론 오개념, 난개념 처방	• 쌓기나무로 만든 입체도형에 사용된 쌓기나무의 개수 구하기 ■ 겉으로 보이지 않는 부분에도 쌓기나무가 있음을 앎 ■ 쌓기나무를 다양한 방법으로 조각내어 개수를 구함

학습 계열

선수 학습	본 학습	후속 학습
• 쌓기나무를 사용하여 여러 가지 모양 만들기 – 2–2–6. 규칙 찾기	• 쌓기나무의 수 알아보기 • 여러 가지 방법으로 쌓기나무의 수 구하기	• 원기둥, 원뿔 알아보기 – 6–2–6. 원기둥, 원뿔, 구

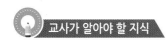

1. 쌓기나무

쌓기나무는 초등학교 수학과 교육과정의 한 영역으로 구성되어 있다. 3차원 입체도형인 쌓기나무로 '조건에 따라 여러 가지 모양으로 쌓기', '입체도형에 사용된 쌓기나무의 개수 구하기' 등의 활동을 통해 학생들의 공간 감각을 키울 수 있다.

2. 공간 감각

공간 감각이란 '자기 주위의 상황과 그 물체에 대한 직감(intuitive feeling)'으로 정의되며[1] 2차원이나 3차원의 공간 안에서 물체의 위치와 관계를 파악하는 능력을 말한다.

공간감각은 '공간 방향화', '공간 시각화', '공간을 기억하는 능력'의 3가지로 나누어 볼 수 있다. '공간 방향화'는 제시된 공간 형상의 패턴 배열을 이해하여 방향을 변화시켜도 혼란되지 않고 바르게 인식하는 능력이고, '공간 시각화'는 2차원으로 제시된 대상을 마음속으로 조작하거나 방향을 바꾸는 등 심상에 의해 회전, 재배열, 조합하는 능력이다. '공간을 기억하는 능력'은 보지 않고 대상을 회상하고 다른 대상과 관련시킬 수 있는 능력을 말한다.

학생들의 공간감각을 키우기 위해서는 물체의 방향과 조망, 모양의 변화와 크기의 변화, 물체의 상대적 모양과 크기 등 기하학적 관계성에 초점을 둔 경험을 제공하는 것이 필요하다.

3. 쌓기나무로 공간 감각을 키우는 활동

쌓기나무를 활용하여 공간 감각을 향상시키는 활동은 다음과 같이 할 수 있다.

1) 보기 : 쌓기나무를 직접 조작해 보고 생각을 구체화하도록 한다. 쌓기나무에서 패턴을 찾도록 한다.

2) 상상하기 : 쌓기나무로 구성된 입체도형을 보고 시각적으로 회상해 보고 마음속으로 대상을 조작해 보도록 한다.

3) 생각 그리기 : 쌓기나무로 구성된 입체도형의 모양이나 개수를 구하는 방법을 언어적으로 설명하지 않고 종이에 그려보게 한다.

---

1) 교사용지도서 105쪽

4) 관찰하기: 쌓기나무로 만든 입체도형을 여러 각도에서 관찰하고 2차원의 그림과 비교해보도록 한다.

5) 문제 해결 상황과 관련짓기: 쌓기나무로 만든 입체도형을 보여준 후 사용된 쌓기나무가 모두 몇 개인지 알아보도록 하고, 쉽게 기억해낸 전략을 그림으로 나타내 보도록 한다.

■ 참고문헌

• 교사용 지도서 6-2학기(2018), 교육부

교실 속 오류상황

쌓기나무로 만든 입체도형을 보여주고 사용된 쌓기나무의 개수를 구하게 하면 많은 학생들이 정확하게 구하지 못한다. 보이지 않는 부분의 쌓기나무 개수를 구하기 어렵기 때문이다.

2학년 2학기 6. 규칙 찾기 단원에서 학생들은 쌓기나무를 사용하여 여러 가지 모양을 만드는 학습을 했다. 6학년에서는 쌓기나무로 만든 입체도형의 모양을 보고 사용된 쌓기나무의 수를 구하는 활동을 하는데 학생들은 3차원 공간 안에서 물체의 위치와 관계를 파악하기를 어려워하며 보이지 않는 곳에 있는 쌓기나무의 수를 덜 세는 오류를 보이는 경우가 많다.

따라서 이 차시를 학습할 때는 쌓기 나무의 수를 직관적으로 알아보는 활동과 어떻게 생각해내었는지 쌓기나무의 수 세기 전략을 함께 토의하는 활동을 통해 겉으로 보이지 않는 부분에도 쌓기나무가 있음을 알도록 하고 쌓기나무를 다양한 방법으로 조각내어 개수를 구할 수 있도록 한다.

1단계 – 짧게 관찰하고 쌓기나무 개수 추론하기 [매체] [관찰] [추론]

    교사는 학생들에게 쌓기나무로 쌓은 입체도형을 3초 정도 보여주고 가린다. 이 때, 학생들이 입체도형을 관찰할 때 짧은 시간 내에 개수를 알아내어야 한다고 미리 공지하여 학생들은 저마다의 기억 전략을 사용하도록 한다.

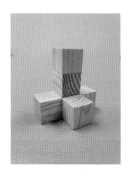

    쌓기나무를 가린 뒤 학생들에게 쌓기나무가 몇 개인지 추론하여 공책에 적도록 한다. 학생들은 몇 개인지 왜 그렇게 생각했는지 이유를 발표하도록 한다. 학생들은 발표를 하면서 다양하게 조각내어 보는 방법을 이야기한다. 층으로 조각내어 1층에서 꼭대기층까지 각 층의 쌓기나무 수를 세는 학생들도 있을 것이고, 앞에서 뒤로 세로로 잘라서 세는 학생들도 있을 것이다. 학생들은 친구들의 발표를 들으며 쌓기나무를 기억하는 좋은 전략을 서로 배우도록 한다.

    교사는 가렸던 쌓기나무 입체도형을 다시 보여준다. 정확하게 개수를 추론한 학생들도 있지만, 틀린 학생들도 있을 것이다. 틀린 학생들은 무엇 때문이었는지 이유를 이야기해 보도록 한다.

2단계 – 기억 전략 적용하고 토의하기 [토의] [발표] [해석]

    교사는 처음 보여 주었던 쌓기나무보다 조금 더 복잡한 쌓기나무를 보여 주고, 학생들에게 첫 번째 활동에서 들은 기억 전략 중 쉬운 기억 전략을 사용하여 두 번째 쌓기나무 입체도형에 사용된 쌓기나무의 수를 유추해 보도록 한다.

학생들은 유추한 쌓기나무 개수를 개인 칠판에 적어서 같은 수끼리 유목화하며 칠판에 붙인다.

학생들은 사용된 쌓기나무의 수와 어떤 방법을 사용했는지 발표한다. 이야기를 나눈 후, 쌓기나무로 만든 입체도형을 다시 보여주고 함께 사용된 쌓기나무 개수를 세어 본다.

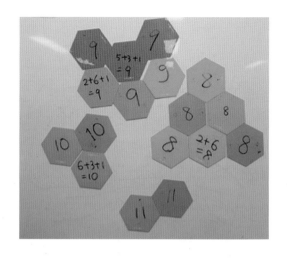

틀린 학생들은 어느 부분에서 틀렸는지 생각해보고, 틀린 이유를 찾아 발표하게 한다.

이 활동에서 '뒷벽'이나 '쌓기나무 안' 등 보이지 않는 부분에 쌓기나무가 있는지 없는지 알 수 없기에 정확한 개수를 구하기 어렵고, 사용된 쌓기나무의 수를 정확히 구하기 위해서는 새로운 조건(투영도)이 필요하다는 것을 알게 된다.

3단계 – 투영도 이용하기 탐구 토의 발표 경청

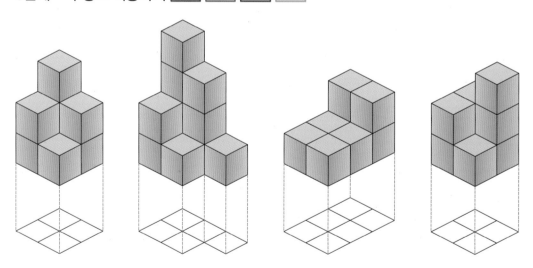

세 번째 활동에서 교사는 투영도가 함께 제시된 쌓기 나무 그림을 모둠별로 나누어 주고, 쌓기 나무 수를 구하는 다양한 방법을 토의하도록 한다. 모둠별로 토의한 내용을 글과 그림으로 정리하여 발표하도록 한다.

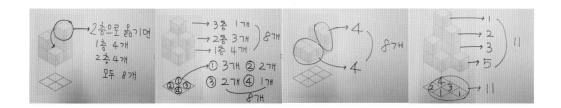

모둠별로 토의한 결과를 반 전체와 공유하고 질문과 답변을 통해 쌓기 나무 수를 구하는 방법을 정교화한다.

〈쌓기나무 개수를 구하는 다양한 방법〉

1. 바닥에 닿는 면에 번호를 붙여 세는 방법
2. 층별로 세는 방법
3. 쌓기 나무를 묶어서 세는 방법
4. 쌓기나무를 옮겨서 빈곳을 채워서 세는 방법

4단계 – 직접 쌓아보기 조작 결론

마지막 활동으로 교사는 투영도가 제시된 그림을 나누어준다. 학생들은 제시된 그림을 보고 짝과 함께 앞에서 배운 방법 중 1개를 선택하여 개수를 구해보고, 쌓기나무를 직접 쌓아보며 확인하도록 한다.

학생들은 수업을 통해 알게 된 쌓기나무의 개수를 알아보는 다양한 방법을 각자 공책에 정리한다.

강완, 나귀수, 백석윤, 이경화(2013), 『초등수학 교수 단위사전』, 경문사

강기원(2003). "수업 딜레마에 관한 해석학적 사례 연구"—초등 사회과를 중심으로—, 서울대학교 대학원 박사학위논문.

강기원(2004). "초등 사회과 교실 수업 이해", 『열린교육』, 제12권 2호, 한국열린교육학회, pp.57~58.

강기원(2006). "수업연구 발표대회에 관한 질적 사례 연구", 『사회과 교육』, 제45권 3호, p.242.

강인애(1997). 왜 구성주의인가?: 정보화시대와 학습자 중심의 교육환경. 문음사.

강인애(2007) 구성주의와 교과교육과정—사회과—.

강홍재, 권성용, 김성준, 김수환, 신준식, 이대현, 이종영, 최창우(2018), 2015 교육과정에 따른 초등수학 교수법, 동명사, 192—197

경상남도교육청(2012). 과학과 PCK 중심 수업설계. 경남교육 2012—035.

교육부, 과학과 교사용 지도서 3학년(2016.2).

교육부, 과학과 교사용 지도서 4학년(2016.2).

교육부, 과학과 교사용 지도서 5학년(2016.2).

교육부, 과학과 교사용 지도서 6학년(2016.2).

교육부, 수학과 교사용 지도서 2—1학기(2018).

교육부, 수학과 교사용 지도서 3—2학기(2018).

교육부, 수학과 교사용 지도서 4—1학기(2018).

교육부, 수학과 교사용 지도서 4—2학기(2018).

교육부, 수학과 교사용 지도서 5—1학기(2015).

교육부, 수학과 교사용 지도서 6—1학기(2018).

교육부, 수학과 교사용 지도서 6—2학기(2018).

교육부(2015), 「2015 개정 수학과 교육과정」

교육부(2017). 2015 개정교육과정 교수학습자료집

교육부(2018). 교사용지도서 수학3-1. 천재교육

곽영순(2007). 교육과정 개정에 따른 과학과 내용 교수 지식(PCK) 연구, 한국교육과정평가원 연구보고 RRI-2007-3-3, 한국교육과정평가원.

곽영순(2008). "과학과 교과교육학 지식 유형별 교사 전문성 신장 특징 연구", 『한국과학교육학회지』, 제28권 6호, pp.592~602.

곽영순 · 강호선(2005). 교사평가 수업평가, 도서출판 원미사.

권낙원 역(2001). 교수 방법. 원미사.

김경자, 온정덕(2014), 이해중심교육과정, 교육아카데미.

김덕희(2006). 학교단위 수업장학 평가 도구 개발, 경북대학교대학원 박사학위논문.

김성준 외(2015).『초등학교 수학과 교재연구와 지도법』. 동명사.

김수환, 박성택, 신준식, 이대현, 이의원, 이종영, 임문규, 정은실(2012),『초등학교 수학과 교재연구』, 동명사

문공주(2009). 교학교사 교수내용지식(PCK)의 구조와 형성 과정 탐색: 근거 이론에 의한 접근, 이화여자대학교 대학원 박사학위 청구 논문.

민현식(2001). "교수 화법론",『국어 화법과 담화 전략』, 한국화법학회.

박교식(2007), 수학용어다시보기, 수학사랑

박남수(2004). "수업관찰 및 분석방법". 대구대학교 강의자료.

박동용, 이윤종, 배상호, 최혜영, 서준혁, 백승기(2012), 현직교사와 함께 쓴 오개념 바로잡기 수학 · 과학 · 사회편, 도서출판 희소.

박병태 · 최현동 · 김용근 · 노영민 · 박상민(2012).『교사를 위한 초등학교 과학수업 따라하기』. 이담북스.

박성선 외(2017). 초등교사를 위한 수학과 교수법(개정판).

박성혜(2003). "교사들의 과학 교과교육학 지식과 예측 변인", 『한국과학교육학회지』, 제23권 6호, 671~683.

박일수(2012), 백워드 설계 모형을 적용한 단원개발에 대한 예비교사의 경험 기술 연구, 공주교육대학교.

박태호(1996). 사회구성주의 패러다임에 따른 작문 교육 이론 연구, 한국교원대학교 대학원 석사학위 논문.

박태호(2004). "좋은 국어 수업을 위한 수업 대화 전략과 수준", 『어문교육연구』, 제13집, 한국교원대학교 어문교육연구소.

박태호(2009). 초등 국어 수업 관찰과 분석, 정인 출판사.

박태호(2011). "국어 수업에 나타난 PCK 교수 변환 사례", 『학습자중심교과교육연구』, 제11권 4호, pp.103~121.

박태호(2013). 학생 배움 중심의 PCK 수업 컨설팅. 학생배움중심수업코칭전문가직무연수 자료.

백조현·박수홍·강문숙(2010). 스토리텔링기반 수학과 수업설계전략 모형개발: 확률과 통계를 중심으로, 『교육혁신연구』, 제20권 1호, pp.113~141.

변홍규(1996). 질문제시의 기법, 교육과학사.

서근원(2004). 산들초등학교의 교육공동체 형성에 관한 교육인류학적 접근, 서울대학교 대학원 박사학위 논문.

서근원(2007). 수업을 왜 하지, 우리교육.

서근원(2011). "아이의 눈으로 수업보기−교육적 실천으로서의 교육인류학의 수업 이해", 교원능력개발 현장지원 맞춤형 연수, 전라북도교육청.

설양환·박태호 외 역(2005). 효과적인 수업 관찰 기법, 아카데미프레스.

양윤정(2007). 교육과정 개정에 따른 미술과 내용 교수 지식 연구(PCK), 연구보고 RRI−2007−3−6, 한국교육과정평가원.

이경은(2007). 수업 실제에 나타나는 교사의 Pedagogical Content Knowledge에 관한 사례 연구: 중학교 도형의 성질을 중심으로, 서울대학교 대학원 석사학위 논문.

이경화(1996). "교수학적 변환론의 이해", 『대한수학교육학회 논문집』, 제6권 1호. 대한수학교육학회, pp.203~212.

이병석 역(1999). 교수 원리와 실제. 서울: 원미사.

이연숙(2006). 교수학적 내용지식(PCK) 및 그 표상(PCKr)의 개념적 정의와 분석 도구 개발: 예비 과학 교사의 '힘과 에너지' 수업 사례를 중심으로, 서울대학교 대학원 교육학 석사학위 논문.

이용률(2007). 수학능력을 기르기 위한 초등학교 수학의 지도 Ⅱ 指導 原理와 事例. 경문사.

이용률(2010). 초등학교 수학의 중요한 지도 내용. 경문사.

이용숙·조영태(1987). 국민학교 수업방법, 배영사.

이주섭 외(2002). "학교 교육 내실화 방안 연구(Ⅱ) 국어과 교육 내실화 방안−좋은 수업 사례에 대한 질적 연구−", 한국교육과정평가원.

이혜순(2006). 상징적 상호작용을 통한 수업문화 연구, 경인교육대학교 교육대학원 석사학위 논문.

이흔정(2009). "교사지식의 교수학적 변환 연구", 『교육의 이론과 실천』, vol. 14. no.1.

pp.145~166.

의정부과학교사모임.『과학선생님도 궁금한 101가지 과학질문사전』, 북멘토, 2011.

임성규(2008). "좋은 문학 수업의 기준과 요건-문화 현상으로로서의 초등학교 문학 수업", 『한국초등국어교육학회』, vol. 36, pp.389~418.

임찬빈 외(2004). 수업 평가 기준, 한국교육과정평가원, pp.64~65.

장은아(1999). 수업 중 교사 · 학생의 대화 전략, 한양대학교 교육학 석사학위 논문.

장효순(2009). CORE 개발 과정을 통한 과학 교사의 PCK 변화에 관한 사례 연구, 한국교원대학교 대학원 석사학위 논문.

전영석 · 이현정 · 이수아 · 임미량 · 황현정.『오개념탈출 프로젝트 과학2』, 아울북, 2009.

정유정(2010). CORE를 활용한 교육실습 수업지도 과정의 의미 탐색, 한국교원대학교 대학원 석사학위 논문.

정유경 · 송향란.『과학왕이 꼭 알아야 할 알쏭달쏭 엉뚱한 과학』, 한국헤르만헤세, 2014.

정지숙 외 2인.『초등과학 개념사전』, 아울북, 2010.

정지숙 · 신애경 · 황신영.『교과서가 훤히 들여다보이는 초등과학 개념사전』, 아울북, 2008.

정정훈 · 김영천(2005). "초등학교 초임교사의 전문성 발달과 딜레마에 관한 사례 연구", 『열린교육연구』, 제13권 2호, pp.71~100.

주은희(2014), 맞춤형 수업이 학습자의 이해와 학습 태도에 미치는 영향.

조벽(2001). 조벽 교수의 명강의 노하오 & 노와이, 해냄.

조성실(2009), 즐거운 수학 시간 만들기 2, ㈜우리교육, 95.

초등수학에서 유시스킨의 반 힐레 수준 검사지의 문제점 분석 및 개선 연구-2006 백은자 , 전주교육대학교 교육대학원.

초등학교 교육과정(2016), 교육부.

초등학교 학생들의 입체도형 개념 이해 정도와 오개념 연구-2013. 김명지, 대구교육대학교 교육대학원.

최현섭 · 박태호 · 이정숙(2000). 구성주의 작문 교수 · 학습론, 박이정.

한광래 · 최도성 · 전경문 · 김혜경 · 문병찬 · 김영균.『초등교사를 위한 자연과학』, 형설출판사, 2016.

한희정(2010). 교육과정의 설계와 실행에 구성된 PCK 분석: 초등 영어 교사 사례를 중심으로, 한국교원대학교 대학원 박사학위 논문.

Abell, S.K.(2007). Research on science teacher knowledge. In S.K. Abell and N.G. Lederman (Eds.), *Handbook of Research on Science Education*. Mahwah, NJ: Lawrence Erlbaum Associates, Publishers.

Andrews, D., Hull, T. E., & DeMeester, K. (2010). *Storytelling as an instructional method: research perspectives*. 정옥년, 김동식 역(2013). 스토리텔링 수업 연구. 강현출판사.

Ball, D., L.(1988). Knowledge and reasoning in mathematical pedagogy : examining what prospective teachers bring to teacher education. Unpublished doctoral dissertation, Michigan State, Michigan State University.

Borich, G., D.(2003). Observation skills for effective teaching, Pearson Education.

Brophy, J., & Good, T.(1986). Teacher behavior and student achievement. in M. C. Wittrock(ed.), *Handbook of research on teaching* (3rd ed), New York: Macmillian, pp.328–375.

Chen,W., & Ennis, C. D.(1995). Content knowledge transformation: An examination of the relationship between content knowledge and curricular. *Journal of Teaching & Teacher Education, 11*, pp.389–401.

Chevallard, Y.(1985). La Transposition Didactique, Grenoble: La Pensee Sauvage.

Clark, H. H., & Schaefer, E. F.(1989). Contributing to discourse. cognitive science, 13, 259–254.

Cochran, K., De, Ruiter., J., & King, R.(1993). Pedagogical content knowing—an integrative model for teacher preparation. *Journal of Teacher Education*, 44(4), 263–272.

Danielson, C., Axtell, D., Bevan, P., Cleland, B., Mckay, C., Phillips, E., Wright, K.(2009). Implementing The Framework for Teaching in Enhancing Professional Practice an ASCD Action Tool, ASCD.

Delaney, K., D.(1997). Understanding social studies for teaching: A sociocultural approach to teacher–interns' learning pedagogical social studies knowledge. Unpublished doctoral dissertation. University of North Carolina.

Duffy, G., Roehler, L., & Herrman, B.(1988). Modeling mental process helps poor readers become strategic readers. The Reading Teacher, 41(8), pp.762–767.

Egan, K.(1990). Educational Development, New York: Oxford University Press.

Fisher., D., & Frey., N.(2008). Better Learning through structured teaching, ASCD.

Florio–Ruane, S., & Lensmire, Timothy, J.(1989). Transforming Future Teachers' Ideas about Writing Instruction P. 28, ERIC Number: ED309440

Gallimore, R., & Tharp, R.(1992). "Teaching Mind in society : Teaching, schooling, and literate discourse" In Moll, L. C(ed), *Vygotsky and education : the instructional implication and applications of sociohistorical psychology*, NY : Cambridge University.

Gess—Newsome, J.(1999). Pedagogical content knowledge: An introduction and orientation. In J. Gess—Newsome and N. G. Lederman (Eds.), *Examining pedagogical content knowledge.* Boston: Kluwer Academic Publisher.

Graeser, A. C., Pearson , N. K., & Magliano, J.P.(1995). Collaborative dialogue patterns in naturalistic one to one tutoring, Applied Cognitive Psychology, 9, pp.359—387.

Grossman, P.(1990). *The Making of a Teacher: Teacher Knowledge and Teacher Education.* New York: Teachers College Press.

Hume, G. D., Evens, M. W., Rovick, A, & Michael, J. A.(1996). Hinting as a tactic in one—on—one, The Journal of Learning Science, 5, pp.23—47.

INTASC(2008). *Interstate New Teacher Assessment and Support Consortium,* 〈online〉, *available,* http://www.ccsso.org/intascst.

Lee, E.(2007). Literature review: Pedagogical content knowledge as specialized knowledge for teaching. *Journal of the Korea Association for Research in cience Education,* 27(8), 699—710.

Lee, E., & Luft, J.(2008). Experienced secondary science teachers' representation of pedagogical content knowledge. *International Journal of Science Education,* 30(10), 1343—1363.

Magnusson, S., Krajcik, J., and Borko, H. (1999). Nature,sources,and development of pedagogical content knowledge for science teaching. In J. Gess—Newsome and N. G. Lederman (Eds.), *Examining pedagogical content knowledge,* Boston: Kluwer Academic Publishers.

Marks, R.(1990). Pedagogical content knowledge: From a mathematical case to a modified conception. *Journal of Teacher Education,* 41, 3—11.

McArthur, D., Stasz, C., & Zmuidzinas, M.(1990). Tutoring techniques in algebra, cognition and instruction, 7, pp.197—244.

National Board for Professional Teaching Standards.(2001). Five Core proposition, [online], available: http://www.nbpts.org.

NCATE(1998). *Program standards for elementary teacher preparation(review and comment edition),* Washington DC : Author.

Park Soonhye(2007). "Teacher efficacy as an affective affiliate of pedagogical content knowledge" 한국과학교육학회지, 제27권 8호, pp.743—754.

Park(2005). A study of PCK of science teachers for gifted secondary students going through the National Boards certification process. unpublished doctoral disseration, University of

Georgia, Athens.

Park, S., and Oliver, S.(2008). Revisiting the conceptualization of pedagogical content Knowledge(PCK) : PCK as a conceptual tool to understand teachers as Professionals. *Research in Science Education*, 38(3), pp.261−284.

Rey, R.E., Seydam, M. N., Lindquist, M. M., & Smith, N. L.(1998). *Helping children learn mathematics* (5th edtion). 강문봉 외 18인 공역(1999). 「초등수학 학습지도의 이해」, 양서원

Roehler, L., & Duffy, G.(1991). Teacher's instructional action. In R. Barr, M Kamil, P. Mosenthal, & P.D.

Rosenshine, B., & Stevens, R.(1986). *Teaching functions*, in M. C. Wittrock(ed.), Handbook of research on teaching (3rd ed), New York: Macmillan, pp.376−391.

Rowe, M., B.(1974). Wait−time and rewards as instructional variables, their influence in language, logic and fate control. Part 1: wait time. J. Res. Sci. Teaching 11, pp.1−94.

Shulman, L., S.(1986). Those who understand: Knowledge Groth in Teaching, Educatonal Researcher, Vol, 15, No. 2, pp. 4−14.

Shulman, L., S.(1987). Knowledge and teaching: Foundations of the new reform. Harvard Educational Review, 57(1), 1−22.

Shulman, L., S.(2004). The wisdom of practice: essay on teaching, learning, learning to teach, Jossey−Bass A Wiley.

William, R., Veal., & James, G., MaKinster. (1999). "Pedagogical content knowledge taxonomies". *Electronic Journal of Science Education*, 3(4). Retrieved February, 26, 2003.

Wilson, S., M.(1988). Understanding historical understanding : Subject matter knowledge and the teaching of U.S. history. Unpublished doctoral dissertation. Stanford University.

Zemelman, S, Daniels, H., & Hyde A.(1998). *Best practice new standard for teaching and learning in America's school(2nd edition)*, NH : Reed Elsevier, Inc.

저자 약력

박태호
한국교원대학교 대학원 박사
한국교육과정평가원 연구원
유타주립대학교 방문 교수
현) 공주교육대학교 교수

공희자
2002 한세대 교육대학원 특수교육전공 석사
2004 한세대 문학대학원 사회복지전공 석사
저서 : 아하 학생 배움 중심을 PCK수업 설계 II(공저)
　　　Core 질문을 활용한 배움 중심 사회수업(공저)
　　　4C 핵심역량에 기초한 미래형 교실 수업(공저)
현) 경기도 수원 명인초등학교 수석교사

권현선
2004 서울교육대학교 교육대학원 초등미술 전공 석사
저서 : 아하 학생 배움 중심을 PCK수업 설계 II(공저)
　　　Core 질문을 활용한 배움 중심 사회수업(공저)
　　　4C 핵심역량에 기초한 미래형 교실 수업(공저)
현) 경기도 안양 안양남초등학교 수석교사

김종진
2017 성공회대 교육대학원 혁신교육전공(인문창의) 석사
저서 : 스스로 생각하는 코딩수학(공저)
현) 경기도 김포 옹정초등학교 교사

노은혜
2015 경인교육대학교 교육전문대학원 수학영재교육 석사
저서 : 스스로 생각하는 코딩수학(공저)
현) 경기도 수원 원천초등학교 교사

오순이
2002 한국교원대학교 교육대학원 초등컴퓨터교육전공 석사
저서 : 아하 학생 배움 중심을 PCK수업 설계 II(공저)
　　　Core 질문을 활용한 배움 중심 사회수업(공저)
　　　4C 핵심역량에 기초한 미래형 교실 수업(공저)
현) 경기도 안양 청계초등학교 수석교사

윤경란
2006 한국교원대학교대학원 초등과학교육전공 석사
저서 : 스스로 생각하는 코딩 수학(공저)
현) 경기도 수원 명인초등학교 교사

윤은선   2019 경인교육대학교 미술관 박물관 교육 전공 석사
현) 경기도 수원 명인초등학교 교사

이경헌   2018 경인교육대학교 교육대학원 사회과교육전공 석사 수료
현) 경기도 수원 오목초등학교 교사

이진희   1998 공주교육대학교 학사
저서 : Core 질문을 활용한 배움 중심 사회수업(공저)
4C 핵심역량에 기초한 미래형 교실 수업(공저)
현) 경기도 수원 천일초등학교 교사

이효경   2008 아주대 교육대학원 상담심리 전공 석사
저서 : 아하 학생 배움 중심을 PCK수업 설계 II(공저)
Core 질문을 활용한 배움 중심 사회수업(공저)
현) 경기도 수원 효정초등학교 수석교사

전소영   1997 광주교육대학교 초등교육학과 졸업
현) 경기도 오산 필봉초등학교 교사

조윤록   현) 경기도 수원 효정초등학교 교사

선생님도 헷갈리는 수학

-이렇게 공부해요-

발행일 2019년 8월 20일 초판 발행

저자 박태호, 공희자, 권현선, 김종진, 노은혜, 오순이, 윤경란, 윤은선, 이경헌, 이진희, 이효경, 전소영, 조윤록

발행인 구본하 ㅣ **발행처** (주)아카데미프레스

주소 04002 서울시 마포구 월드컵북로5길 33 2층(서교동 동아빌딩)

전화 02-3144-3765 ㅣ **팩스** 02-3142-3766 ㅣ **이메일** info@academypress.co.kr

웹사이트 www.academypress.co.kr ㅣ **출판등록** 2018. 6. 26 제2018-000184호

ISBN 979-11-964756-9-7 93370

값 23,000원

_ 저자와의 합의하에 인지첨부는 생략합니다.
_ 잘못된 책은 바꾸어 드립니다.